Référence

Les dicos d'or
de Bernard Pivot

Toute l'orthographe

Bénédicte Gaillard
Jean-Pierre Colignon

ALBIN MICHEL ■ MAGNARD

Conception graphique (intérieur) : Sarbacane/Magnard
Réalisation : Nord Compo
Édition : Aude André

Remerciements de Bénédicte Gaillard à Pierre Corbin
pour ses précieux conseils sur la dérivation.

© MAGNARD et Dicos d'or, 2005

Préface

de Bernard Pivot

Comment ça s'écrit ?

L'orthographe ne nous prend pas en traître. Avec ses deux *h*, elle annonce qu'elle n'est pas commode, qu'elle va nous compliquer la vie. Le mot *dictée* est plus hypocrite. Tout simple, il couvre pourtant un exercice difficile. Même si les *Dicos d'or* ont redonné à la dictée de la légitimité et de la popularité, elle passe, non sans raison, pour une épreuve redoutée.

Et pourtant, si l'on peut déplorer quelques bizarreries comme les bien connus *bonhomme* et *bonhomie*, *chariot* et *charrette*, *imbécile* et *imbécillité*, etc., l'orthographe est pour l'essentiel très logique. Quand on ne sait pas, on a beaucoup plus de chance de ne pas se tromper en optant pour la logique que pour l'extravagance. Si je devais désigner un mot dont l'orthographe me paraît être un modèle de rigueur, de bon sens, d'adéquation entre son écriture et la chose désignée, je choisirais sans hésiter *libellule*, joli et fragile insecte au vol saccadé, doté de quatre ailes et qui s'écrit avec… quatre *l*. Guidé par le même souci de faire coïncider l'écriture d'un mot avec son image, j'aurais bien ajouté un quatrième *p* à *hippopotame* pour assurer à l'animal plus de stabilité sur quatre pattes.

Redevenons sérieux, car rien n'est plus sérieux, rien n'est plus utile, rien n'est plus captivant, rien n'est plus… français que l'ouvrage de Bénédicte Gaillard, *Toute l'orthographe*. Rien que l'orthographe mais toute l'orthographe, du plus simple, les signes de ponctuation, au plus compliqué, le participe passé des verbes pronominaux. S'il est un mot qui s'applique à l'ensemble des pages dans lesquelles nous pénétrons le maquis de l'orthographe lexicale, puis de l'orthographe grammaticale, c'est bien *clarté*. Tout s'organise, tout se coordonne avec netteté et précision, même lorsque les mots composés et l'accent circonflexe s'emploient avec malignité à nous faire des croche-pieds.

Chemin faisant, on s'aperçoit que l'orthographe n'est pas la matière austère et rébarbative qu'on nous a trop souvent dépeinte. Elle est parfois espiègle et joyeuse. Surtout quand elle aborde des cas particuliers qui sont des plus insolites. Quitte à paraître un peu prétentieux, faut-il éviter d'employer le *nous* de modestie ? Peut-on dire que Blanche-Neige traite les sept nains *d'égal à égal* ? Quels sont les deux adjectifs se terminant par *ou* au masculin qui ont un féminin en *olle* ? Peut-on dire d'une femme qu'elle avait la voix et un chapeau pointus ? Sachant que les personnalités sont nombreuses à se détester et à s'éviter, faut-il écrire *le Tout-Paris* avec un trait d'union ?

Toutes les réponses sont dans ce livre qui aurait pu avoir comme sous-titre cette interrogation sans cesse entendue, sans cesse répétée, reprise au fil des siècles, à l'école comme au bureau, en famille comme dans les lieux publics : « Comment ça s'écrit ? »

Bernard Pivot

Avant-propos

TOUTE L'ORTHOGRAPHE... POUR TOUS !

Selon une idée assez communément répandue, l'orthographe serait un peu comme la potion magique : il y aurait ceux qui seraient « tombés dedans » quand ils étaient petits... et les autres !

Cet ouvrage s'adresse d'abord aux « autres » : qu'ils soient convaincus que le mal dont il se sentent accablés n'est pas un mal irrémédiable. Le français présente bien plus de régularités que d'exceptions. Connaître ces régularités permet d'écrire correctement au moins neuf mots sur dix dans un texte !

Toute l'orthographe s'adresse également à ceux qui « sont tombés dedans ». En effet, s'ils savent généralement comment s'écrit un mot, ils ne savent pas toujours dire pourquoi il s'écrit ainsi. Ils trouveront alors réponse dans les pages qui suivent.

UN OUVRAGE COMPLET, CONTENANT TOUTES LES RÈGLES D'ORTHOGRAPHE

Toute l'orthographe suit un ordre logique qui aborde les points d'orthographe en allant du signe seul aux accords des mots au sein de la phrase. Ainsi la première partie de l'ouvrage est-elle consacrée aux questions de typographie (ponctuation, majuscules, accents...).

La deuxième partie de l'ouvrage donne les clefs pour maîtriser l'orthographe lexicale, c'est-à-dire la façon dont les mots s'écrivent, tels qu'ils apparaissent dans un dictionnaire et ce quel que soit leur statut dans la phrase.

Enfin, la dernière partie aborde l'orthographe grammaticale et explique les règles d'accord qui permettent d'écrire correctement un mot en fonction des relations qu'il entretient avec les autres mots de la phrase.

De nombreuses annexes situées en fin d'ouvrage constituent des outils précieux auxquels l'utilisateur pourra se référer : tableaux récapitulatifs des différentes marques de pluriel ou de féminin, listes des principales abréviations, lexique, index, etc. On trouvera dans ces annexes toutes les explications relatives aux *Rectifications de l'orthographe* proposées par le Conseil supérieur de la langue française, dont il est souvent fait mention au fil des pages.

UN GUIDE PRATIQUE, POUR UNE CONSULTATION RAPIDE ET EFFICACE

Comment forme-t-on le féminin des noms et des adjectifs ? Où faut-il mettre un trait d'union ? Comment abrège-t-on un mot ? Quelles sont les règles de l'accord du participe passé ? Toutes les questions que l'on peut se poser trouvent immédiatement leur réponse grâce à une présentation extrêmement simple : un point d'orthographe par page.

Chaque explication est accompagnée d'exemples le plus souvent tirés de la littérature, du cinéma, de la mythologie ou de la vie quotidienne, qui viennent illustrer et concrétiser le propos tenu.

UN GUIDE MODERNE ET VIVANT, POUR VOUS RÉCONCILIER AVEC L'ORTHOGRAPHE !

La rubrique « Sitôt lu, sitôt su ! » présente, pour chaque notion abordée, un moyen simple et efficace de retenir un point d'orthographe, de distinguer deux homonymes, d'éviter une faute récurrente...

La rubrique « Qui l'eût cru ? » présente de façon ludique un aspect de la notion en la rattachant à une citation, à une anecdote, à une situation de la vie courante...

UNE COLLECTION COMPLÈTE... POUR MAÎTRISER TOUS LES ASPECTS DE LA LANGUE FRANÇAISE

Les ouvrages de la collection « Dicos d'or Référence » ont été conçus dans le but de répondre clairement et simplement à toutes les questions que peuvent se poser les élèves, les enseignants, les parents ou un public plus large. Aussi utiles en classe qu'au bureau ou à la maison, ils sont essentiels pour progresser avec bonne humeur dans la maîtrise de la langue française ! *Toute la grammaire* et *Toute la conjugaison* sont les indispensables compléments de cet ouvrage.

Sommaire

L'ORTHOGRAPHE ET LES SIGNES

L'ORTHOGRAPHE LEXICALE

L'ORTHOGRAPHE GRAMMATICALE

La morphologie

Les accords

Quelques cas particuliers

ANNEXES

Des signes pour écrire

Pour transcrire l'oral à l'écrit, nous nous servons de différents signes graphiques.

L'ALPHABET

- L'alphabet latin, qui sert à écrire les mots du français, comporte six **voyelles** et vingt **consonnes**.

  voyelles : *a, e, i, o, u, y*

  consonnes : *b, c, d, f, g, h, j, k, l, m, n, p, q, r, s, t, v, w, x, z*

On peut ajouter à ces lettres **œ**, que l'on nomme *e* dans l'*o* ou ligature.

  sœur, bœuf, œil

On rencontre aussi **æ**, mais beaucoup plus rarement (*ex æquo, cæcum*).

QUI L'EÛT *cru*

Les auteurs de textes, pour gagner du temps... et donc de l'argent, recourent très souvent à l'« épelure », c'est-à-dire à l'écriture par l'épellation des lettres. Mais, pour autant, cet exercice ne date pas d'aujourd'hui, ni même d'hier. Sans vouloir remonter aux premiers utilisateurs du système, nous citerons Alphonse Allais, qui, entre autres, prétendit avoir écrit un roman (!) dont le titre était *O DS FMR !* (*Ô déesse éphémère !*).

- Chaque lettre permet de transcrire les sons, mais il n'y a pas d'équivalence stricte : un seul son peut être traduit par plusieurs lettres ; une seule lettre peut transcrire plusieurs sons ; enfin certaines lettres ne se prononcent pas. Pour plus de détails, voir p. 56.

  Le son [ʃ] s'écrit avec deux lettres *ch* ; la lettre *x* peut correspondre à deux sons [gz].

LES AUTRES SIGNES

- Les signes diacritiques se placent sur ou sous certaines lettres pour en modifier la valeur ou pour empêcher la confusion entre homophones*. Le français connaît les **accents** [voir p. 62], le **tréma** [voir p. 68] et la **cédille** [voir p. 90].

  élève, élevé *– mais, maïs – percuter, perçu*

- On utilise l'**apostrophe** (') dans l'élision [voir p. 57] et le **trait d'union** (-) pour relier des mots entre eux [voir p. 43].

  l'ami, tu t'en vas

  garde-barrière, donne-le-moi

- Enfin, la **ponctuation** est constituée de signes qui peuvent servir à transcrire certaines particularités de l'oral (pauses, intonation...) [voir p. 14].

SITÔT LU *sitôt su*

Le nom des voyelles et de certaines consonnes commence à l'oral par... une voyelle. Il y a donc hésitation pour marquer ou non l'élision devant le nom de ces lettres. Les deux pratiques sont admises.

  Le ***s*** *en français est la marque du pluriel.* (ou *L'****s*** *en français est la marque du pluriel.*)

La ponctuation : généralités

La ponctuation est un système propre à l'écrit qui correspond néanmoins à différentes pauses ou intonations à l'oral.

PRINCIPES

- La ponctuation permet :
  - de délimiter les **phrases** au sein d'un texte ;
    Le roi Dagobert s'est trompé. Saint Éloi le lui a fait remarquer.
  - de délimiter des **groupes syntaxiques** au sein de la phrase ;
    C'est vrai, dit le roi, je me suis trompé.
  - de reconnaître les **types** de phrase.
    Vous êtes essoufflé. (déclarative) – *Vous êtes essoufflé !* (exclamative)
    Vous êtes essoufflé ? (interrogative)

QUI L'EÛT *cru*

La ponctuation exprime une infinité de nuances. Ainsi, les variations sur la petite phrase suivante s'accompagnent d'une courbe croissante d'impatience :
« Le président vient enfin d'arriver. »
« Le président vient, enfin, d'arriver. »
« Le président vient – enfin – d'arriver. »
« Le président vient... enfin (!) d'arriver ! »

- L'usage de la ponctuation peut varier d'un auteur à l'autre. Cependant, il est nécessaire de respecter certaines règles liées à l'emploi de chacun des signes.

LES DIFFÉRENTS SIGNES

point	.	*Saint Éloi conseille le roi.*	[voir p. 15]
point d'interrogation	?	*A-t-il vraiment besoin de conseils ?*	[voir p. 16]
point d'exclamation	!	*Votre Majesté est mal culottée !*	[voir p. 17]
points de suspension	...	*Le roi est un peu étourdi, un peu peureux...*	[voir p. 18]
point-virgule	;	*Il n'en fait qu'à sa tête ; je l'avais pourtant prévenu.*	[voir p. 19]
virgule	,	*Le roi, qui s'était mal culotté, n'avait rien remarqué.*	[voir p. 20-21]
deux-points	:	*Voici un conseil : remettez votre culotte à l'endroit.*	[voir p. 22]
guillemets	« »	*« Que feriez-vous à ma place ? », lui demanda-t-il.*	[voir p. 23]
parenthèses	( )	*Saint Éloi (mort en 660) est le patron des orfèvres.*	[voir p. 24]
crochets	[ ]	*« C'est vrai [...] je vais la remettre à l'endroit. »*	[voir p. 25]
tiret	–	*« Vous êtes essoufflé. – C'est vrai. »*	[voir p. 26]

SITÔT LU *sitôt su*

On appelle ponctuation forte les signes de ponctuation qui peuvent marquer la fin d'une phrase, à savoir : le point, le point d'interrogation, le point d'exclamation et les points de suspension. L'emploi d'une ponctuation forte implique que le premier mot qui suit commence par une majuscule.

Le point

Le point est le signe de ponctuation le plus souvent utilisé pour marquer la fin d'une phrase. Mais il a d'autres emplois.

FIN DE PHRASE

● Le point marque la **fin** d'une phrase déclarative* ou impérative*, le début de la phrase étant marqué par une majuscule.

Daniel est déménageur.

Viens chez moi.

À l'oral, le point se traduit par une baisse de l'intonation et par une pause plus longue.

QUI L'EÛT *cru*

Dans les télégrammes, l'usage est d'indiquer par le mot *stop* la fin de chaque phrase. Il peut être fâcheux de se contenter de points si l'on ne maîtrise pas le découpage des groupes ! Entre « Chien mange. Pas malade ! » et « Chien mange pas. Malade ! », il y a la marge qui va plonger le maître du brave toutou soit dans le soulagement, soit dans la consternation...

● Même lorsque la phrase est averbale*, elle se termine par un point.

À cœur vaillant, rien d'impossible.

Cependant, il est d'usage de ne pas mettre de point à la fin d'un titre, notamment si le titre est centré dans la largeur de la page.

Viens chez moi, j'habite chez une copine

Filmographie de Patrice Leconte

AUTRES EMPLOIS

● On emploie le point dans les **abréviations** dont on ne donne que la ou les premières lettres [voir p. 29].

etc. (pour ***et c**etera*), *ch.* (pour ***ch**erche*), *av. J.-C.* (pour ***av**ant **J**ésus-**C**hrist*)

Quand l'abréviation comporte la ou les dernières lettres du mot, on ne met pas de point abréviatif.

appt (pour ***app**artemen**t***), *Mme* (pour ***M**ada**me***)

● On ne met pas de point entre les **chiffres** que l'on groupe par trois.

100 000 € (et non ~~100.000 €~~)

Si une phrase se termine par une abréviation comportant un point, le point abréviatif et le point de phrase se confondent : on ne mettra donc qu'un seul point.

En fait, Guy n'est qu'un être odieux, inconscient, égoïste, cynique, roublard, lâche, hypocrite, etc.

SITÔT LU *sitôt su*

Le point d'interrogation

Le point d'interrogation est le point spécifique à l'interrogation directe.

CAS GÉNÉRAL

- Le point d'interrogation se place à la **fin** d'une interrogation directe.
  Que dit Tintin **?**

À l'oral, le point d'interrogation se traduit par une hausse de l'intonation et par une pause plus longue.

- Une phrase **averbale*** correspondant à une question se termine également par un point d'interrogation.
  Quel avenir pour Tournesol **?**

QUI L'EÛT *cru*

Dit, par abréviation familière, « rog » dans la presse et l'imprimerie, le point d'interrogation figurant, par exemple, à la fin d'un titre d'œuvre doit absolument être maintenu, quelle que soit la ponctuation qui peut le suivre directement. Ainsi, dans une phrase exclamative, le point d'interrogation (en italique) terminant le titre du chef-d'œuvre du Polonais Sienkiewicz devra précéder le point d'exclamation final (en romain) : « Que de fois j'ai lu *Quo vadis ?* ! »

- Le point d'interrogation est maintenu dans les **titres**.
  Quelles sont ses dernières découvertes **?**

CAS PARTICULIERS

- Lorsque la phrase interrogative est incluse dans une phrase, notamment lorsque la question est suivie d'une phrase **incise***, on place le point d'interrogation à la fin de la question, avant l'incise.

Dans ce cas, le premier mot qui suit le point d'interrogation ne prend pas la majuscule de début de phrase.
  Que dit Tintin **? d***emanda le professeur Tournesol.*
  « Que dit Tintin **?** *»,* **d***emanda le professeur Tournesol.*

- Le plus souvent, lorsque deux ou plusieurs questions sont coordonnées, on ne met un point d'interrogation qu'à la fin de la phrase.
  Où Tintin est-il parti et pourquoi **?**

SITÔT LU *sitôt su*

Si une phrase appelle une réponse, c'est une phrase interrogative : elle se termine donc par un point d'interrogation. En revanche, si elle n'appelle pas de réponse, elle ne pose pas de question directe et ne peut donc se terminer par un point d'interrogation.

Tournesol a-t-il compris ce que lui a dit Tintin **?** *– Non* (on attend une réponse → point d'interrogation)
Je me demande si Tournesol a bien compris. (on n'attend pas de réponse → pas de point d'interrogation)

Le point d'exclamation

Le point d'exclamation est le point spécifique à la phrase exclamative.

PHRASE EXCLAMATIVE

- Le point d'exclamation à la fin d'une phrase marque que l'on **prend position** par rapport à ce que l'on écrit.

  Sa chanson est triste **!** (le point d'exclamation marque l'étonnement, le regret, l'admiration... ; avec un point, on aurait eu une simple constatation)

- C'est le cas de toutes les phrases qui contiennent un mot **exclamatif*** tel que *comme, que, quel...*

  Comme elle est gentille d'être allée caresser le hérisson **!**

QUI L'EÛT cru

Un certain Jean-Paul Brès s'est gaussé de la ponctuation – à ses yeux grandiloquente – de Victor Hugo. Pastichant les excès de la ponctuation dite expressive, Brès termina sur... huit points d'exclamation un poème sarcastique qu'il avait concocté pour se moquer de l'écrivain : « [...] armer de trente points un vers de comédie ; / Et sous leurs traits puissants, qui savent tout dompter, / Foudroyer le lecteur qui ne peut les compter !!!!!!!! »

- La phrase impérative se termine normalement par un point [voir p. 15]. Cependant, si l'on souhaite donner plus de vigueur à l'ordre ou l'accompagner de l'expression d'un sentiment (exaspération, impatience...), on peut mettre un point d'exclamation.

  Ne va surtout pas caresser le hérisson **!**

INTERJECTION

- On place également un point d'exclamation après les **interjections**. On le reprend alors en fin de phrase.

  Oh **!** *que sa chanson est triste* **!** – *Aïe* **!** *je me suis piqué en voulant caresser le hérisson* **!**

- Lorsque l'interjection comporte deux ou plusieurs mots, ou lorsqu'elle est redoublée, on ne met généralement qu'un seul point d'exclamation après le dernier terme de l'interjection.

  Eh bien **!** *j'irai le caresser moi-même. Aïe aïe aïe* **!** *ça pique !*

- Lorsque l'interjection est insérée dans la phrase, elle est également suivie du point d'exclamation, et on ne met pas de majuscule au mot qui suit.

  Personne ne voulait, hélas **!**, *caresser le hérisson.*

Ô est un terme qui sert à introduire les mots mis en apostrophe*. Ce n'est pas une interjection : il n'est donc jamais suivi directement d'un point d'exclamation.

Sois sage, ô ma Douleur, et tiens-toi plus tranquille. (Baudelaire)

On retrouve le point d'exclamation si *ô* est dans une interjection.

Ô mon Dieu **!** *J'ai peur d'aller caresser le hérisson !*

SITÔT LU
sitôt su

Les points de suspension

Les points de suspension indiquent qu'il y a « suspension » de l'énoncé.

VALEURS

- On emploie les points de suspension :
  - ➤ à la fin d'une **énumération** pour indiquer qu'elle n'est pas complète ;
    Astérix, Obélix, Panoramix... sont les héros gaulois.
  - ➤ pour signaler un **sous-entendu** ;
    Oui, je sais : je suis tombé dedans...
  - ➤ quand la phrase est **interrompue** par le locuteur ou par son interlocuteur.
    Regarde les Romains qui... – Où ça ?

QUI L'EÛT *cru*

Les points de suspension ont la même valeur que l'abréviation *etc.* Les associer relève donc du pléonasme. Toutefois, dans la langue soignée, ils ne sont pas toujours interchangeables : on considère qu'employer *etc.* à la fin d'une énumération de prénoms ou de patronymes est désinvolte et de mauvais goût. On écrit donc : « Tous les cousins et petits-cousins du marié étaient là : Marc, Guy, Jean-Philippe, Olivier, Benoît, Rémi... »

- Ils peuvent également transcrire l'hésitation.
  Falbala... je voulais te dire... enfin...

- Dans une citation, les points de suspension placés entre crochets signalent qu'un passage a été coupé.

EMPLOIS

- Lorsque les points de suspension terminent une phrase, ils n'empêchent pas le point d'exclamation ni le point d'interrogation.
  As-tu vu les Romains ?... – Quels Romains ?

En revanche, ils se confondent avec le point de fin de phrase ou le point abréviatif [voir p. 15]. Si l'on souhaite maintenir le point abréviatif, il faut alors mettre une espace entre le point abréviatif et les points de suspension.
  C'était en 50 av. J.-C... ou peut-être avant. (ou *en 50 av. J.-C. ... ou peut-être avant*)

- Les points de suspension suivent directement le dernier mot d'une énumération et ne sont pas précédés d'une virgule.
  Astérix, Obélix, Panoramix... (et non ~~*Astérix, Obélix, Panoramix,...*~~)

- Avec un traitement de texte, il est conseillé d'utiliser le caractère ... plutôt que de taper trois points successivement. On peut obtenir ce caractère en maintenant la touche [Alt] enfoncée tout en tapant 0133 sur un PC et [Alt] avec [;] sur Macintosh.

SITÔT LU *sitôt su*

Les points de suspension employés à la fin d'une énumération ont la même valeur que *etc.* On utilise donc les trois points ou l'abréviation, mais pas les deux en même temps.
Obélix apprécie beaucoup les grillades de sanglier, de poulet, de dinde...
(ou *Obélix apprécie beaucoup les grillades de sanglier, de poulet, de dinde, etc.*)

Le point-virgule

Comme son nom l'indique, l'emploi du point-virgule tient à la fois de celui du point et de celui de la virgule.

VALEURS DU POINT

● Tout comme le point, le point-virgule peut se placer à la fin d'une proposition. D'une valeur moins forte que le point, il indique alors que cette proposition a un **lien étroit** avec la proposition suivante.

Peindre la cage, c'est bien **;** *la peindre avec attention, c'est encore mieux.*

C'est notamment le cas lorsque la deuxième proposition contient une conjonction* de coordination ou un adverbe de liaison.

L'oiseau a mis du temps à venir **;** *pourtant j'avais peint une belle cage.*

QUI L'EÛT *cru*

Le point-virgule sert souvent à séparer les deux prémisses d'un syllogisme : « Azor est un chien ; tous les chiens ont quatre pattes. Azor a quatre pattes. » Ces deux prémisses sont à mettre sur le même plan, d'où le point-virgule. La conclusion, elle, est précédée d'un point.
La ponctuation est la même quand il s'agit d'un syllogisme dit « vicieux », surtout destiné à divertir : « Ma belle-sœur s'appelle Cunégonde Trifouilloux ; elle a de la moustache. Toutes les belles-sœurs ont de la moustache. »

● Le point-virgule ne peut jamais terminer un texte. Il appelle toujours une suite.

VALEURS DE LA VIRGULE

● À l'intérieur d'une même phrase, on emploie le point-virgule pour **juxtaposer** des membres de phrase qui comportent eux-mêmes des éléments séparés par une ou plusieurs virgules.

Il faudra d'abord peindre une cage, une porte ouverte et quelque chose de joli **;** *ensuite, un arbre, des feuilles vertes et tout ce qui pourra plaire à l'oiseau.*

● On place ainsi, le plus souvent, un point-virgule après chaque élément d'une **énumération** présentée sous forme de liste.

Pour faire le portrait d'un oiseau, il faut :
– de la peinture **;**
– un bel endroit **;**
– beaucoup de patience.

On ne met pas de majuscule au mot qui suit un point-virgule (sauf, bien sûr, s'il s'agit d'un nom propre). C'est pour cela que, sur les claviers, il est inutile d'enfoncer la touche majuscule pour obtenir un point-virgule, alors que cela est nécessaire pour obtenir un point.

SITÔT LU *sitôt su*

Virgule et coordination

La virgule s'emploie dans la coordination. Mais son emploi répond à certaines règles précises.

EMPLOIS

● La virgule sépare des termes ou des propositions **juxtaposés** : c'est-à-dire de même fonction, mais qui ne sont pas reliés par *et, ou, ni*.

*Le prince**,** la cour**,** la population de Lilliput appréciaient peu à peu ce géant.*

Le plus souvent, on remplace la dernière virgule par une conjonction.

*Le prince**,** la cour* ***et*** *la population...*

QUI L'EÛT *cru*

Exception : lorsque plusieurs sujets au singulier sont juxtaposés et précèdent un verbe au pluriel, la règle classique veut que l'on mette aussi une virgule entre le dernier de ces sujets et le verbe, afin de ne pas faire ressortir à l'œil une association curieuse qui peut heurter : « Titeuf, Ric Hochet, Corto Maltese, Fantasio, voulaient faire boire de l'eau au capitaine Haddock ! »

● On met une virgule entre deux propositions reliées par une **conjonction* de coordination**, notamment avec *mais, car, donc* ou *or*. Le point-virgule est également possible, mais il marque une séparation plus forte [voir p. 19].

*Gulliver était un bon géant**,** mais les Lilliputiens ne le savaient pas.*

● On met également une virgule entre deux propositions reliées par un **lien logique** sans que soit explicité ce lien par une conjonction ou par un adverbe de liaison. La virgule peut alors faire concurrence au deux-points [voir p. 22].

*Ne craignez rien**,** je ne vous veux aucun mal même si je suis plus grand que vous.* (on aurait pu avoir, à la place de la virgule, le deux-points ou la conjonction *car*)

OMISSION DE LA VIRGULE

On ne met pas de virgule lorsque deux termes sont déjà reliés par ***et, ou, mais*** ou ***ni***.

Les Lilliputiens sont petits et craintifs. Cependant, ils ne sont ni paresseux ni méchants.

Mais quand la conjonction est, pour des raisons d'expressivité, répétée devant chacun des termes, on emploie la virgule s'il y a au moins trois termes coordonnés.

*Les Lilliputiens sont et petits**,** et craintifs**,** et méfiants.*

SITÔT LU *sitôt su*

À la fin d'une énumération, on fait précéder *etc.* d'une virgule (on peut se rappeler que *etc.*, bien qu'étant une abréviation, reste un mot que l'on coordonne, au même titre que les autres mots, avec la virgule). En revanche, pas de virgule avant les points de suspension (on peut se rappeler que deux signes de ponctuation se suivent rarement).

*Les Lilliputiens apprécient Gulliver pour sa gentillesse, son courage, sa bonté**,** etc.* (ou *pour sa gentillesse, son courage, sa bonté...*)

Virgule et démarcation

Outre son rôle de substitut de la coordination [voir p. 20], la virgule peut s'employer pour délimiter certains éléments à l'intérieur de la phrase.

DÉMARCATION

Les virgules permettent d'encadrer un membre de la phrase qui apporte une explication, une information supplémentaire en en marquant la limite gauche et la limite droite. C'est notamment le cas pour :

- les appositions* et les épithètes* **détachées** ;
  Gulliver, victime d'un naufrage, échoue chez les Lilliputiens.

QUI L'EÛT cru

« L'élixir bien connu du Père Gaucher damnerait un saint. Alors, vous pensez, de simples épicuriens et gourmets ! » : l'acception de ce propos est claire, on veut dire que ledit Père Gaucher est l'auteur d'une liqueur que tout le monde apprécie. Mais si l'on dit : « L'élixir, bien connu du Père Gaucher, damnerait [...] », il devient évident que cette personne consomme... sans modération le liquide dont il est question.

- les propositions **incises*** ;
  Les Lilliputiens, expliqua-t-il, sont devenus mes amis.
- les **relatives explicatives** [voir *Toute la grammaire*, p. 154].
  Ainsi la phrase *Les Lilliputiens, qui sont devenus ses amis, s'entendent bien avec Gulliver* signifie que **tous** les Lilliputiens s'entendent bien avec Gulliver et l'on explique qu'ils sont tous devenus ses amis ; alors que la phrase *Les Lilliputiens qui sont devenus ses amis s'entendent bien avec Gulliver* signifie qu'une partie seulement des Lilliputiens, ceux qui sont ses amis, s'entendent bien avec lui.

RÈGLES D'EMPLOI

- Si l'élément encadré se trouve en début de phrase, la limite gauche est marquée par la majuscule et non par la virgule.
  À la suite de son naufrage, Gulliver échoua au pays de Lilliput.
  Victime d'un naufrage, Gulliver a échoué chez les Lilliputiens.
- S'il se trouve en fin de phrase, la limite droite est marquée par la ponctuation de fin de phrase et non par la virgule.
  Gulliver s'entend bien avec les Lilliputiens, qui sont devenus ses amis.

SITÔT LU sitôt su

Ce qui est mis entre virgules peut toujours être supprimé. Un sujet, un complément essentiel ne peuvent jamais être supprimés. Ils ne sont donc jamais séparés du verbe par une virgule et ce, quelle que soit leur longueur.

Ceux qui avaient vraiment confiance en lui ont regretté son départ.
(et non ~~*Ceux qui avaient vraiment confiance en lui, ont regretté son départ*~~.)

Le deux-points

Le deux-points (également appelé « les deux-points ») a pour principale fonction d'annoncer une suite. On y a recours dans différents cas.

CITATION

Le deux-points annonce que ce qui suit est la **reproduction** des paroles de quelqu'un, d'un passage cité. Il est alors accompagné des guillemets qui délimitent ce qui est reproduit [voir p. 23].

La reine répétait sans cesse **:** *« Qu'on lui coupe la tête ! »*

On n'utilise pas le deux-points si la citation précède la proposition qui l'annonce ou si elle fait partie intégrante de la phrase.

« Qu'on lui coupe la tête ! », répétait sans cesse la reine.
Elle avait lu « Mange-moi » sur le gâteau.

QUI L'EÛT *cru*

Dans l'usage français, le deux-points est – dans un texte imprimé – précédé et suivi d'un (ou une) espace fort(e), ou d'un espace mot si l'on préfère la terminologie de la dactylographie à celle de l'imprimerie. C'est logique, puisque ce signe est un instrument de liaison à mi-chemin de l'amorce de la phrase et de l'explication qui suit. Pour une fois, l'esprit cartésien censé être bien français est avéré !

ÉNUMÉRATION

Le deux-points annonce une **énumération**. Les termes énumérés sont soit juxtaposés et séparés par des virgules, soit disposés sous forme de liste et séparés alors par des points-virgules [voir p. 19].

Elle rencontre de curieux personnages **:** *un lapin pressé, une reine de cœur, un chat invisible, un chapelier toqué...*

COORDINATION

Le deux-points peut également annoncer un **lien logique** entre deux propositions (cause, conséquence, justification, explication...).

Tout le monde doit être à l'heure **:** *c'est le non-anniversaire de la reine.* (cause)
La poignée proposa à Alice une solution **:** *boire le contenu de la bouteille.* (explication)

SITÔT LU
sitôt su

Pour éviter d'employer deux fois dans une même phrase le deux-points, il faut essayer de remplacer l'un des deux par le point-virgule, des parenthèses, une conjonction, un adverbe...

Soudain tous les personnages (lapin, reine, chat...) disparurent : Alice venait de se réveiller. (et non ~~*Soudain tous les personnages : lapin, reine, chat... disparurent : Alice venait de se réveiller*~~)

Les guillemets

Les guillemets encadrent – à gauche par le guillemet ouvrant («), à droite par le guillemet fermant (») – un ou plusieurs mots, une ou plusieurs phrases.

POUR QUEL EMPLOI ?

● On emploie les guillemets quand on **cite** un extrait de texte ou des paroles. Les guillemets encadrent alors ce qui est reproduit, la citation.

(1) *Voltaire a écrit :* **«** *Comme le despotisme est l'abus de la royauté, l'anarchie est l'abus de la démocratie.* **»**

(2) **«** *L'État, c'est moi* **»***, a dit Louis XIV.*

QUI L'EÛT *cru*

« Il n'y a plus de Pyrénées ! », aurait dit Louis XIV. Si le Roi-Soleil a bien prononcé, rigoureusement, cette phrase, les guillemets sont justifiés. Las ! la vérité historique – certes dure à avouer – semble conduire à attribuer le propos à l'ambassadeur d'Espagne...

● Les guillemets peuvent indiquer que l'on prend une certaine **distance** avec un mot, une expression que l'on emploie (on les juge osés, très détournés de leur sens...).

Les politiciens ont toujours su **«** *accoutrer* **»** *leurs pensées.*

RÈGLES D'EMPLOI

● Lorsque la citation suit la proposition qui l'annonce, on met un **deux-points** devant le guillemet ouvrant (voir exemple 1 ci-dessus). Lorsqu'elle est le premier membre de la phrase, on fait suivre le guillemet fermant d'une **virgule** (voir exemple 2 ci-dessus).

● Lorsqu'une courte incise *(dit-il, répondit-il...)* se trouve à l'intérieur de la citation, on la laisse entre les guillemets. Mais, si elle est trop longue, on préfère fermer les guillemets avant l'incise et les rouvrir après l'incise. Pour l'utilisation des guillemets dans les dialogues, voir p. 27.

« *Pour être politicien, rappelle Coluche, cinq ans de droit, tout le reste de travers.* **»**

« *Pour être politicien* **»***, rappelle Coluche, qui lui-même à un moment de sa carrière a voulu se lancer dans la politique,* **«** *cinq ans de droit, tout le reste de travers.* **»**

● En cas de besoin, on utilise les guillemets anglais (*“ ”*) à l'intérieur d'une citation.

Qui a dit : « Les politiciens ont toujours su **“***accoutrer***”** *leurs pensées » ?*

Les guillemets font partie du code écrit. Quand on a besoin à l'oral d'encadrer la citation, on utilise les formules *je cite,* qui remplace le guillemet ouvrant, et *fin de citation* qui remplace le guillemet fermant.

SITÔT LU
sitôt su

Les parenthèses

Les parenthèses isolent – à gauche par la parenthèse ouvrante (, à droite par la parenthèse fermante) – un ou plusieurs termes.

POUR QUEL EMPLOI ?

- Les parenthèses s'utilisent pour **insérer** une explication, un exemple, une réflexion... dans une phrase tout en marquant un certain détachement.

  Les inventions de Gaston **(***chaussures à ressort, gaffophone...***)** *ne sont pas toujours opérationnelles.*

- Dans un texte de théâtre, les **indications scéniques** sont données entre parenthèses, mais elles ne sont pas insérées dans une phrase.

- On place généralement entre parenthèses les **références** à la suite d'une citation.

  « M'enfin ! » **(***André* FRANQUIN, Gaston, *éditions Dupuis, 1960***)**

- Selon un usage assez récent, on indique par l'emploi des parenthèses que l'on peut faire **varier** la forme d'un mot en genre ou en nombre. On réservera cet emploi aux petites annonces et on l'évitera dans un texte suivi.

  *Recherchons un***(***e***)** *employé***(***e***)** *de bureau.*

QUI L'EÛT cru

On met entre parenthèses (au pluriel, puisqu'il s'agit ici des deux signes) un élément que l'on cite accessoirement, en principe. Ce sont les tirets qui sont considérés – du moins en presse – comme mettant en valeur les mots qu'ils enserrent.
En revanche, *parenthèse* est au singulier dans *par parenthèse*, qui signifie « en faisant une parenthèse, une digression ».

RÈGLES D'EMPLOI

- Le plus souvent, le contenu d'une parenthèse insérée dans une phrase est court. Quand il s'agit d'une phrase complète, on ne lui met pas de majuscule ni de ponctuation finale si elle correspond à un point simple.

  Quand une expérience tourne mal **(***cela arrive souvent***)***, Gaston est le premier étonné.*
  Quand une expérience tourne mal **(***cela arrive souvent* **!)***, Gaston est le premier étonné.*

- On ne met jamais de virgule, de point-virgule ni de deux-points devant une parenthèse ouvrante, mais après la parenthèse fermante.

  Ses inventions **(***chaussures à ressort, gaffophone...***),** *ses gaffes et son chat agacent Fantasio.*

SITÔT LU sitôt su

Il est parfois utile d'employer les parenthèses pour éviter une accumulation de virgules séparant des éléments de valeur différente.

Gaston a joué de plusieurs instruments tels que la guitare, le trombone, la guitare électrique **(***faite maison***)** *et le bombardon.* (plutôt que *...le trombone, la guitare électrique, faite maison, et le bombardon*)

Les crochets

Les crochets encadrent – à gauche par le crochet ouvrant [, à droite par le crochet fermant] – un ou plusieurs termes.

RÔLE DE PARENTHÈSES

- Les crochets s'utilisent avec la même valeur que les **parenthèses** pour insérer une indication dans un texte déjà mis entre parenthèses.

  Spleen de Paris *(recueil de Baudelaire* ***[****1821-1867****]****) est paru en 1869.*

- On place également entre crochets une indication qui suit directement une parenthèse pour éviter la succession de plusieurs parenthèses.

  Spleen de Paris *(recueil de Baudelaire)* ***[****1869****]****.*

QUI L'EÛT *cru*

En presse, il est courant que l'on mette entre crochets, en caractères généralement plus petits que ceux du texte ordinaire, des commentaires, des réponses de la rédaction d'un journal à des lettres de lecteurs critiques, à des lettres émanant de contradicteurs, et que le journal publie au-dessus de sa réponse argumentée. La différence de taille des caractères peut être compensée (astucieusement) par la mise en caractères gras du texte de ces réponses.

AUTRES EMPLOIS

- On emploie les crochets à l'intérieur d'une citation entre guillemets pour :

➤ signaler un **passage coupé**. On remplace alors ce qui est supprimé par les points de suspension ;

« Baudelaire a publié plusieurs recueils ***[...]*** *et a traduit Edgar Poe. »*

➤ donner une **information extérieure** à la citation.

« Il ***[****Baudelaire****]*** *a publié plusieurs recueils. »*

- Le crochet ouvrant s'emploie seul devant la partie d'un vers trop long que l'on a dû rejeter à la ligne suivante.

Leurs reins féconds sont pleins d'étincelles
[magiques,

- Par convention, les **transcriptions phonétiques** sont placées entre crochets. Cela permet de signaler que les caractères utilisés pour transcrire le mot n'ont pas la valeur qu'ils ont habituellement dans l'alphabet latin.

  Spleen *se prononce* [splin].

Les crochets suivent les mêmes règles d'emploi que les parenthèses : on ne les fera donc jamais précéder d'une virgule, d'un point-virgule ou d'un deux-points.

SITÔT LU

sitôt su

Le tiret

Le tiret (–) peut s'employer seul (tiret simple) ou par deux (tiret double). Il a alors des valeurs différentes.

LE TIRET SIMPLE

- Le tiret simple indique un **changement d'interlocuteur** dans un dialogue, qu'il soit disposé en colonne ou en ligne [voir p. 27].

  – Cassandre, viens voir la rose.
  – D'accord, j'arrive.
  « Cassandre, viens voir la rose. – D'accord, j'arrive. »

- Lorsqu'on fait une **énumération** en colonne, on place un tiret au début de chaque nouvelle ligne. Cette présentation est fréquente pour les listes de matériel, d'ingrédients, les énumérations dans les rapports...

  Matériel nécessaire pour l'entretien d'un rosier :
  – sécateur ;
  – gants ;
  – griffe.

QUI L'EÛT *cru*

Les tirets sont très souvent utilisés pour rendre plus claire une phrase longue déjà forte de nombreuses incises délimitées par des virgules. Mais le mieux est parfois l'ennemi du bien, comme l'affirme à juste raison un apophtegme, un dicton, issu de la sagesse populaire. Il est en effet déraisonnable de vouloir multiplier les tirets dans une même phrase afin, croit-on, de rendre le texte plus compréhensible : le résultat est à l'opposé de l'intention ! Donc, jamais plus de deux tirets dans une phrase, qu'on se le dise...

LE TIRET DOUBLE

- Deux tirets peuvent encadrer une **indication annexe**. Le tiret double joue alors le même rôle que les parenthèses, mais sans isoler de façon aussi forte que le font ces dernières. D'un autre côté, ils permettent de mettre davantage en valeur l'élément détaché que ne le feraient les virgules.

  Jeune fille, profitez de votre beauté, car – comme la rose – elle fanera bientôt.

- Le second tiret s'efface devant la ponctuation de fin de phrase.

  Jeune fille, profitez de votre beauté, car elle fanera bientôt – comme la rose.

SITÔT LU *sitôt su*

Avec un traitement de textes, on veillera à ne pas confondre :
➤ le tiret que l'on obtient en maintenant la touche Alt enfoncée tout en tapant 0150 sur PC et Alt, Majuscule et - sur Macintosh ;
➤ et le trait d'union qui est plus court et qui sert essentiellement dans les mots composés [voir p. 43].

Dites-le avec des fleurs – notamment avec des roses !

La ponctuation du dialogue

Certaines règles concernant la ponctuation et la disposition du texte doivent être appliquées lorsqu'on reproduit un dialogue. Différentes présentations de dialogue sont données en annexe [voir p. 181].

DISPOSITION

- Le plus souvent, les dialogues sont disposés en **colonne**, chaque nouvelle réplique donnant lieu à un passage à la ligne.
- Mais lorsque les répliques sont courtes et peu nombreuses, on peut les reproduire en **ligne**, les unes à la suite des autres sans passage à la ligne.

QUI L'EÛT *cru*

Aujourd'hui, le contraste italique/romain permet de supprimer les guillemets internes : « *Docteur, ma femme est clouée au lit,* dit le pince-sans-rire Marcel, *je voudrais que vous la vissiez !* » L'italique pour les citations s'est imposé presque généralement en presse ; dans l'édition, on garde le romain.

- Chaque changement d'interlocuteur est annoncé par un **tiret** [voir p. 26].
- Le dialogue est introduit par un **guillemet ouvrant** (il n'y a alors pas de tiret devant la première réplique) et se termine par un **guillemet fermant**.

Il est fréquent aujourd'hui de ne pas mettre de guillemets lorsque le dialogue est en colonne. On commence alors la première réplique par un tiret.

LES INCISES

- Il est souvent utile de préciser dans une **incise*** (contenant un verbe tel que *dire, répondre, crier...*) quel personnage prend la parole. L'incise suit alors le plus souvent directement la première phrase prononcée dont elle est séparée par une virgule (sauf si la réplique se termine par un point d'interrogation ou d'exclamation).

– Viendras-tu ? lui demande-t-il.

– Oui je serai là, répond-il.

- La dernière incise se place après le guillemet fermant du dialogue.

« Qui est là ? demanda-t-il d'une voix inquiète.

– C'est moi », répondit une voix qu'il ne connaissait pas.

Une pièce de théâtre est constituée d'une suite de dialogues. Le nom de l'interlocuteur précède toujours la réplique. Il n'est alors plus utile d'employer des incises.

Knock – Vous vous rendez compte de votre état ?

La Dame – Non.

(Knock, *Jules Romains.*)

SITÔT LU *sitôt su*

Ponctuation et espaces

Lorsqu'on saisit un texte à l'ordinateur ou qu'on le tape à la machine, il faut savoir où placer les espaces avec les signes de ponctuation et les autres signes graphiques.

POINTS ET VIRGULE

- On ne met **pas d'espace** avant le point simple, les points de suspension ni la virgule ; on en met une après.

  Vincent, Paul et François sont amis. Ils se voient souvent... juste entre eux.

- On fait précéder et suivre d'**une espace** le point d'interrogation, le point d'exclamation, le point-virgule et le deux-points.

  François doit se ménager : il a des problèmes cardiaques ; heureusement pour lui, ses amis le soutiennent moralement !

QUI L'EÛT *cru*

Afin de faciliter la tâche des lecteurs, ceux qui font la saisie et la révision des textes destinés à l'impression peuvent jongler avec l'indication des espaces. Ainsi, plutôt que d'écrire : « La troisième étape, Saint-Pierre-des-Corps-Saint-Jean-de-Monts, se déroulera sous le soleil », ce qui n'est pas très lisible sur-le-champ, on met des « espaces fines » de part et d'autre du trait d'union qui sépare les deux noms composés : « Saint-Pierre-des-Corps - Saint-Jean-de-Monts ».

LES AUTRES SIGNES

- Les guillemets, parenthèses et crochets sont des signes doubles composés d'un élément ouvrant et d'un élément fermant. On place les espaces différemment selon qu'il s'agit du signe ouvrant ou du signe fermant :
  - il y a toujours une espace avant, jamais après les signes ouvrants : (, [, ', " ;
  - il y a une espace après, jamais avant les signes fermants :),], ', ".

  Les trois amis (Vincent, Paul et François) partagent de bons moments ensemble.

- Cependant, les guillemets français (« ») et les tirets (–) sont toujours séparés du mot qui précède et de celui qui suit par une espace.

  Les trois amis – Vincent, Paul et François – partagent de bons moments ensemble.

- L'apostrophe et le trait d'union unissent très étroitement deux mots : il n'y a jamais d'espace ni avant ni après chacun de ces signes.

  Il l'a revu avant-hier.

SITÔT LU
sitôt su

On pourra retenir que les signes qui demandent l'espace avant et après sont ceux qui se composent « verticalement » avec un point et un autre signe, contrairement au point simple, à la virgule et aux trois points qui se composent horizontalement au niveau de la ligne.

Les abréviations

Les mots peuvent parfois être abrégés selon certaines règles qu'il est utile de connaître pour pouvoir les comprendre ou les utiliser.

PRINCIPES GÉNÉRAUX

- On abrège un mot en donnant seulement l'**initiale** ou les **premières lettres** du mot. On s'arrête alors juste devant une voyelle et on met un point.

  supplément → ***suppl.***

- Certains mots s'abrègent avec leur **initiale** et une ou plusieurs **lettres finales**, généralement écrites au-dessus de la ligne, en plus petit. Il n'y a pas de point abréviatif.

  numéro → ***n^{o}***, *Docteur* → ***D^{r}***

Lorsque le mot est abrégé au pluriel, l'abréviation note le pluriel.

numéros → ***n^{os}***

QUI L'EÛT *cru*

Certaines abréviations comportent la dernière lettre des mots tronqués. Dans ce cas, on ne saurait mettre de point abréviatif, et pour cette raison l'abréviation de *boulevard* est : *bd*, celle d'*Établissements* : *Éts*.

Il convient aussi d'adopter rigoureusement les abréviations. Les journaux les plus sérieux font donc la distinction entre *docteur* en toutes lettres, qui désigne un médecin, un praticien, et l'abréviation *D^{r}* (*Dr*), qu'ils appliquent à un docteur ès sciences, à un docteur en théologie, etc. : « le Dr Dupeyron ».

CAS PARTICULIERS

- L'abréviation des numéraux ordinaux construits avec le suffixe **-ième** se fait avec *^{e}* placé juste après le chiffre (et non avec ~~ème~~, ~~ième~~ ou ~~me~~).

  troisième → *3e* ; *le vingtième siècle* → le XXe *s.*

On abrège généralement les **prénoms** en ne donnant que la première lettre, même si on ne s'arrête pas juste avant une voyelle. Pour les prénoms commençant par une consonne suivie d'un *l* ou d'un *r*, on peut s'arrêter à la deuxième lettre.

Emmanuel Legrand → ***E.*** *Legrand* ; *Blaise Pascal* → ***B.*** *Pascal* ou ***Bl.*** *Pascal*

Si le prénom commence par deux lettres qui correspondent à un seul son, on garde ces lettres. C'est souvent le cas pour *h*.

Théophile Gautier → ***Th.*** *Gautier*

- Dans les **mots composés** et les **locutions***, chacun des termes s'abrège et on maintient les traits d'union.

  chef-lieu → ***ch.-l.*** ; *avant Jésus-Christ* → ***av. J.-C.***

SITÔT LU *sitôt su*

- **Pour écrire correctement *etc.* (et non ~~ect.~~), il faut se rappeler qu'il s'agit de l'abréviation de la locution latine *et cetera* qui signifie « et les autres choses » : l'abréviation *etc.* contient *et*.**
- **Voir la liste des principales abréviations p. 190.**

Les symboles

Le symbole est un signe graphique ou une lettre représentant une notion, une unité de mesure... Il a le plus souvent une valeur universelle (km, @, =, %, $...).

LETTRES ET SIGNES

- On utilise des **lettres** pour noter la plupart des unités de mesure : temps, longueur, volume, etc. [voir p. 191].

  *mètre → **m**, hectolitre → **hl***

Mais à la différence des abréviations, les symboles ne prennent jamais la marque du pluriel ni ne sont suivis d'un point abréviatif.

  une masse de 50 kg (et non ~~50 kgs~~)

  Il y a plus de 500 km entre Paris et Brest (et non ~~500 km.~~)

- La plupart des **signes** employés comme symboles ont une seule valeur.

  § : paragraphe

  & : et

  € : euro

L'astérisque (*) et la barre oblique (/) ont plusieurs valeurs [voir p. 32].

QUI L'EÛT *cru*

En toute rigueur, il ne faut pas confondre les symboles (ou abréviations) des unités de temps et ceux des unités d'angle. Le symbole de la minute de temps est : *min* (sans point abréviatif) tandis que celui de la seconde est : *s* (sans point abréviatif). Pour les unités d'angle, la minute et la seconde sont représentées respectivement par l'apostrophe simple et par l'apostrophe double : « Cette île se trouve à 120° 35' 40" de longitude est. »
Dans ces symboles, par ailleurs, les lettres représentant des unités de mesure issues de patronymes de savants (*watt, joule, newton, ampère*...) sont en majuscules : 10 W, 50 kWh, 120 J, 30 N, 30 A, etc.

QUELQUES PRINCIPES

- Les symboles sont réservés aux écrits scientifiques, aux rapports, aux exposés... On évite leur emploi dans les textes littéraires, les dissertations, la correspondance...

- Le symbole se place derrière le nombre tout entier, y compris les décimaux, sauf dans l'expression de l'heure [voir p. 53].

  10,65 € (et non ~~10 € 65~~) mais *10 h 30*

On met une espace entre la valeur en chiffre et le symbole, qu'il s'agisse d'une lettre ou d'un signe. Mais on ne met pas d'espace pour degrés (°), minutes (') et secondes (").

SITÔT LU *sitôt su*

Les chiffres arabes (1, 2, 3...) et les chiffres romains (I, II, IV...) sont également des symboles [voir p. 188]. Ainsi, l'unité de mesure ne peut être donnée sous forme de symbole que si la valeur est elle-même écrite en chiffres.

  une distance de 50 km (et non ~~une distance de cinquante km~~)

Sigles et acronymes

On peut abréger une suite de mots qui forment une unité en ne donnant que l'initiale des mots : on obtient alors un sigle ou un acronyme.

DÉFINITIONS

● Un **sigle** est un mot formé à partir de l'initiale de chacun des mots composant une expression. Les articles et prépositions* ne sont pas toujours repris dans le sigle. Les sigles se prononcent en épelant les lettres qui le composent.

*GDF (**G**az **de** **F**rance)* [ʒedeɛf]

*RMI (**r**evenu **m**inimum d'**i**nsertion)* [ɛrɛmi]

● Un **acronyme** est un sigle dont la lecture ne se fait pas par l'épellation des lettres, mais par l'association des lettres en syllabes.

*ONU (**O**rganisation des **n**ations **u**nies)* [ony]

*DEUG (**d**iplôme d'**é**tudes **u**niversitaires **g**énérales)* [dœg]

Dans certains cas, on s'arrête non pas à la première lettre, mais à la **première syllabe**.

*un plan ORSEC (**or**ganisation des **sec**ours)*

QUI L'EÛT cru

Les informaticiens, notamment, se sont creusé la tête pour inventer des acronymes amusants et/ou suggestifs. Ainsi, par *GERTRUDE* on a désigné l'ordinateur qui, à Bordeaux, règle la circulation automobile : « G(estion) É(lectronique) (de) R(égulation) (du) T(rafic) R(outier) U(rbain) D(éfiant) (les) E(mbouteillages). » À Reims, depuis 1987, il y a... RÉMI, pour : « R(égularisation) (des) É(changes) (par les) M(oyens) I(nformatiques) » !

EMPLOIS

● Les sigles et acronymes représentent le plus souvent des **noms propres** (noms de société, d'organisation, d'association...). Mais on rencontre de plus en plus des sigles ou acronymes représentant une expression équivalant à un **nom commun**.

*OGM (**o**rganisme **g**énétiquement **m**odifié)*

*SMIC (**s**alaire **m**inimum **i**nterprofessionnel de **c**roissance)*

● On écrit aujourd'hui le plus souvent les sigles et acronymes sans **point abréviatif**. Certains acronymes passés dans l'usage courant sont en **minuscules**. Ils gardent la majuscule à l'initiale s'il s'agit d'un nom propre.

le sida, un ovni, une faq (foire aux questions)

l'Onu, l'Urss

● **Les acronymes qui ont donné lieu à un nouveau nom commun forment leur pluriel comme les autres noms.**

des ovnis, des faqs, des radars

● **Les sigles, eux, ne portent pas de marque du pluriel.**

des CD (et non ~~*des CDs*~~), *des CDD*

SITÔT LU sitôt su

Astérisque et barre oblique

L'astérisque (*) et la barre oblique (/) ont différentes valeurs et répondent à certaines règles d'emploi.

L'ASTÉRISQUE

- On emploie le plus souvent l'astérisque pour indiquer un **renvoi** :
  - ➤ soit à un autre endroit dans l'ouvrage (lexique, bibliographie...) ;
  - ➤ soit à une note de bas de page, à une légende dans un tableau...

  *Profitez de notre offre promotionnelle**

  ** offre soumise à condition*

Dans ce cas, on n'utilise généralement pas plus de trois astérisques.

En toute rigueur, en français, dans les échelles de cartes, on doit mettre une barre oblique (ou barre de fraction) puisque l'expression d'un rapport équivaut à une fraction : *une carte de la Bretagne au 1/2 500 000*, et non un deux-points (*une carte au 1 : 2 500 000*), qui n'est pas un usage français. Attention : il ne faut jamais de « e » à la fin des échelles (pas plus qu'à la suite des fractions).

- On place trois astérisques en remplacement d'un **nom propre** ou à la suite de l'initiale pour indiquer que l'on veut taire le nom d'une personne, d'un lieu, etc.

  *C'est M. T*** qui m'en a parlé.*

LA BARRE OBLIQUE

- La barre oblique est le symbole du **rapport** :
  - ➤ elle est l'équivalent de la barre de fraction horizontale lorsque l'on écrit un rapport en ligne et non verticalement ;

    Les 3/4 de la population ont répondu à notre sondage. ($\frac{3}{4}$)
  - ➤ elle équivaut à ***par*** ou ***à*** dans les noms d'unités de mesure.

    une vitesse de 100 m/s (une vitesse de cent mètres par seconde ou *de cent mètres à la seconde)*

- On emploie également la barre oblique pour indiquer que **deux possibilités** sont envisageables, en particulier dans la notation *et/ou*.

  Si vous avez perdu votre nom d'utilisateur ***et/ou*** *votre mot de passe, cliquez ici.*

- **La barre oblique peut également s'employer avec la valeur d'un trait d'union. Cela est utile lorsqu'il faut relier des termes comportant eux-mêmes un trait d'union.**

  l'affaire Rhône-Poulenc/Dupond

- **On veillera à ne pas abuser de l'emploi de la barre oblique qui rend parfois difficile la lecture du texte.**

Coupure de mots (1)

Lorsqu'il est nécessaire de couper un mot en fin de ligne, il faut le faire en respectant certaines règles.

PRÉSENTATION

- On marque la coupure d'un mot en plaçant un petit trait (trait d'union sur un clavier) en **fin de ligne**. On ne répète jamais ce trait en début de ligne.

  C'est l'histoire d'un renard rusé qui vou-lait manger un fromage.

- On ne termine jamais une ligne par une **voyelle** seule.

  écou/ter (et non *é/couter*)

QUI L'EÛT *cru*

En presse, le nombre de « signes » (= lettres, signes de ponctuation et espaces) par ligne, dans une colonne de journal, n'est – évidemment – pas très important : de l'ordre de 30-35 signes. Pour cette raison, les coupures de mots sont très fréquentes... ou, plutôt, pourraient l'être, car on s'efforce de ne pas faire plus de trois coupes successives.

- On évite de couper juste devant la dernière syllabe si la voyelle est un *e* non prononcé. On évite également de couper le dernier mot d'un paragraphe.

  fro/mage (plutôt que *froma/ge*), *ils dé/pendent* (plutôt que *dépen/dent*)

Cependant, on accepte ces coupes lorsque le texte est écrit en colonne.

PRINCIPES GÉNÉRAUX

- Le plus souvent, la coupure d'un mot se fait selon les **syllabes** (c'est-à-dire un groupe de lettres qui se prononce d'un seul trait), devant une consonne.

  re/nard, jo/li, te/nait

- Lorsqu'il y a deux consonnes, la coupure se fait entre ces deux consonnes. Lorsqu'il y en a trois, la coupure se fait après la deuxième consonne [voir cependant le cas des mots composés p. 34].

  af/famé, camem/bert, cor/beau, domp/ter, s'abs/tenir

Mais on ne sépare pas deux consonnes qui appartiennent à la même syllabe (*l* ou *r* qui suit une autre consonne) ni deux consonnes qui forment un seul son *(ph, ch, gn...)*.

ou/vrir (et non ~~ouv/rir~~), *allé/ché* (et non ~~alléc/hé~~)

Il existe également des règles pour placer les signes de ponctuation en fin ou en début de ligne :
➤ les signes simples (les différents points et la virgule) ne se placent jamais en début de ligne ;
➤ les signes qui marchent par paire (guillemets, parenthèses, crochets), lorsqu'ils sont ouvrants, ne terminent jamais une ligne et, lorsqu'ils sont fermants, ne sont jamais rejetés en début de ligne.

SITÔT LU *sitôt su*

Coupure de mots (2)

Certains mots présentent des particularités dont il faut tenir compte pour les couper au bon endroit.

MOTS COMPOSÉS

● Les mots écrits avec un **trait d'union** se coupent après le trait d'union.

attrape-/nigaud (et non ~~*attra/pe-nigaud*~~ ni ~~*attrape-ni/gaud*~~)
répond-/il (et non ~~*ré/pond-il*~~)

● De même, on préférera couper un mot composé avec soudure* en fonction de ses **constituants** (coupe étymologique).

palmi/pède (plutôt que *pal/mipède*), *auto/dépendance* (plutôt que *autodé/pendance*)
plani/sphère (plutôt que *planis/phère*)

● Lorsque le verbe est relié à son sujet par ***-t-***, on coupe avant le *t*.

ouvrira-/t-il (et non ~~*ouvrira-t-/il*~~)

QUI L'EÛT *cru*

Parmi les cas très particuliers qui imposent de ne pas effectuer de coupes malvenues figurent les mots à apostrophe : on ne divise pas *presqu'île*, ni *aujourd'hui*, après ladite apostrophe. Et, comme il est peu acceptable de couper après *pres/*, après *au/*, ou bien après *aujour/* : ces deux mots sont donc indivisibles !

COUPES IMPOSSIBLES

● On ne coupe jamais entre **deux voyelles** sauf si chacune des voyelles appartient à un constituant différent d'un mot composé (voir plus haut).

bao/bab (et non ~~*ba/obab*~~), *extra/ordinaire* (on a deux constituants : *extra* et *ordinaire*)

● Lorsque ***x*** et ***y*** sont placés entre deux voyelles, ils transcrivent deux sons qui appartiennent chacun à une syllabe différente [voir p. 78 et 79]. On ne coupe donc jamais un mot ni avant ni après *x* ou *y* placés entre deux voyelles.

ré/flexion (et non ~~*réfle/xion*~~), *vexa/tion* (et non ~~*ve/xation*~~), *loyau/té* (et non ~~*lo/yauté*~~)

● On ne coupe jamais les **sigles** ni les **nombres** écrits en chiffres. On évite d'ailleurs de renvoyer à la ligne l'unité de mesure qui suit un nombre écrit en chiffres.
De même, on évite de couper les **noms propres** et de renvoyer à la ligne un nom de famille qui suit un prénom.

SITÔT LU
sitôt su

Lorsqu'un texte est composé en « drapeau », c'est-à-dire qu'il est aligné verticalement seulement sur une des deux marges, on ne coupe pas les mots en fin de ligne puisqu'on accepte que les lignes soient d'inégale longueur.

Les majuscules : généralités

La majuscule apporte des informations de nature différente. Il faut bien connaître ses valeurs pour la mettre là où il convient.

VALEUR DÉMARCATIVE

La majuscule se place au **début du premier mot** d'une phrase [voir p. 36]. Elle sert ainsi à indiquer la limite gauche de la phrase, la limite droite étant marquée par un signe de ponctuation [voir p. 14].

Le déserteur ne veut pas faire la guerre. Il a écrit au président.

Tous les mots, quels que soient leur nature, leur fonction, leur sens..., peuvent ainsi s'écrire avec une majuscule à l'initiale.

QUI L'EÛT cru

Dans le langage de l'imprimerie, de la presse et de l'édition, les majuscules sont appelées des « capitales ». Les lettrines sont des lettres capitales plus grandes, parfois beaucoup plus grandes, que les lettres du corps adopté pour le texte. Les lettrines sont utilisées dans les ouvrages dits « soignés », dans des ouvrages de luxe, etc. Elles ne sont pas en retrait, mais collées au bord gauche de la largeur totale des lignes, en tête du texte ou en tête de tous les chapitres.

VALEUR DISTINCTIVE

Au sein d'une phrase, la majuscule peut s'appliquer à un mot pour indiquer que ce mot a un **statut particulier**. Dans ce cas, seuls certains mots peuvent « prétendre » à la majuscule. C'est le cas pour :

- les noms propres de personne et de lieu [voir p. 37] ;
  *la **B**retagne, la **P**rovence, **B**oris **V**ian*
- les noms pris dans un sens particulier [voir p. 40] ;
  *un héros de la **R**ésistance* (mouvement d'opposition à l'occupation allemande durant la Seconde Guerre mondiale)
  mais : *Ils se sont soumis sans aucune **r**ésistance.* (ici, *résistance* n'a pas de sens particulier)
- les titres d'œuvre [voir p. 41] ;
  La chanson de Boris Vian s'intitule **Le D**éserteur.
- les marques de déférence [voir p. 42].
  *Je ne veux pas vous fâcher, **M**onsieur le **P**résident.*

Les majuscules se distinguent des minuscules par leur dessin, leur forme. Mais elles ont les mêmes valeurs et doivent donc s'écrire avec les accents et les cédilles qui leur reviennent. Lorsqu'on écrit à la main, cela ne pose pas de problème. Sur un clavier, il faut connaître les touches, mais c'est toujours possible.

Ça ne vaut pas la peine de faire la guerre, même si ce sont les chefs d'État qui la décident.

SITÔT LU *sitôt su*

La majuscule en début de phrase

On met toujours une majuscule au premier mot d'une phrase.

PONCTUATION

● On met toujours une majuscule au premier mot d'un texte, puis à tous ceux qui suivent une **ponctuation** de fin de phrase.

Tout d'abord, il est venu. Ensuite, il a vu.
Et finalement, il a vaincu.

● On ne met une majuscule au mot qui suit un **point d'interrogation**, **d'exclamation** ou les **trois points** que s'ils correspondent à une ponctuation de fin de phrase. Ainsi, on laisse une minuscule au premier mot d'une proposition incise qui suit une interrogation ou une exclamation et au premier mot qui suit une interjection.

« Contre qui a dû lutter Jules César ? demande le professeur. – Contre Obélix, évidemment ! répond l'élève. – Ah ! oui ! je n'y avais pas pensé ! »

● Le **deux-points**, la **virgule** et le **point-virgule** s'emploient au sein d'une phrase et non pas en fin de phrase. Ils ne sont donc jamais suivis d'une majuscule.

Les trois actions de César sont : venir, voir et vaincre.

Cependant quand le deux-points annonce une citation [voir p. 22], on met une majuscule au premier mot de la citation.

Qui a dit : « Je suis venu, j'ai vu, j'ai vaincu » ?

QUI L'EÛT *cru*

Lorsqu'une question se terminant par un point d'interrogation est suivie immédiatement de la réponse, celle-ci constitue-t-elle vraiment une phrase ?... Si la réponse est formulée par la personne même qui a posé la question (l'auteur ou un personnage), on dit que non, et la règle la plus suivie est de mettre une minuscule : « Dira-t-on que le chef de bureau de Gaston Lagaffe est un martyr ? oui, assurément ! »

CAS PARTICULIERS

● En poésie classique, chaque **vers** commence par une majuscule. La poésie moderne s'affranchit parfois de cette règle, tout comme elle s'affranchit de la ponctuation.

● Dans une lettre, on considère que ce qui suit les formules telles que *Monsieur, Ma chère amie...* constitue réellement le début du texte. On met donc une majuscule.

SITÔT LU *sitôt su*

Le premier mot d'un alinéa n'a une majuscule que s'il est le premier mot d'une nouvelle phrase. Ainsi, aujourd'hui, dans les énumérations en colonne, on garde le plus souvent la minuscule.

Pays conquis par Jules César :
– la Gaule ;
– l'Afrique du Nord ;
– la Germanie.

Majuscule et noms propres

Les noms propres ont la particularité de s'écrire avec une majuscule. Mais quand le nom propre est composé de plusieurs mots, il faut savoir où placer les majuscules.

LIEUX ET PERSONNES

● Le nom que l'on donne à un **lieu** ou à un **être** est un nom propre car il désigne une chose, un être en particulier [voir *Toute la grammaire*, p. 23]. Ce nom s'écrit avec une majuscule.

Albi, la Volga, Québec, Saturne
Aude, Dupont, Toto, Minou, Jupiter

Les **dérivés** de ces noms ne s'écrivent pas toujours avec une majuscule [voir p. 38].

● Certains moyens de transport (avions, automobiles, bateaux...) reçoivent un nom. De même, certains objets portent un nom particulier ou le nom d'une marque. Ces noms s'écrivent avec une majuscule.

une Coccinelle, le Concorde, un Bic, du Sopalin, un Caddie, un Canadair

QUI L'EÛT cru

Louis IX – autrement dit : Saint Louis – est le seul saint à qui l'on met une majuscule à *saint* ; il n'y a pas de trait d'union, puisqu'il s'agit du roi et saint lui-même, ou de sa représentation en sculpture (*un Saint Louis en chêne*) ou en peinture (*Saint Louis à Vincennes*). Cette majuscule exceptionnelle est due au statut très particulier de Louis IX dans l'histoire de France : un personnage admiré, révéré, idéalisé...

QUAND LE NOM COMPORTE PLUSIEURS MOTS

● Quand le nom propre est composé de **plusieurs termes**, ils prennent tous une majuscule sauf les prépositions*, les conjonctions* et certains déterminants*.

Bois-Colombes, Boulogne-sur-Mer, Ille-et-Vilaine, Saint-Pierre-et-Miquelon
Brasse-Bouillon, Jeanne la Pucelle, Poil de Carotte
mais *La Fontaine, Le Mans*

● Si le nom propre est introduit par un **nom commun** qui rappelle le type de lieu ou de personnage dont il est question, ce nom commun s'écrit avec une minuscule.

la tour Eiffel, la mer Rouge, l'île de Malte
saint Augustin, le comte de Monte-Cristo, le roi Louis XIV

SITÔT LU *sitôt su*

Il faut bien distinguer les cas où *saint*, faisant partie intégrante du nom propre (dans les noms de monuments, de rues...), s'écrit avec une majuscule et un trait d'union des cas où *saint*, introduisant le nom d'un personnage canonisé, s'écrit avec une minuscule et sans trait d'union.

l'église Sainte-Marie, la rue Saint-Antoine mais *les écrits de saint Augustin*

Majuscule et dérivés de noms propres

Les noms propres de lieu et de personne ont des dérivés. Certains s'écrivent avec une majuscule, d'autres non.

AVEC MAJUSCULE

- On écrit avec une majuscule les noms qui désignent les **habitants** d'une ville, d'un pays, d'une région...

  *Berlin → un **B**erlinois*
  *la France → les **F**rançais*
  *l'Auvergne → les **A**uvergnats*

- Les noms de **peuples**, même s'ils ne dérivent pas d'un nom propre, prennent la majuscule.

  *les **B**ochimans, les **P**euls*

QUI L'EÛT *cru*

Les habitants et – ou – natifs de la ville d'Albi, chef-lieu du département français du Tarn, sont les Albigeois et Albigeoises, avec une majuscule. C'est là un nom propre (un ethnonyme ou gentilé). Mais *albigeois* s'écrit avec une minuscule initiale, car c'est un nom commun, quand il désigne les cathares (cf. *la croisade des albigeois*, 1208-1244).

- On écrit également avec une majuscule les noms des **dynasties**.

  *Charlemagne → les **C**arolingiens*

SANS MAJUSCULE

Tous les autres dérivés de noms propres s'écrivent sans majuscule. C'est le cas :

➤ de tous les **adjectifs** ;
*une spécialité **l**yonnaise, un correspondant **f**rançais, l'économie **a**uvergnate*
*le pouvoir **c**arolingien, l'art **b**ochiman, les tragédies **r**aciniennes*

➤ des noms qui désignent une **langue** ;
*Il parle un **f**rançais très correct.*
*On peut apprendre le **b**reton dans certaines universités.*

➤ des noms qui désignent une **religion**, un **système de pensée**... et ceux qui désignent les **adeptes**.
*Calvin → le **c**alvinisme, un **c**alviniste*
*de Gaulle → le **g**aullisme, les **g**aullistes*

SITÔT LU
sitôt su

La plupart des noms de religion ne dérivent pas d'un nom propre et on les écrit de façon naturelle sans majuscule. Il n'y a pas de raison de faire autrement pour ceux qui sont formés sur un nom propre.
le catholicisme, le judaïsme, le protestantisme, l'islam

Noms communs, noms propres

Certains noms propres sont employés comme noms communs. Il faut savoir dans quel cas la majuscule est conservée ou non.

AVEC MAJUSCULE

- On devrait écrire avec une majuscule les noms communs issus d'un **nom de marque**.

  *du **S**opalin, un **C**anadair*

Mais on constate que l'usage tient peu compte de cette règle, en particulier parce que l'on ignore qu'il s'agit d'une marque.

  *un **f**rigidaire, un **c**addie, du **n**ylon*

- On met une majuscule aux **noms d'œuvres** désignées par le nom de leur auteur.

  *Un nouveau **P**icasso est mis en vente.*

QUI L'EÛT cru

Il ne faut pas confondre les noms propres devenus des noms communs avec ces mêmes noms restant noms propres : si *béchamel*, nom commun de sauce, s'écrit avec une minuscule, et peut aussi être orthographié *béchamelle*, dans *sauce Béchamel* la majuscule est obligatoire, et une seule graphie est licite. En effet, dans ce dernier cas, il s'agit d'une ellipse à partir du nom propre, et signifiant : « la sauce [élaborée par le cuisinier de M.] Béchamel ». (À l'origine, son patronyme s'écrivait : M. de Bechameil.)

SANS MAJUSCULE

- On met généralement une minuscule aux noms dont le sens est lié au caractère du personnage qui porte ce nom.

  Ce vieil harpagon ne laisse jamais de pourboire.

- Lorsque le nom commun a un **sens** qui n'est plus en rapport direct avec le nom propre dont il est issu, il s'écrit avec une minuscule.

  des narcisses (fleurs), *un apollon* (papillon), *une psyché* (miroir)

Bien souvent, d'ailleurs, on ignore que ces noms sont des noms propres à l'origine.

  une silhouette, un sandwich, une poubelle, une bougie, un landau

- Les noms de **produits** (vins, fromages...) correspondant au nom du lieu dont ils sont issus ne prennent pas de majuscule à l'initiale.

  *un **b**ordeaux, un **b**ourgogne ; du **r**oquefort, du **c**antal, un **m**unster*

SITÔT LU
sitôt su

- **En cas d'hésitation, on peut vérifier dans un dictionnaire que l'on a affaire à un nom de marque : le nom est accompagné de la mention « marque déposée » ou « nom déposé ».**
- **Les noms de produits (vins, fromages...) sont devenus des noms à part entière : ils prennent les marques du pluriel.**

  des camemberts, des bourgognes

Majuscule et sens

Certains noms sont employés avec un sens particulier qui peut les rapprocher des noms propres. Ils s'écrivent alors avec une majuscule.

LES INSTITUTIONS

- Les noms qui servent de **dénomination** à une institution, une société, une association... s'écrivent avec une majuscule. Les adjectifs et noms qui suivent ce nom s'écrivent, eux, avec une minuscule.

  *l'**O**rganisation mondiale de la santé*
  *la **C**our des comptes, le **P**arlement*

- Si le nom ne fait pas partie de la dénomination, il garde la minuscule.

  *le **m**inistère de l'**É**ducation nationale*
  *le **s**yndicat **F**orce ouvrière* (mais *le **S**yndicat national de l'édition*)

QUI L'EÛT *cru*

Certains mots sont employés au sens absolu (c'est-à-dire au sens complet), et prennent alors une majuscule. En France, quand on écrit : *le Quai*, chacun doit comprendre que l'on désigne par là le ministère des Affaires étrangères, installé quai d'Orsay, à Paris. Cette majuscule est d'ailleurs conservée quand, toujours pour désigner ce ministère, on dit : *le Quai d'Orsay*. Majuscule à *Carrière*, aussi, lorsque l'on parle de la diplomatie et... du Quai : *entrer dans la Carrière*.

- Ainsi, on écrit ***Église*** en parlant de l'institution et *église* au sens d'« édifice religieux ». De même, on écrit ***État*** quand il est pris dans le sens de « pays » pour le distinguer d'*état* qui signifie « manière d'être ».

LES ÉVÉNEMENTS, LES ÉPOQUES...

- Les noms d'**événements** historiques, d'**époque**s, etc., prennent une majuscule pour éviter un risque de confusion avec un autre sens du mot.

  *l'**A**ntiquité, la **R**enaissance, le **M**oyen **Â**ge, la **S**econde **G**uerre mondiale*

Si ces noms sont déterminés par un complément qui situe l'événement, ils perdent leur majuscule.

*la **R**évolution* mais *la **r**évolution française de 1789* (tout comme on a *la **r**évolution de 1848*)

- Les noms de **mois** et de **jour** prennent une minuscule sauf s'ils désignent une date historique.

  *le 18 **j**uin 2005* mais *l'appel du 18 **J**uin, le 14 **J**uillet*

SITÔT LU *sitôt su*

Ce n'est pas parce que les sigles permettant d'abréger des dénominations s'écrivent avec des majuscules qu'il faut en mettre partout quand elles sont écrites sous leur forme développée.

le PC mais *le **P**arti communiste* (et non ~~*le Parti Communiste*~~)
l'ANPE mais *l'**A**gence nationale pour l'emploi* (et non ~~*l'Agence Nationale Pour l'Emploi*~~)

Majuscule et titres d'œuvre

On met toujours une majuscule au premier mot d'un titre d'œuvre littéraire, musicale, cinématographique... Dans certains cas, d'autres mots du titre s'écrivent également avec une majuscule.

AU PREMIER MOT SEUL

Seul le premier mot du titre porte la majuscule dans les cas suivants :

➤ le titre commence par un mot autre qu'un article défini ;

Petite musique de nuit, *de Mozart*
Talons aiguilles, *film d'Almodóvar*
Au bonheur des dames, *roman de Zola*
Un long dimanche de fiançailles, *roman de Sébastien Japrisot*

➤ le titre est une **phrase** contenant un verbe.

Ne me quitte pas, *chanson de Brel* – **L**e train sifflera trois fois, *film de Zinnemann*

QUI L'EÛT cru

L'acteur, scénariste et réalisateur français Max Linder (1883-1925) fut un humoriste plein d'esprit et de fantaisie. Il tourna plusieurs films aux États-Unis, dont l'un, désopilant, est tiré du chef-d'œuvre d'Alexandre Dumas. Attention ! Max Linder étant malicieux, il n'a pas tourné *Les Trois Mousquetaires*, mais... *L'Étroit Mousquetaire* ! Un d'Artagnan dont Tolstoï aurait pu dire qu'il était « guère épais » !

AU PREMIER MOT ET À D'AUTRES MOTS

● Lorsque le titre (autre qu'une phrase verbale) commence par un **article défini** *(le, la, l', les)*, on met la majuscule au déterminant ainsi qu'au nom qu'il détermine. Les mots qui suivent le nom gardent la minuscule.

L'Amant, *roman de Duras* – **Le M**onde, *quotidien français*
La Symphonie pastorale, *de Beethoven* – **Le C**anard enchaîné, *hebdomadaire français*

On met également une majuscule aux adjectifs et aux autres déterminants qui **précèdent** le nom.

Les Trois **M**ousquetaires, *roman de Dumas* – **La G**rande **V**adrouille, *film de Gérard Oury*
La Jeune **F**ille à la perle, *tableau de Vermeer*

● Lorsque le titre se compose de groupes **coordonnés**, on applique les règles énoncées ci-dessus à chacun des groupes.

Le Vieil Homme et **La M**er, *roman d'Hemingway*
Émile ou **D**e l'éducation, *ouvrage de Jean-Jacques Rousseau*

SITÔT LU
sitôt su

Lorsque le titre est intégré à la phrase, l'article défini peut « sortir » du titre. Ainsi, le nom qui suit l'article devient le premier mot du titre. C'est, entre autres, pour cette raison qu'on l'écrit toujours avec une majuscule.

une page du **M**onde, *un extrait des* Trois **M**ousquetaires

La majuscule de déférence

Les noms qui désignent le titre, la fonction d'une personne s'écrivent normalement avec une minuscule. Ils ne prennent la majuscule que dans certains cas.

AVEC MAJUSCULE

- Lorsque l'on s'adresse par écrit à une personne en citant son **titre**, sa **fonction**, on met une majuscule au nom qui le désigne en signe de respect.

  *Monsieur le **D**irecteur, vous trouverez dans ce courrier...*

  *Si vous me le permettez, mon **G**énéral, j'aimerais...*

- De même, ***monsieur***, ***madame*** et ***mademoiselle*** s'écrivent avec une majuscule lorsqu'ils désignent la personne à laquelle on s'adresse.

  *Cher **M**onsieur,*

  *Veuillez agréer, **M**ademoiselle, l'expression de mes salutations respectueuses.*

- Les titres tels que ***Sa Majesté***, ***Son Excellence***... s'écrivent toujours avec une majuscule.

  *Nous attendons la visite de **S**a **M**ajesté la reine Élisabeth II.*

QUI L'EÛT *cru*

Traditionnellement, dans les textes où l'on fait parler des domestiques, des gens de maison, ceux-ci sont censés s'adresser à la troisième personne à leurs employeurs ainsi qu'aux invités. La déférence est marquée par l'indication de majuscules : « Est-ce que Madame reprendra du caviar ? », « Je ferai respectueusement remarquer à Monsieur qu'il va être en retard pour sa partie de golf »...

SANS MAJUSCULE

- En dehors des cas cités ci-dessus, les noms de titre, de fonction ou de civilité s'écrivent avec une minuscule.

  *Pour demander un rendez-vous au **d**irecteur, adressez-vous à sa secrétaire.*

  *Le **g**énéral de Gaulle a été élu **p**résident de la République en 1959.*

- Dans les dialogues, ces noms mis en apostrophe s'écrivent généralement avec une minuscule, mais il n'est pas rare de rencontrer la majuscule.

  – *Oui, **m**onsieur, je serai là.* (ou – *Oui, **M**onsieur, je serai là.*)

SITÔT LU *sitôt su*

Un cas particulier à retenir : *Premier ministre*, que l'on écrit toujours avec une majuscule à l'adjectif et une minuscule au nom.

Le Premier ministre a inauguré la nouvelle bibliothèque.

Le trait d'union : généralités

Le trait d'union, ainsi que son nom l'indique, sert à relier deux mots, deux éléments. Il a différentes valeurs qu'il faut connaître pour bien l'employer.

SES VALEURS

- Le trait d'union sert à former des mots composés (noms, verbes...) : c'est sa valeur **lexicale** [voir p. 44].

  un chou-fleur (nom)
  c'est-à-dire (adverbe)

- Le trait d'union a également une valeur **syntaxique** :

➤ il relie le verbe à son pronom sujet ou ses pronoms compléments qui le suivent [voir p. 46] ;

Savez-vous planter les choux ? Plantez-les avec le nez.

➤ il remplace la conjonction de coordination *et*.

trente-cinq (= trente et cinq, 30 + 5)
des choux vert-jaune (d'une couleur qui tient du vert et du jaune)

QUI L'EÛT cru

À la *Comédie-Française* (que l'on appelle aussi *le Théâtre-Français*, et, par ellipse, *le Français*) jouent des comédiens attachés à cette illustre compagnie. D'une part, ces comédiens ne sont pas tous de nationalité française, et, d'autre part, tous les acteurs et actrices françaises ne sont pas membres de la Comédie-Française. Pour ces raisons, on écrit : « les comédiens-français » (= du Français) avec un trait d'union.

CAS PARTICULIERS

En dehors de ses valeurs lexicales et syntaxiques, on emploie le trait d'union :

➤ toujours entre ***même*** et le pronom personnel qu'il renforce quand il suit le pronom ;

Je planterai moi-même mes choux.

➤ dans certains cas pour relier ***non*** ou ***quasi*** au mot qui le suit [voir p. 49] ;

Ce serait un non-sens de vouloir planter les choux avec une pelle.

➤ dans certains cas, avec ***ci*** et ***là*** [voir p. 50] ;

Ces choux-ci sont mieux plantés que ces choux-là.

➤ avec des éléments tels que ***ex, vice, mi, demi...*** qui s'emploient toujours en composition [voir p. 51].

C'est son ex-épouse qui lui a montré comment on plantait les choux.

SITÔT LU *sitôt su*

Puisque le trait d'union sert à relier deux mots, il n'est jamais précédé d'espace ni avant ni après.

un chou-fleur (et non ~~*un chou - fleur*~~)

Le trait d'union lexical

Le trait d'union *(coffre-fort)* est l'un des moyens utilisés aux côtés de la soudure* *(contrefort)* et de l'autonomie* *(château fort)* pour unir les composants d'un mot composé [voir p. 45].

NATURE ET SENS

Le trait d'union indique que le mot composé a une nature ou un sens différent de l'ensemble de ses composants.

- Ainsi, on met toujours un trait d'union lorsque l'on a affaire à un mot d'une autre **classe grammaticale**.

  Cela porte bonheur (groupe verbal) et *un porte-bonheur* (nom)

  Cela peut être une solution (groupe verbal) et *C'est peut-être une solution* (adverbe)

QUI L'EÛT *cru*

Des *femmes canons* ou des *hommes canons*, dans le langage familier, sont des êtres humains remarquables par leur physique. Plus remarquables, selon nous, sont, au cirque, les *femmes-canon* et les *hommes-canon*, c'est-à-dire des artistes dont le numéro consiste à être projetés par un canon (de cirque, certes, mais tout de même...).

- On met généralement un trait d'union lorsque le **sens** du mot composé ne peut se déduire de celui de ses composants.

  un grand-oncle et *un grand oncle* (un grand-oncle n'est pas un oncle qui est grand !)

  un pied-de-biche et *un pied de biche*

On constate cependant que de nombreux mots composés contenant une préposition* ne suivent pas cette règle.

une pomme de terre, un pied de nez

AUTRES CAS

- Les mots composés **empruntés** s'écrivent le plus souvent avec un trait d'union. Les *Rectifications de l'orthographe* proposent la soudure dans ce cas [voir p. 178].

- On met souvent un trait d'union entre deux mots de même nature lorsque la préposition ou la conjonction *et* manque.

  du tissu-éponge (du tissu **en** éponge), *aigre-doux* (aigre **et** doux)

SITÔT LU

sitôt su

La grande majorité des noms composés non soudés sont formés d'un verbe et d'un substantif. Dans ce cas, il n'y a pas d'hésitation à avoir, il y a toujours un trait d'union.

un cache-pot, un pare-feu, un porte-bonheur, un tire-bouchon

Les mots composés

Les mots composés posent des problèmes d'écriture *(portefeuille* mais *porte-clé, coffre-fort* mais *château fort).* Cependant, il est possible de dégager quelques principes.

LES TROIS FAÇONS

Les mots ou éléments* (les composants) qui servent à former un mot composé peuvent être :

➢ séparés les uns des autres par un **blanc** ;
un château fort, quelque chose

➢ reliés les uns aux autres par un **trait d'union** [voir p. 44] ;
un coffre-fort, la micro-informatique

➢ collés les uns aux autres, sans espace ni trait d'union ; dans ce cas, on dit que les composants sont **soudés**.
un contrefort, un microclimat, quelquefois

QUI L'EÛT *cru*

Le maintien du trait d'union, et donc d'un mot composé, permet de faire utilement des distinctions graphiques entre termes de sens différents, entre expressions et noms, etc.
Ainsi, *outremer*, soudé, désigne une nuance de la couleur bleue, tandis qu'*outre-mer*, avec un trait d'union, désigne des terres, des territoires, des pays, situés au-delà des mers ou des océans par rapport à un point du globe. Il faut écrire, respectivement : « Les Dalton sont des hors-la-loi (nom composé) sur le champ (= dans le pré) » ; « Les Dalton ont été mis hors la loi (expression) sur-le-champ (= immédiatement) ».

SOUDURE OU TRAIT D'UNION ?

● Les verbes et les noms composés avec ***entre*** et ***outre*** sont soudés. Il y a davantage d'hésitation avec ***contre*** et les divergences entre dictionnaires sont nombreuses.
s'entraider, un entresol, un contrechamp, une contre-plongée
contre-braquer dans le *Petit Larousse 2005* et *contrebraquer* dans le *Nouveau Petit Robert*

● ***Ex***, ***mi***, ***semi***, ***pseudo*** et ***vice*** s'emploient, eux, avec un trait d'union [voir p. 51].

● On écrit généralement soudés les mots dont l'analyse n'est plus perçue.
du vinaigre (vin + aigre), un gendarme (gens + d'arme)

Ainsi, les *Rectifications de l'orthographe* proposent-elles de souder certains mots que l'on trouve souvent avec un trait d'union dans les dictionnaires [voir p. 178].

SITÔT LU *sitôt su*

Une règle simple pour les mots composés avec un élément du type *hypo-, anti-, -logue...* : ils font la soudure sauf entre deux voyelles identiques ou si la rencontre de deux voyelles peut entraîner une autre lecture.
la biochimie, une multiprise, un géographe, un télescope, multilingue
un micro-ordinateur, un anti-inflammatoire
la micro-informatique (pour éviter *oi* qui pourrait se lire [wa])

Le trait d'union syntaxique

L'emploi du trait d'union entre le verbe et le pronom* répond à des règles précises et cohérentes qu'il suffit de connaître et d'appliquer systématiquement pour éviter toute erreur.

AVEC TRAIT D'UNION

- Le pronom est toujours relié par un trait d'union au verbe dont il dépend, mais seulement s'il est placé après le verbe. Le cas se présente pour :

➢ les pronoms personnels, *ce* et *on* lorsqu'ils sont **sujets inversés** ;

Aussi veut-elle prendre de l'avance.

Est-on sûr que le lièvre gagnera la course ?

➢ les pronoms personnels – ainsi que *en* et *y* – lorsqu'ils sont **compléments** d'un verbe à l'impératif non négatif.

La tortue se donne du mal : allez-y, encouragez-la.

QUI L'EÛT cru

Certains noms composés comportent des traits d'union syntaxiques dus au double fait que, d'une part, ils sont issus d'expressions lexicalisées en tant que noms communs, et que, d'autre part, ils sont issus d'une phrase où un pronom est placé après le verbe. C'est le cas, par exemple, de *m'as-tu-vu*, un mot composé synonyme de « vaniteux », « frimeur », « prétentieux ». Bien sûr, c'est un mot invariable : on ne dit pas, au pluriel, « des m'avez-vous-vu(e) » !

- Lorsque deux de ces pronoms sont compléments d'un verbe à l'impératif non négatif, ils sont également reliés entre eux par un trait d'union.

Le lièvre s'y prend mal, dites-le-lui. Il n'a rien voulu savoir et nous a dit : « Allez-vous-en ! »

- Le *t* qui permet de faire la liaison entre le verbe et un pronom commençant par une voyelle s'écrit entre deux traits d'union [voir p. 47].

Va-t-elle arriver la première ?

SANS TRAIT D'UNION

Lorsqu'un pronom qui suit un verbe n'est pas complément de ce verbe, mais d'un autre verbe, on ne met pas de trait d'union.

Peut-elle y arriver ? (*y* est complément de *arriver*, non de *peut*)

Cours la rattraper (*la* est complément de *rattraper*, non de *cours*)

SITÔT LU
sitôt su

- **On ne met jamais de trait d'union après les pronoms qui précèdent le verbe. Ainsi, il ne peut y avoir de trait d'union entre *y* et *a* dans *y a-t-il...* ou entre *il, vous* (ou *te*) et *plaît* dans *s'il vous plaît, s'il te plaît*.**

- **De même, on ne met pas de trait d'union entre *ce* et *que* dans *est-ce que* car *que* n'est pas un pronom.**

Le -*t*- euphonique

On place un *t* (appelé « *t* euphonique » ou « *t* analogique ») entre le verbe et *il*, *elle* ou *on* pour permettre la liaison en [t].

DANS QUELS CAS ?

On met un *t* entre le verbe et les pronoms sujets inversés *il, elle* ou *on* quand la dernière lettre du verbe ne permet pas de faire une **liaison** en [t].

Le cas se présente :

➤ quand la terminaison du verbe est ***e*** ou ***a*** ;

*Pourquoi a-**t**-il fait cela ?*

*Personne ne viendra plus, espère-**t**-on.*

➤ pour les verbes *vaincre* et *convaincre* quand leur terminaison est ***c*** (3e personne du singulier du présent de l'indicatif).

*Il est obstiné. Aussi convainc-**t**-il souvent son auditoire.*

QUI L'EÛT *cru*

Le -*t*- euphonique se trouve également dans différents mots composés obtenus par transformation d'une phrase en un substantif composé. Ainsi, pour éviter l'hiatus de « va en (guerre) », repris comme substantif pour désigner un militaire – ou toute autre personne – qui pousse à la guerre, qui est belliqueux, belliciste, qui prône les affrontements, etc., a-t-on introduit un -*t*- euphonique. D'où le mot composé invariable *va-t-en-guerre*, qui est employé comme nom, mais aussi comme adjectif : *un homme d'État va-t-en-guerre*. Attention à l'emploi de ce mot, qui est souvent employé... ou compris comme comportant une nuance de dérision, de moquerie.

CONFUSIONS À ÉVITER

Il ne faut pas confondre le -*t*- euphonique avec le pronom de la 2e personne du singulier quand il est élidé : ***t'***.

Ce pronom se trouve à l'impératif devant les pronoms *en* ou *y*. Il est lui-même précédé d'un trait d'union parce qu'il est complément d'un verbe qu'il suit [voir p. 46].

*Va-**t'**en.* (et non ~~*Va-t-en*~~)

*Fie-**t'**y.*

mais *Va-**t**-elle arriver ?* (et non ~~*va-t'elle arriver ?*~~)

À la 3e personne du pluriel, le verbe se termine toujours par *t*. Il n'y a donc jamais besoin de mettre -*t*- devant les pronoms *ils* et *elles*.

Prennent-ils ces remarques au sérieux ? (et non ~~*prennent-t-ils*~~...)

Qu'attendent-elles de lui ? (et non ~~*qu'attendent-t-elles*~~...)

SITÔT LU *sitôt su*

Trait d'union et numéraux

Dans l'écriture des nombres, le trait d'union signifie « et, plus ». Il faut savoir quand le mettre.

CARDINAL ET ORDINAL

- On met un trait d'union dans les cardinaux et ordinaux seulement entre les expressions des **dizaines** et celles des **unités**, même pour les nombres supérieurs à cent.

  vingt-sept, trente-deux
  vingt-sept mille, trente-deux millions
  vingt-septième, trente-deuxième
  le vingt-sept millième visiteur du site
  mais *six cent cinq, trois mille deux cents* (sans trait d'union)

- Dans ***quatre-vingt(s)***, le trait d'union n'est pas l'équivalent de *et* (80 ≠ 4 + 20). On l'emploie parce qu'il s'agit d'un mot composé.

  quatre-vingts, quatre-vingt-onze, quatre-vingt-onzième, quatre-vingt-onze millionième

- Les *Rectifications de l'orthographe* proposent de relier toutes les expressions de nombre par un trait d'union [voir p. 178].

QUI L'EÛT *cru*

Dans le « neuf centième visiteur du Salon du livre », il n'y a pas de trait d'union, et *centième* est invariable : *neuf centième* est un adjectif numéral ordinal. En revanche, la fraction *9/100* s'écrit, en toutes lettres : *neuf centièmes*, avec un *s* à *centièmes*, ce dernier mot étant alors un nom commun. Mais il faut écrire *dix neuf-centièmes* pour donner l'équivalent de *10/900*.

LES FRACTIONS

L'expression d'une fraction se fait par un **cardinal** (correspondant au numérateur, nombre au-dessus ou à gauche de la barre), suivi d'un **ordinal** (correspondant au dénominateur, nombre en dessous ou à droite de la barre). Il n'y a jamais de trait d'union entre le numérateur et le dénominateur.

4/5 → quatre cinquièmes, 3/4 → trois quarts, 1/300 → un trois-centième

SITÔT LU *sitôt su*

- **Lorsque l'expression d'un nombre se fait avec *et*, il est inutile de mettre un trait d'union puisque ce dernier signifie « et ».**

  vingt et un, soixante et unième, cinquante et un millième

- **On ne sépare jamais un nom de son déterminant par un trait d'union. On ne met donc pas de trait d'union devant l'ordinal représentant le dénominateur car il fonctionne comme un nom précédé d'un déterminant cardinal.**

  Il a mangé les trois quarts du gâteau. (tout comme on écrit *il a mangé les trois parts du gâteau*)

Le trait d'union avec *non* et *quasi*

Non et _quasi_ ne sont suivis d'un trait d'union que dans certains cas. Il faut les connaître.

AVEC UN NOM

Lorsque *non* et *quasi* précèdent un **nom**, ils y sont toujours reliés par un trait d'union.

*Titi a la **quasi-**certitude d'avoir vu un gros minet !*

*Gros Minet n'est pas un adepte de la **non-**violence.*

AVEC UN ADVERBE

Lorsque *non* et *quasi* précèdent un **adverbe**, on ne met jamais de trait d'union.

*Gros Minet n'a **quasi** jamais réussi à attraper Titi.*

*Titi se défend fermement, mais **non** violemment.*

QUI L'EÛT *cru*

Quasi entre dans la composition de termes de droit cités par la... quasi-totalité des dictionnaires usuels : *quasi-contrat, quasi-délit, quasi-usufruit*. Au pluriel, seul le nom prend la marque du pluriel, puisque *quasi* est un adverbe, en concurrence avec *quasiment* (qui équivaut à « en quelque sorte ») : *des quasi-contrats, des quasi-délits*... Dans la langue soignée, littéraire, *quasiment* est considéré comme vieilli, ou familier, donc comme moins correct que *quasi*.

Cet adverbe *quasi* est à l'origine un mot latin signifiant « comme si, comme », puis « à peu près, presque ». Il n'a aucun rapport avec le nom commun homographe, qui désigne un morceau du haut de la cuisse du bœuf ou du veau, et qui, lui, s'accorde en nombre : *un quasi, des quasis*.

AVEC UN ADJECTIF

- Généralement, *non* et *quasi* ne sont pas suivis d'un trait d'union quand ils précèdent un **adjectif**.

  *La stupidité de Gros Minet est **quasi** illimitée.*

  *Gros Minet vivra toujours avec ce besoin **non** satisfait.*

- Cependant, on admet le trait d'union lorsque *non* et *quasi* précèdent un adjectif qui peut également s'employer comme **nom**.

  Titi est un être non violent. (ou *non-violent,* car on pourrait dire *Titi est un non-violent*)

Retenez cette règle simple : avec un nom, _non_ et _quasi_ sont suivis d'un trait d'union ; avec un adjectif ou un adverbe, on ne met pas de trait d'union.

SITÔT LU
sitôt su

Le trait d'union avec *ci* et *là*

Dans certains cas, les adverbes *ci* et *là* s'emploient avec un trait d'union.

LES DÉMONSTRATIFS

- *Ci* et *là* sont toujours rattachés au pronom démonstratif ***celui, celle(s), ceux*** par un trait d'union.

  *Je ne sais laquelle aimer des deux : celle-**ci** ou celle-**là**.*

- Quand *ci* et *là* renforcent le déterminant démonstratif ***ce, cet, cette, ces***, ils sont reliés au nom ou au pronom par un trait d'union.

  *Ce garçon-**ci** me plaît, mais cet autre-**là** ne me déplaît pas non plus.*

Cependant, quand le nom déterminé par un démonstratif est complété par un adjectif qui le suit ou un complément du nom, on peut omettre le trait d'union.

*Ces cent coups de bâton **là** seront pour celle que je n'aime pas.* (ou *ces cent coups de bâton-**là**...*)

QUI L'EÛT cru

« Figaro-ci, Figaro-là... » : on a reconnu sans doute, ici, un petit extrait du fameux « air du barbier de Séville » (in *Le Barbier de Séville*, de Rossini). Un barbier de Séville dû à Beaumarchais, et que Mozart puis Rossini mirent en musique.
Ces traits d'union avec *ci* et avec *là*, on les retrouve dans les paroles d'un des airs les plus célèbres de l'opérette française, à savoir le « duetto (ou duo) de l'âne » dans le chef-d'œuvre d'André Messager, *Véronique*, que l'on classe soit comme une opérette, soit – moins souvent – comme un opéra-comique. Ce fameux duo comporte au début du refrain la locution *de-ci, de-là* : « De-ci, de-là, cahin-caha, va trottine, va chemine, va petit âne, va cahin-caha, le picotin te récompensera... »

AUTRES CAS

- ***Ci*** s'emploie devant un adverbe, une préposition ou un participe passé auquel il est toujours relié par un trait d'union.

  ***ci**-contre, **ci**-dessous, **ci**-inclus, **ci**-joint*

- On emploie *ci* et *là* dans certaines **locutions** qui s'écrivent avec un trait d'union.

  *de-**ci**, de-**là** – par-**ci**, par-**là** – **là**-bas – **là**-dedans – **là**-dessus – **là**-dessous – **là**-devant – **là**-derrière – jusque-**là***

SITÔT LU *sitôt su*

- ***Ci* est toujours soit précédé soit suivi d'un trait d'union.**
- **En dehors de son emploi avec un démonstratif et des quelques locutions mentionnées ci-dessus, *là* s'écrit sans trait d'union. En particulier, on écrit *par là*.**

  *Entre les deux, mon cœur balance, mais il faut que je fasse **là** un choix !*
  *Si la balance penche **par là**, c'est Zoé que j'aime.*

Trait d'union et *ex, mi, vice*, etc.

Certains mots ne s'emploient jamais seuls. Ils sont toujours en composition et sont reliés par un trait d'union au terme avec lequel ils forment un mot composé.

CAS GÉNÉRAL

- Ce cas se présente pour ***ex***, ***mi***, ***semi***, ***pseudo*** et ***vice*** (« adjoint »).

  un ***ex****-ministre, des* ***mi****-bas*
  un ***semi****-remorque, une* ***pseudo****-excuse*

- Il ne faut pas confondre *ex* servant à former des mots composés avec *ex* employé dans une **locution latine**. Il s'écrit alors sans trait d'union.

  ex *æquo,* ***ex*** *cathedra*

QUI L'EÛT *cru*

« Demi-pression(s) » n'est pas usité dans le langage. Cet hypothétique nom composé désignerait alors une ou des pressions exercées à moitié. En revanche, en plein été caniculaire, on peut être tenté de se désaltérer par un *demi pression*, c'est-à-dire un « demi (de bière) servi à la pression ». Le pluriel logique qui s'impose est donc : *des demis pression. Demi* est ici un nom commun, qui a d'autres acceptions (*demi(s) d'ouverture* [rugby], *demi(s)* [football]).

- On emploie dans le **registre familier** :

  ➤ *ex* (en sous-entendant *époux, épouse*) et *semi* (en sous-entendant *remorque*) ;

  Il n'a pas revu son ***ex*** *depuis leur séparation. Nous avons doublé un* ***semi*** *sur l'autoroute.*

  ➤ *pseudo* (pour *pseudonyme*).

  Choisissez votre ***pseudo****.*

LE CAS DE *DEMI*

- Lorsque *demi* sert à former des **noms composés** (ou des adjectifs composés, dans la langue littéraire), il est toujours suivi d'un trait d'union.

  une ***demi****-douzaine, une* ***demi****-baguette, une* ***demi****-heure, un* ***demi****-tour, un* ***demi****-queue*
  « Il laissa ainsi couler son cœur de ses lèvres, ***demi****-courbé »* (Zola).

- Les locutions ***et demi*** et ***à demi*** s'écrivent, elles, sans trait d'union.

  Vaut-il mieux avoir un verre ***à demi*** *vide ou* ***à demi*** *plein ?*
  Il a attendu plus de deux heures ***et demie****.*
  La banlieue compte un million ***et demi*** *d'habitants.*

Il ne faut pas confondre la locution adverbiale *à demi* (employée avec un adjectif et qui n'est jamais suivie du trait d'union) avec la construction dans laquelle *à* est suivi d'un nom composé avec *demi*, qui est alors toujours suivi du trait d'union.

Une porte ***à demi*** *ouverte est* ***à demi*** *fermée.*
Vous pouvez voyager ***à demi-tarif*** *sous certaines conditions.*

SITÔT LU
sitôt su

Comment écrire la date ?

Les dates peuvent s'écrire au long (avec des chiffres et des lettres) ou sous forme abrégée (uniquement en chiffres).

ÉCRITURE AU LONG

- Dans un texte suivi (lettre, rapport...), le numéro que porte le jour et l'année s'écrivent en **chiffres arabes** ; le mois et le nom du jour s'écrivent en **lettres**, avec une minuscule à l'initiale. On ne met pas de virgule.

  *Le stage se déroulera du **l**undi **3** **j**anvier au **v**endredi **7** **j**anvier **2005**.*

QUI L'EÛT cru

En français, il est inusuel de mettre une date en commençant par l'année pour terminer sur le quantième (le jour) du mois : « 2005/03/28 », « 2005-03-28 », « 2005.03.28 ». Ce sont là des usages étrangers, le plus souvent du domaine commercial, et des usages à ne pas suivre...

- Pour le premier jour du mois, on utilise l'ordinal **1er**.

  *mardi **1er** février*

- En tête de lettre, on peut mettre ou non **l'article** devant la date. Mais, dans ce cas, l'article précède toujours le nom du jour et non le numéro du jour.

  *Toulouse, **le** mardi 8 novembre 2005* (et non ~~mardi, le 8 novembre 2005~~)

- Lorsqu'il n'y a aucune équivoque, on peut ne donner que les deux derniers chiffres de l'année. On préfère alors la notation en chiffres à l'écriture en lettres.

  les protestations de 68 (plutôt que *les protestations de soixante-huit*)

ÉCRITURE ABRÉGÉE

- Dans les formulaires, il est possible de noter le **mois** par un **chiffre** (écrit le plus souvent en chiffres arabes, mais l'écriture en chiffres romains est également possible). On donne les éléments dans le même ordre que lorsque la date est écrite au long : jour, mois, année et on les sépare par un trait d'union ou une barre oblique.

  né le : 8/11/2005 (ou *8-11-2005* ; ou *8/XI/2005*)

- Pour le premier jour du mois, on utilise **1** qui se lit « premier ».

  date de départ : 1/4/2005

SITÔT LU

sitôt su

Les noms de jour et de mois sont des substantifs. Tout comme les autres substantifs, ils prennent un *s* au pluriel.

Boutique fermée les dimanches et lundis.

« Ces après-midi indécises et encore froides des avrils de Bretagne » (Pierre Loti).

L'expression de l'heure

Il existe deux façons de donner l'heure : la façon courante et la façon administrative.

LA FAÇON COURANTE

- L'expression de l'heure se fait en :

➤ comptant de *un* à *onze* et en utilisant *midi, minuit, quart* et *demie* ;

➤ en indiquant les minutes écoulées ou celles qu'il reste à écouler avec *moins* ;

➤ en précisant éventuellement *du matin, de l'après-midi, du soir.*

dix heures cinq, midi vingt-cinq, trois heures moins le quart, minuit moins deux, six heures du matin, dix heures du soir

QUI L'EÛT cru

En toute rigueur, puisque les heures, les minutes et les secondes n'entrent pas dans le cadre des unités décimales, on n'a pas le droit d'écrire « 3 h 06 » ou « 21 h 09 ». Les minutes ne sont pas des « centièmes » d'heure ! L'influence des horloges électroniques que l'on a installées dans les bureaux, dans les gares et les aéroports a fini par imposer, en concurrence avec l'usage graphique logique, les formes « 4 h 08 » ou « 17 h 04 », qui ne sont plus considérées comme fautives... sauf par les puristes.

- L'expression *et demie* est toujours au féminin singulier dans l'expression de l'heure [voir p. 152].

- On emploie indifféremment *et quart* ou *un quart.*

trois heures et quart ou *trois heures un quart*

- On écrit généralement les heures en toutes lettres dans les textes narratifs, dans la correspondance...

Je partirai vers dix heures et quart.

LA FAÇON ADMINISTRATIVE

- L'expression de l'heure se fait :

➤ en comptant de 0 à 23 (*0 h* correspondant à *minuit* et *12 h* à *midi*) ;

➤ en indiquant les minutes écoulées depuis le début de l'heure.

10 h 05 (ou *10 h 5*) – *12 h 25* – *14 h 45* – *23 h 58* – *6 h*

- On réserve l'écriture en chiffres aux textes administratifs. On abrège *heure* par un *h* minuscule sans point abréviatif.

La réunion aura lieu à 10 h 15.

SITÔT LU

sitôt su

Il faut choisir l'une ou l'autre façon d'exprimer l'heure et ne pas mélanger les deux.

midi moins vingt ou *11 h 40* (mais non ~~*12 h moins vingt*~~)

dix heures et demie ou *10 h 30* (mais non ~~*10 h et demie*~~)

trois heures et quart de l'après-midi ou *15 h 15* (mais non ~~*3 h 15 de l'après-midi*~~)

L'orthographe lexicale

L'orthographe lexicale concerne l'écriture des mots indépendamment du statut qu'ils ont dans la phrase : c'est l'orthographe donnée par les dictionnaires. Contrairement à l'orthographe grammaticale, les règles qui la régissent sont moins systématiques, moins apparentes. Cependant, il est possible de poser quelques principes.

LES MOTS SIMPLES

● La graphie d'un **mot simple** n'est pas prévisible, car, d'une part, un même son peut être transcrit de différentes façons, et, d'autre part, le mot peut comporter des lettres muettes.

Seule la mémorisation permet de savoir que l'on écrit *hermine,* et non ~~*ermine*~~, ~~*airmine*~~ ou ~~*eirmine*~~...

● Connaître l'étymologie ou l'histoire du mot peut parfois servir, mais on ne peut tirer de règles générales.

Hermine vient du latin *armenius (mus)* – qui signifie « (rat) d'Arménie » –, écrit sans *h.*
On écrit *fantaisie,* mais ***ph**ase,* bien que les deux mots viennent du grec.

QUI L'EÛT *cru*

Il faut se méfier des apparentements « terribles », qui incitent à commettre des fautes d'orthographe. Ainsi, un certain terme qui désigne un sketch, une petite pièce en une scène, ne vient pas du tout de *scène*, et il ne faut donc pas l'écrire « scénette » ! La graphie licite est : *saynète,* car ce mot est issu de l'espagnol *sainete,* où, avant que de s'appliquer à une comédie bouffonne savoureuse, il désignait les morceaux gras, onctueux – savoureux – qui restaient collés au fond des marmites.

LES MOTS DÉRIVÉS ET COMPOSÉS

● L'orthographe des mots **dérivés*** et **composés*** est davantage prévisible, car la graphie des mots ou des éléments* de base y est le plus souvent conservée.

L'adjectif *dangereux* est dérivé du nom *danger,* il n'y a donc pas de raison d'écrire ~~*dangeureux*~~.
Tous les mots composés avec l'élément *-phil-*, qui signifie « aimer », s'écrivent avec un seul *l* : *ciné**phil**e, haltéro**phil**ie, **phil**osophe...*

● Certaines familles de mots présentent des incohérences. Les *Rectifications de l'orthographe* proposent d'unifier l'orthographe de ces familles [voir p. 179-180].

SITÔT LU *sitôt su*

Il y a beaucoup plus de mots dérivés ou composés que de mots simples. Ainsi, lorsqu'on hésite sur l'orthographe d'un mot, l'analyser permet le plus souvent de résoudre le problème.

On écrit *innover* avec *nn* parce qu'il contient l'initiale *in-* et le radical *nov-* (qui signifie « nouveau »), mais on écrira *inouï* avec un seul *n* car il contient le préfixe *in-* et le participe passé de *ouïr,* qui signifie « entendre ».

L'alphabet phonétique

Les caractères de l'alphabet phonétique transcrivent d'une façon unique chacun des trente-six sons du français [voir p. 220]. Il ne faut pas le confondre avec l'alphabet qui sert à écrire les mots [voir p. 13].

RESSEMBLANCES

• Les deux tiers des sons sont représentés par les lettres de l'alphabet les plus caractéristiques de ces sons.

[b] transcrit la consonne que l'on trouve dans ***bu***, car la lettre *b* est la plus représentative de ce son.

• Ainsi, pour éviter toute confusion entre une transcription phonétique et l'écriture « normale » d'un mot, les caractères phonétiques sont-ils encadrés par des crochets.

[papa] est la phonétique du mot *papa.*

QUI L'EÛT *cru*

Les personnes qui zézaient (ou zozotent) prononcent [z] à la place de [ʒ], ou [s] au lieu de [ʃ], comme si un léger obstacle venait gêner leur parole : c'est pourquoi l'on dit qu'elles ont « un cheveu sur la langue ». Comment transcrira-t-on, alors, le [ʒ] qui, chez elles, devient un [z] insolite ! ?...

DIFFÉRENCES

• Cependant, certains caractères phonétiques ont une valeur différente de celle qu'ils ont dans l'écriture des mots :

➤ [y] transcrit la voyelle que l'on trouve dans ***bu*** et non celle de *pyjama* ;

➤ [j] transcrit le son que l'on trouve dans ***yaourt*** et non la consonne de *jus* ;

➤ [u] transcrit le son des voyelles ***ou*** et non la voyelle de *bu* ;

➤ [w] transcrit le son de ***oui*** et non la consonne de *wagon.*

• Certains caractères sont étrangers à notre alphabet : soit ils ne sont pas utilisés en français, ou ils ne font pas partie de l'alphabet latin, soit il s'agit d'autres caractères, propres à l'alphabet phonétique. Il faut connaître leur signification.

AUTRES ALPHABETS	AUTRES CARACTÈRES		
[ɛ] m**è**re	[ɔ] s**o**rt	[œ̃] br**un**	[ʃ] **ch**âteau
[ø] bl**eu**	[ə] ch**e**min	[ɔ̃] br**on**zer	[ʒ] **g**iboulée
[ɑ̃] br**an**che	[ɛ̃] br**in**	[ɥ] huit	[ɲ] oi**gn**on

Lorsqu'on parle de sons, le recours à l'alphabet phonétique permet d'éviter des ambiguïtés ou des incohérences.

Le son [ɑ̃] *peut s'écrire* em. (plutôt que *le son « an » peut s'écrire* em)
Les rimes en [ɛ] *du poème sont* avais *et* minet. (plutôt que *les rimes en « ê » du poème sont* avais *et* minet)

SITÔT LU
sitôt su

Différences entre écrit et oral

Le français, comme de nombreuses langues, est régi par un code oral et un code écrit. Ces deux codes entretiennent des relations étroites, mais il n'y a pas d'équivalence stricte entre les deux.

LA NON-SYMÉTRIE

- Une même **lettre** peut se prononcer de façon différente, en particulier selon la place qu'elle occupe dans les mots ou les autres lettres qui l'entourent.

  La lettre *g* peut se prononcer [g] comme dans *longue,* [ʒ] comme dans *longe* ou ne pas se prononcer comme dans *long.*

- Un même **son** peut s'écrire de façon différente, soit au moyen d'une seule lettre, soit en associant deux, voire trois lettres. On parle alors de digramme ou de trigramme.

  Le son [o] peut s'écrire *o, ô, au* (digramme), *eau* (trigramme).

QUI L'EÛT *cru*

Alphonse Allais s'est amusé, entre autres, à élaborer des « rimes riches à l'œil » : ses vers se terminent deux à deux sur les mêmes lettres, mais se prononcent différemment ! Ainsi : « L'homme insulté qui se retient / Est, à coup sûr, doux et patient ; / Par contre, l'homme à l'humeur aigre / Gifle celui qui le dénigre. Moi, je n'agis qu'à bon escient : / Mais, gare aux fâcheux qui me scient ! / Qu'ils soient de Château-l'Abbaye / Ou nés à Saint-Germain-en-Laye. » Etc. Courteline également s'est amusé à faire rimer... ce qui ne rime pas à l'oreille : « Les poules du couvent / Ont des œufs qu'elles couvent ».

LE NON-MARQUAGE

- Certaines distinctions qui se font à l'oral ne sont pas toujours marquées à l'écrit.

  Le mot *os* se prononce différemment selon qu'il est au singulier [ɔs] ou au pluriel [o], mais il s'écrit de la même façon dans les deux cas.

Ainsi, les **liaisons** que l'on entend à l'oral ne sont pas marquées à l'écrit [voir p. 59].

- Inversement, de nombreuses **marques grammaticales** de féminin, de pluriel, de personne... sont présentes à l'écrit mais non à l'oral.

  Aucune marque orale ne distingue *quel, quelle, quels* et *quelles* [kɛl].

  Au futur, la différence de désinence* écrite entre la 1re et la 3e personne du pluriel (*-ons/-ont*) ne se fait pas entendre : dans les deux cas, on prononce [ɔ̃].

SITÔT LU *sitôt su*

S'il y a un manque de cohérence entre les deux codes, cela n'empêche pas que chaque code ait sa propre logique. Les désinences verbales ou les marques de pluriel, qui sont les deux sources d'erreurs les plus fréquentes, répondent à quelques règles précises et cohérentes qu'il suffit de connaître et d'appliquer pour écrire correctement.

Élision et apostrophe (1)

L'élision est un phénomène oral qui fait disparaître une voyelle (normalement prononcée) lorsqu'elle est placée devant une autre voyelle. L'élision est marquée à l'écrit par l'apostrophe.

QUELLES VOYELLES ?

- Seuls le ***a***, le ***e*** et le ***i*** peuvent s'élider et être remplacés par une apostrophe.

  S'*il a une boîte* ***d'****épinards, Popeye* ***l'****avale* ***d'****un seul coup.*

- Dans le registre* familier oral, on élide également le *u* de ***tu***. Cette élision ne doit pas se faire à l'écrit si le registre ne s'y prête pas.

  Tu as vu comme il est fort ! (et non ~~*T'as vu comme il est fort !*~~)

QUI L'EÛT *cru*

Même en poésie classico-romantique, les auteurs ont pris le droit de recourir à ce qu'on appelle des « licences poétiques ». Celles-ci autorisent certaines modifications orthographiques destinées à assurer la rime et – ou – le nombre des syllabes (ou pieds). Ainsi l'adverbe *encore* se retrouve-t-il amputé, par élision, de son *e* final : « Je me sentis connue encor plus que blessée » (Paul Valéry).

DANS QUELS MOTS ?

- L'élision se fait pour les mots grammaticaux ne comptant qu'une seule syllabe* : ***ce*** (pronom), ***de, je, la, le, me, te, se, ne*** et ***que***.

  Sa femme ***s'****appelle Olive. Elle* ***n'****est pas très grosse ! Mais il* ***l'****aime,* ***c'****est le principal.*

  Popeye est très fort parce ***qu'****il mange des épinards.*

L'apostrophe de *aujourd'hui* correspond à celle de *de* (pour *au jour de hui*).

Il ne faut pas confondre *t'* avec *-t-* [voir p. 47].

- L'apostrophe s'emploie également pour les quatre composés de *que* : ***jusque, lorsque, puisque, quoique***.

  Lorsqu'*il mange des épinards, Popeye quadruple ses forces.*

Presque et *quelque*, eux, ne s'élident que dans *presqu'île* et *quelqu'un(e).*

  Ils vivent un amour ***presque*** *idyllique.*

- Le *i* ne s'élide que dans la conjonction ***si***. L'élision se fait toujours devant ***il, ils*** et jamais devant d'autres mots.

  S'*il ne mange pas d'épinards, Popeye perd toutes ses forces.*

  Si *Olive se fâche, il lui obéit.*

Ce n'est pas parce qu'on n'entend pas un *e* final à l'oral que l'on doit mettre une apostrophe à l'écrit. Seuls les mots cités ci-dessus peuvent s'écrire avec une apostrophe, les autres non.

Ils ont parfois des disputes entre eux. (et non ~~*entr'eux*~~, même si on n'entend pas le *e* de *entre*)

Élision et apostrophe (2)

L'élision se fait devant les mots commençant par une voyelle ou un *h* muet* mais, dans certains cas, elle n'est pas possible.

LES PRONOMS

Quand les pronoms *ce*, *je*, *le* et *la* suivent le verbe auquel ils se rapportent, il n'y a pas d'élision et donc pas d'apostrophe même si ces pronoms précèdent un mot commençant par une voyelle ou un *h* muet.

*Que puis-**je o**btenir de ces épinards ?*

*S'il veut voir Olive, laisse-**le y** aller.*

Mais, si *me*, *te*, *le* et *la* précèdent *en* ou *y* compléments du même verbe, ils s'élident.

*Il veut voir Olive, emmène-l'**y**.*

QUI L'EÛT cru

Lorsqu'un grand vizir comme l'Iznogoud de René Goscinny veut se débarrasser du calife afin de prendre sa place, il peut tenter de lui faire avaler un *bouillon d'onze heures* (sans traits d'union), c'est-à-dire un breuvage empoisonné. Moins dangereuse est la *dame-d'onze-heures* (nom composé, avec des traits d'union, cette fois), qui n'est pas une empoisonneuse perpétrant ses forfaits à 23 heures, mais une fleur s'épanouissant à 11 heures du matin.

On a là deux exceptions présentant une élision devant *onze*...

AUTRES CAS

- L'élision se fait devant les *h* muets, jamais devant un ***h* aspiré***.

  *Il a avalé une boîte d'épinards et non **de haricots**.*

- Bien qu'ils commencent par une voyelle ou un *h* muet, il n'y a pas d'élision devant :

  ➤ ***huit*** et ***onze*** (et les mots de leur famille : *huitaine, onzième*) ;

  *Popeye a englouti plus **de onze** boîtes d'épinards.*

  ***La huitaine** de boîtes qu'il vient d'acheter ne lui suffira pas.*

  ➤ ***oui*** et ***ouate*** ;

  *Je crois **que oui**.*

  ➤ les mots commençant par *y* correspondant au son [j], sauf devant *yeux*.

  *Un pot **de yaourt** ne lui fait pas le même effet qu'une boîte d'épinards.*

- ***Que*** et ses composés ne s'élident pas lorsqu'ils sont suivis d'une pause marquée à l'écrit par la virgule.

  ***Puisque**, ainsi que tu le sais, Popeye est très fort, mieux vaut ne pas te fâcher avec lui.*

SITÔT LU sitôt su

L'élision se fait devant un mot commençant par une voyelle ou un *h* muet, quelle que soit sa nature. Il faudrait donc la faire devant les noms propres.

Popeye, le mari d'Olive, est l'Hercule du xxe siècle.

Cependant, on admet l'élision, en particulier si le nom propre contient une seule syllabe*.

Les amis d'Aude (ou *de Aude*) *connaissent-ils Popeye ?*

La liaison

Par le phénomène de la liaison, on fait entendre la dernière consonne d'un mot (normalement muette) lorsqu'il est placé devant une voyelle ou un *h* muet*. La liaison peut entraîner des confusions qu'il faut éviter.

LIAISON ET FÉMININ

● Les adjectifs masculins qui se terminent par **-eux** [ø] et par **-er** [e] font entendre leur consonne finale en liaison : ils se prononcent alors [øz] et [ɛr].

*On a souhaité un **joyeux** anniversaire à Alceste.* [ʒwajøzanivɛʀsɛʀ]

*C'est mon **dernier** avis, a prévenu la maîtresse.* [dɛʀnjɛʀavi]

● Les adjectifs masculins qui se terminent par **-on** [ɔ̃] et **-ain** ou **-ein** [ɛ̃] font entendre leur *n* final en liaison : ils se prononcent alors [ɔn] et [ɛn].

*Ce qu'Alceste aime par-dessus tout, c'est un **bon** éclair.* [bɔnɛklɛʀ]

*Les copains de Nicolas préfèrent jouer en **plein** air.* [plɛnɛʀ]

● Il faut alors veiller à ne pas confondre ces formes du masculin avec celles du **féminin** qui se prononcent de la même façon.

*Il y a toujours une joyeu**se** animation dans la classe de Nicolas.* [ʒwajøzanimasjɔ̃]

*Eudes nous a raconté sa derni**ère** aventure.* [dɛʀnjɛʀavɑ̃tyʀ]

*Marie-Edwige est une bon**ne** élève.* [bɔnelɛv]

QUI L'EÛT *cru*

Si l'on ne veut pas passer pour un cuistre ou pour une m'as-tu-vu, on s'abstiendra de faire certaines liaisons tellement inusitées qu'elles sont ressenties comme des fautes : « un nez [z] épaté », « le crédit [t] autorisé », « un pied [t] énorme »... Chacun comprendra qu'il est, aussi, plus que fâcheux de prononcer de la même façon « Il est à Normale » et « Il est anormal ».

LETTRES DIFFÉRENTES

Les mots qui se terminent par **s**, **x** et **z** se prononcent [z] en liaison ; ceux qui se terminent par **d** ou **t** se prononcent [t].

*Alceste et Rufus sont **deux a**mis de Nicolas. **Quand i**ls **sont e**nsemble, cela finit toujours par une bagarre.*

Il faut donc bien écrire **quand** et non *quant* lorsqu'il s'agit de la conjonction de temps.

***Quand** Alceste mange, rien ne l'intéresse plus.* (et non ~~*Quant Alceste...*~~)

Puisque *d* se prononce [t] en liaison, il est inutile d'ajouter *-t-* entre un verbe se terminant par *d* et les pronoms *il*, *elle* ou *on*.

Pourquoi Alceste prend-il toujours la plus grosse part ? (et non ~~*Pourquoi Alceste prend-t-il*~~...)

Comment Marie-Edwige apprend-elle ses leçons ?

SITÔT LU
sitôt su

Liaison et négation

Du fait de la liaison, certaines phrases négatives ne se distinguent pas, à l'oral, des phrases affirmatives. Il ne faut pourtant pas omettre *n'* à l'écrit et savoir où le placer.

CONFUSIONS

- La négation ***n'*** ne s'entend pas lorsqu'elle suit directement les pronoms *aucun, on* ou *rien.*

  *Crois-tu qu'**on** oublie ses amours ?*

  *Non, **on n'**oublie rien de rien.*

  On oublie et *on n'oublie* se prononcent de la même façon : [ɔ̃nubli].

Il faut donc toujours vérifier que l'on a bien *n'* dans les phrases négatives.

  *Rien **n'**est mieux ancré dans ma mémoire que son souvenir.*

  *Tous ces souvenirs sont présents, aucun **n'**est effaçable.*

- On place la négation *n'* devant le pronom *en* qui précède le verbe, et non pas après ce pronom.

  *De tous ces souvenirs, on **n'**en oublie aucun.* [ɔ̃nɑ̃nubli] (et non ~~*on en n'oublie aucun*~~ [ɔ̃nɑ̃nubli])

  *Nous **n'**en aurons jamais fini avec nos souvenirs.*

QUI L'EÛT *cru*

Dans ses *Satires* (III), Boileau a écrit, entre autres, un vers irréprochable, bien sûr, mais qui n'en recèle pas moins une ambiguïté phonétique dès lors que l'on déclame la satire :
« Moi qui ne compte rien ni le vin ni la chère, / Si l'on n'est plus à l'aise assis en un festin / Qu'aux sermons de Cassagne ou de l'abbé Cotin. »
Dans le deuxième vers cité, *n'* figure seul (sans *pas*) ; or, à l'audition, il est impossible de discerner si l'auteur a écrit *si l'on n'est* ou *si l'on est* (qui signifie exactement le contraire !), la liaison de l'*n* final du pronom indéfini *on* produisant le même effet phonique que la présence de la négation *n'* ; ce n'est que visuellement qu'apparaît le sens négatif. La métrique du vers interdisait évidemment d'introduire *pas* dans la phrase.
... Et l'on pourrait envisager aussi la version « si l'on naît plus à l'aise assis...» !

REDONDANCES

On n'emploie jamais deux fois la négation *ne* ou *n'* avec un même verbe. Ainsi, un [n] entendu devant un verbe commençant par une voyelle peut être dû à une liaison et non à la présence de la négation.

  *On se souvient pour **ne** rien oublier.* [ʀjɛ̃nublije] (et non ~~*pour ne rien n'oublier*~~ [ʀjɛ̃nublije])

SITÔT LU
sitôt su

En cas d'hésitation sur la place de la négation lorsque le sujet est *on*, il faut remplacer le sujet par un autre pronom tel que *il, nous...*

  De tous nos souvenirs, on n'en oublie aucun. (on dira bien *il n'en oublie aucun* → *n'* précède *en*)

Comment écrire les emprunts ?

Les mots empruntés à des langues étrangères et intégrés dans la langue française présentent des particularités orthographiques.

DIVERSITÉ DES CAS

Il n'existe aucune règle dictant de façon rigoureuse comment écrire les emprunts car ils sont issus des langues les plus diverses :

➤ dont certaines sont écrites dans un alphabet autre que l'alphabet latin (arabe, grec, hébreu...). Il faut alors imaginer une transcription du mot au moyen des lettres dont dispose le français ;

casher, qui vient de l'hébreu, s'écrit également *kasher, cacher, cachère...*

➤ qui possèdent chacune des rapports entre l'oral et l'écrit différents de ceux du français.

ee en anglais peut se prononcer [i], pas en français ; le *c* en italien [tʃ], pas en français...

QUI L'EÛT *cru*

La démarche normale doit consister à exclure de la langue française toutes les exceptions qui compliquent la tâche des usagers de la langue, à condition de ne pas adopter des modifications qui créeraient de nouvelles séries d'exceptions ! Il est donc déconseillé d'ajouter d'autres complications en acceptant des graphies étrangères qui ne respectent pas la norme du français.

QUELQUES PRINCIPES APPLICABLES

- De nombreux emprunts portent un accent aigu quand le *e* est prononcé [e].

un déficit, un scénario, un caméraman

Pour certains mots encore enregistrés sans accent dans les dictionnaires, les *Rectifications de l'orthographe* proposent qu'on les écrive avec un accent [voir p. 177].

- Tous les mots latins qui ont une finale en [ɔm] s'écrivent ***-um***.

un aquarium, un album, le summum, maximum

- La plupart des mots anglais se terminant par le son [ɛʀ] ou [œʀ] s'écrivent ***-er***.

un poster, un joker, un blister, un hamburger, un leader, un scooter

Lorsque l'emprunt est en [œʀ], il est fréquent de trouver le suffixe français ***-eur***.

un mixeur, un squatteur, un scanneur

Lorsqu'on a encore le choix entre la graphie d'origine et la graphie francisée, et que le pluriel dans la langue d'origine est différent du pluriel francisé, on veillera à faire concorder graphie et pluriel.

un véto (gaphie francisée) → *des vétos* (pluriel francisé)
ou *un veto* (graphie latine) → *des veto* (pluriel latin invariable)
on évitera ~~*des vetos*~~ ainsi que ~~*des véto*~~

SITÔT LU *sitôt su*

L'accent : généralités

Les accents aigu (´), grave (`) et circonflexe (^) servent le plus souvent à noter une prononciation particulière de la voyelle, mais pas toujours.

PRONONCIATION

- Les trois accents indiquent toujours que le **e** sur lequel il porte n'est pas muet* ou qu'il ne se prononce pas [ə], mais [e], ou [ɛ] [voir p. 65].

la cire	[sir]	*demi*	[dəmi]
un ciré	[sire]	*démis*	[demi]
meneur	[mənœʀ]	*la cretonne*	[kʀətɔn]
mène	[mɛn]	*la crête*	[kʀɛt]

Pour les règles d'emploi des accents sur le *e*, voir p. 65.

QUI L'EÛT cru

L'ancien verbe *recroire*, aujourd'hui disparu, voulait dire « renoncer », « se rendre », « être fourbu ». Il ne subsiste plus que *via* l'adjectif *recru*, issu du participe passé (jadis *recreü*) de ce verbe, et qui apparaît seulement dans des expressions du type « arriver recru ». *Recru* s'écrit sans accent circonflexe. Comme il signifie « fatigué, fourbu », « recru de fatigue » est un pléonasme ! En revanche, *recrû*, participe passé de *recroître*, s'écrit avec un accent circonflexe.

- L'accent circonflexe peut marquer un changement de prononciation lorsqu'il porte sur **a** ou **o**, mais il ne le fait pas de façon systématique.

*une ch**a**tière*	[ʃatjɛʀ]	*n**o**tre*	[nɔtʀ]
*ch**â**tier*	[ʃɑtjie]	*le n**ô**tre*	[notʀ]

mais *ch**a**s* [ʃɑ] (dont le *a* se prononce comme dans *châtier*) et *at**o**me* [atom] (dont le *o* se prononce comme dans *le nôtre*) n'ont pas d'accent.

AUTRES VALEURS

- Les accents grave et circonflexe permettent de distinguer certains **homophones*** ou certains mots dont la prononciation est très proche [voir p. 192].

a (avoir)/à (préposition), *ou* (conjonction)*/où* (adverbe), *la* (article, pronom)*/là* (adverbe)
mur (nom)*/mûr* (adjectif), *jeune* (adjectif)*/jeûne (diète), tache (salissure)/tâche (travail)*

Il faut connaître ces mots car aucune règle ne dit s'il faut employer ou non l'accent pour distinguer des homographes*.

Il faut un accent pour distinguer le participe *dû* de l'article contracté *du*, mais il n'en faut pas pour distinguer *je suis* (verbe *être*) de *je suis* (verbe *suivre*).

- L'accent circonflexe peut être le témoin d'une **lettre disparue** [voir p. 63].

honnête, forêt, château, crûment (écrits autrefois *honneste, forest, chasteau, cruement*)

SITÔT LU
sitôt su

Pour savoir dans quel sens orienter les accents, il faut s'aider de leur nom : l'accent aigu est celui qui « monte » quand on le trace dans le sens de l'écriture (de gauche à droite), l'accent grave est celui qui « descend ».

L'accent circonflexe (1)

Contrairement à l'emploi des accents aigu et grave, on ne peut établir de règles fixes pour l'emploi de l'accent circonflexe, sauf dans la conjugaison **[voir p. 64]****.**

VALEUR HISTORIQUE

- Le plus souvent, l'accent circonflexe est la trace d'un **s** non prononcé, dont le rôle était de signaler que la voyelle précédente était longue. Ce *s* pouvait correspondre à un rappel du latin, mais pas toujours.

  la forêt (forestis), la chaîne (catena),
  pâle (pallidis), la voûte (volvere)

- Lorsque le *s* était présent en latin, on le retrouve dans certains **dérivés** ou dans des mots de la même famille étymologique.

  l'hôpital → hospitalier ; la forêt → forestier
  le goût → gustatif ; châtaigne → la castagne

QUI L'EÛT *cru*

L'Esméralda de *Notre-Dame de Paris*, de Victor Hugo, est une *bohémienne*, c'est-à-dire une gitane supposée être issue d'un peuple venu d'Europe centrale, de *Bohême*. Si elle mène une vie de liberté, non sédentaire, de diseuse de bonne aventure, de saltimbanque, elle ne mène pas ce qu'on appelle « la vie de *bohème* » : la vie fantaisiste, non conformiste, chiche, voire miséreuse, d'artistes tels que des peintres, des sculpteurs, des écrivains... Les trois mots en italique sont de la famille de *Bohême*, mais seul ce nom propre a un accent circonflexe !

- L'accent circonflexe peut également être la trace d'une **autre lettre**.

  â**ge, b**ê**ler, r**ô**le, d**û (autrefois écrits *aage, beeler, roole, deu*) ; *saoul* ou *soûl*

PROBLÈMES

- Aujourd'hui, la distinction entre voyelle longue et voyelle brève a presque totalement disparu. On ne peut donc se fier à l'oral pour placer correctement l'accent.

- Le plus souvent, l'accent circonflexe n'est pas maintenu dans les **dérivés** lorsque la voyelle sur laquelle il porte est suivie d'une syllabe sans *e* muet.

  infâme/infamie ; fantôme/fantomal ; extrême, extrêmement/extrémité ; côte/coteau

- Les *Rectifications de l'orthographe* proposent ainsi de supprimer l'accent circonflexe sur le ***i*** et le ***u*** (sauf dans la conjugaison au passé simple et les homophones) dont il ne modifie jamais la prononciation [voir p. 177].

SITÔT LU *sitôt su*

Les erreurs dues à l'accent circonflexe tiennent autant aux omissions qu'à une présence indue (~~*zône*~~ au lieu de *zone*). Il existe tout de même une règle fiable : on ne met jamais d'accent circonflexe sur une voyelle précédant deux consonnes, sauf dans la conjugaison *(vînmes, tîntes...)* ainsi que dans *châsse* (« coffre ») et les mots de sa famille *châssis, enchâsser, enchâssement*.

L'accent circonflexe (2)

Dans la conjugaison, la présence de l'accent circonflexe répond à des règles précises.

À CERTAINS TEMPS

On met un accent circonflexe à tous les verbes :

➤ aux 1re et 2e personnes du pluriel du **passé simple** ;

nous passâmes, vous fîtes, nous fûmes, vous tîntes

➤ à la 3e personne du singulier de l'**imparfait du subjonctif**.

qu'il passât, qu'il fît, qu'il fût, qu'il tînt

QUI L'EÛT cru

Le verbe *haïr* comporte un tréma. La présence de ce signe rend impossible l'observation rigoureuse des désinences verbales aux première et deuxième personnes du pluriel du passé simple de l'indicatif ainsi qu'à la troisième personne du singulier de l'imparfait du subjonctif. On se contente donc d'écrire : *nous haïmes, vous haïtes* et *qu'il (elle) haït*... alors qu'il eût été si beau de coiffer le tréma d'un « chapeau » : un accent circonflexe !

POUR CERTAINS VERBES

● Les verbes dont l'infinitif se termine par [ɛtʀ] ou [watʀ], ainsi que le verbe *plaire* (et ceux de sa famille), s'écrivent avec un accent circonflexe sur le *i* lorsqu'il précède un **t**.

paître, paraître, tu connaîtras, ils naîtront, vous paraîtriez, elle plaît, il déplaît
croître, décroître, elle décroît, ils croîtront, elle accroîtra

Les *Rectifications de l'orthographe* proposent la suppression de l'accent circonflexe sur le *i* et le *u* de ces verbes [voir p. 177].

● Le verbe ***croître*** porte par ailleurs un accent sur le *i* et sur le *u* dans ses formes qui peuvent être confondues avec des formes du verbe *croire*.

Les eaux crûrent rapidement.	*Ils ne crurent pas un mot de mon histoire.*
tu croîs	*tu crois*
Il a crû au soleil.	*Il a cru mon histoire.*

● Les participes passés ***crû*** (de *croître*), ***dû*** (de *devoir*), ***mû*** (de *mouvoir*), ***recrû*** (de *recroître*) se distinguent par l'accent de leurs homophones *cru* (de *croire*), *du* (article), *mu* (lettre grecque) et *recru* (« fatigué »). Ils perdent cet accent au féminin et au pluriel.

*Il aurait **dû** nous prévenir **du** danger. Les sommes **dues** seront payées à la fin **du** mois.*

SITÔT LU
sitôt su

En dehors du passé simple et de l'imparfait du subjonctif (formes rarement employées), les verbes n'ont jamais d'accent circonflexe. Inutile donc d'en ajouter...

Ce que vous dites est très intéressant. (et non ~~*ce que vous dîtes...*~~)
Ne faites plus la même erreur. (et non ~~*ne faîtes plus...*~~)

Accent ou non sur le *e* ?

Il faut savoir quand mettre un accent sur la lettre *e* pour transcrire les sons [e] et [ɛ].

AVEC ACCENT *(É, È, Ê)*

● On met un accent sur le *e* s'il termine la syllabe graphique dans laquelle il se trouve. Ainsi, le *e* porte un accent s'il précède :

➤ une **consonne simple** ;

intéressant (la syllabe est *té*)
amère (a/mè/re), bêtise (bê/tise)

➤ deux consonnes formant un **seul son** (*ch* [ʃ], *gn* [ɲ], *th* [t], *ph* [f]...) ;

régner (ré/gner), méthode (mé/thode), flèche (flè/che), règne (rè/gne), pêcheur (pê/cheur)

➤ deux consonnes dont la deuxième, différente de la première, est ***l*** ou ***r***.

zébrure (zé/bru/re), siècle (siè/cle), fenêtre (fe/nê/tre)

> **QUI L'EÛT *cru***
>
> Ces dernières années, les dictionnaires français usuels se sont mis à entériner, suivant en cela la prononciation adoptée par une majorité des usagers de la langue française, des graphies doubles, comportant ou non un accent. Aujourd'hui, on peut donc écrire, en étant sûr de ne commettre aucune « faute » : *asséner* ou *assener*, *liseré* ou *liséré*.

● Le plus souvent, l'accent aigu transcrit le son [e] ; les accents grave et circonflexe, le son [ɛ]. Mais la distinction entre ces deux sons ne se fait pas toujours. Il vaut donc mieux se fier à l'écrit [voir p. 66 et 67].

SANS ACCENT *(E)*

● On ne met pas d'accent sur le *e* prononcé [e] ou [ɛ] s'il ne termine pas la syllabe graphique dans laquelle il se trouve. Ainsi, *e* s'écrit sans accent s'il précède :

➤ **deux consonnes** ou plus (sauf cas évoqués ci-dessus) ou une **consonne double** ;

restaurant (res/tau/rant), hiberner (hi/ber/ner), acceptable (ac/cep/ta/ble)
perspicace (per/spi/ca/ce), ethnologue (eth/no/lo/gue), quetsche (quet/sche)
effort (ef/fort), lettre (let/tre), appellation (ap/pel/la/tion), intéressant (in/té/res/sant)

➤ une **consonne finale** (sauf *s*), qu'elle soit prononcée ou non.

amer, bec, nouvel, coffret, assez, pied, mais *abcès*

On écrit cependant avec l'accent circonflexe : *arrêt, forêt, intérêt, prêt* et *genêt*.

● Le *e* des éléments* *hyper-* (« très »), *inter-* (« entre ») et *cyber-* (« internet ») ne porte jamais d'accent, même lorsqu'ils sont soudés à un mot commençant par une voyelle.

hyperactif, cyberespace, interactivité, interurbain

Lorsque *e* précède un *x*, il ne porte jamais d'accent car *x* a la valeur de deux consonnes : soit *gz (exact)*, soit *ks (vexer)*.

exister, exposition, vexer, latex
Saint-Exupéry

SITÔT LU
sitôt su

L'accent aigu sur *e*

Le plus souvent, l'accent aigu transcrit le son [e]. Mais il vaut mieux se fier aux règles de l'écrit pour placer correctement l'accent aigu. Pour les cas où *e* prononcé [e] ou [ɛ] ne porte pas d'accent, voir p. 65.

CAS GÉNÉRAL

● On met toujours l'accent aigu, et non l'accent grave, sur le *e* si la syllabe suivante ne contient **pas de *e* muet***.

un collégien (mais *un collège*)
l'espérance (mais *ils espèrent*)
l'austérité (mais *austère*)

● Au **futur** et au **conditionnel**, les verbes qui s'écrivent avec *é* à l'infinitif conservent *é*.

céder → il cédera ; abréger → j'abrégerais

Les *Rectifications de l'orthographe* proposent que l'on écrive ces formes verbales avec *è* puisqu'il est suivi d'un *e* muet [voir p. 176].

QUI L'EÛT *cru*

Au sein des familles de mots, l'accent aigu fait parfois preuve d'inconstance. La différence d'accentuation entre *rebelle* et *rébellion* fait sans doute l'affaire des rédacteurs de dictées-concours, toujours à la recherche infinie de « pièges » orthographiques, mais les arguments éventuels en faveur du maintien de cette incohérence sembleront à beaucoup « capillotractés », c'est-à-dire... tirés par les cheveux !

AUTRES CAS

● On met toujours l'accent aigu sur le *e*, même s'il est suivi d'un *e* muet :

➤ si c'est la **première lettre** du mot ;

sans **e** muet : *un élan, écru*
avec **e** muet : *élevé, une écrevisse*

Mais on écrit *ère* et *ès (docteur ès lettres)* avec un accent grave [voir p. 67] ;

➤ si c'est la **dernière lettre** du mot (indépendamment des *e* muets et du *s* du pluriel) ;

il a mangé, la pâtée, des accents oubliés, des fautes oubliées

➤ sur les préfixes* ***dé-***, ***mé-*** et ***pré-***.

défaire, dépecer, un méfait, méconnu, prématuré, prélever

● On maintient l'accent aigu sur le 2e *e* de *télé-* sauf dans *télescope* et ses dérivés.

téléachat, télégraphique, téléscripteur, téléski

SITÔT LU *sitôt su*

● **On ne met jamais d'accent aigu sur un *e* placé devant une consonne double [voir p. 65].**

un effet (et non *un ~~éffet~~*), *intéressant* (et non ~~*intéréssant*~~)

● **Le *e* est la seule voyelle sur laquelle peut porter l'accent aigu.**

L'accent grave sur *e*

L'accent grave sur *e* transcrit toujours le son [ɛ]. Mais il vaut mieux se fier aux règles de l'écrit pour placer correctement l'accent grave. Pour les cas où *e* prononcé [e] ou [ɛ] ne porte pas d'accent, voir p. 65.

CAS GÉNÉRAL

- On met toujours un accent grave quand le *e* précède une **syllabe finale** qui contient un ***e* muet**.

  fière, un collège, une calèche, un chèque, ils espèrent

C'est pour cette raison qu'***ère*** s'écrit avec l'accent grave.

- On met toujours l'accent grave sur le *e* s'il précède le ***s* final** d'un mot (autre que le *s* du pluriel), que ce *s* soit prononcé ou muet.

  congrès, accès, très ; herpès, palmarès

C'est pour cette raison que l'on écrit ***ès*** *(un docteur ès lettres).*

QUI L'EÛT *cru*

Les demi-fautes dans les dictées ne portent pas que sur les accents graves sur le *e*, mais souvent, aussi, sur le *a* ! Ainsi, une tendance erronée conduit à mettre des accents graves quand il n'en faut pas : par exemple, écrire « celà » à la place de *cela* (pronom démonstratif), sans doute sous l'influence pernicieuse de l'adverbe de lieu *là*. En revanche, parmi les bévues récurrentes figure l'oubli de l'accent grave dans l'adverbe *déjà*, fréquemment orthographié « déja », et dans l'autre adverbe *voilà*. Il n'y a donc pas que les mots compliqués et longs qui entraînent des erreurs !

AUTRES CAS

- On met le plus souvent l'accent grave quand le *e* est suivi d'une syllabe contenant un ***e* muet**.

  amèrement, règlement, pèlerinage

- Mais au futur ou au conditionnel les verbes conjugués qui ont un accent aigu à l'infinitif conservent *é* même devant un *e* muet. Par ailleurs, on trouve un certain nombre de mots avec un accent aigu devant un *e* muet.

  il cédera, j'abrégerais ; un événement, la crémerie

Aussi, afin de rendre plus cohérent l'emploi de l'accent grave, les *Rectifications de l'orthographe* proposent-elles que l'on mette l'accent grave sur *e* chaque fois qu'il est suivi d'un *e* muet (sauf *médecin* et *médecine*) [voir p. 177].

L'accent n'est pas un privilège acquis : au sein d'une même famille, on peut trouver l'accent grave, l'accent aigu ou pas d'accent. Cela répond à chaque fois aux règles mentionnées ci-dessus et dans les deux pages précédentes.

complet, compléter, complètement

SITÔT LU *sitôt su*

Le tréma (1)

Le tréma s'emploie le plus souvent sur le *i*, parfois sur le *u* ou le *e*, et donne généralement des informations sur la prononciation.

APRÈS A ET O

- Placé sur le *i* et le *u*, le tréma indique que ces voyelles ne forment pas un seul son avec le *a* ou le *o* qui précède.
  maïs [mais]
  (sans tréma, on aurait *mais* [mɛ])
  Saül [sayl]
  (sans tréma, on lirait [sol], comme *saule*)
- Le cas se présente en particulier pour :
  - les adjectifs en ***-oïde*** ;
    humanoïde, anthropoïde, ovoïde, bizarroïde
  - les noms et adjectifs formés avec les finales ***-ïque, -ïsme*** et ***-ïste*** placés après *a* ou *o*.
    héroïque, judaïque, judaïsme, égoïsme, égoïste
- Le *ï* placé entre deux voyelles indique en plus que l'on a le son [j].
  un païen [pajɛ̃], *une baïonnette* [bajɔnɛt], *la paranoïa* [paʀanɔja]

QUI L'EÛT *cru*

De son prénom – rare ! – Fulgence, un ingénieur breton, M. Bienvenüe, assura l'adduction de l'eau de source à Paris et, surtout, conçut et dirigea la réalisation du métro parisien. Son patronyme figure donc, c'est bien la moindre des choses, dans le nom d'une importante station du réseau de la capitale : *Montparnasse-Bienvenüe*, non loin de la gare qui achemine vers l'Ouest les usagers du chemin de fer, la gare Montparnasse. Le tréma sur le *u* du patronyme indique qu'il s'agissait, à l'origine, d'un *u* voyelle, et non d'un *u* consonne (c'est-à-dire un *v*).

APRÈS *GU*

Placé sur le *e* et le *i* après un *gu*, le tréma indique que le *u* se prononce [y] et ne doit pas être associé au *g* pour former le son [g]. Le cas se présente pour ***ciguë, ambiguïté, contiguïté, exiguïté*** et les féminins ***ambiguë, contiguë, exiguë***.
une zone contiguë (sans tréma, on lirait [kɔ̃tig] comme dans *fatigue*)

Afin de montrer que c'est bien le *u* qui se prononce, les *Rectifications de l'orthographe* proposent de placer le tréma sur *u* et non sur *e* ou *i* [voir p. 178].

SITÔT LU *sitôt su*

Pour savoir quand mettre un tréma dans la conjugaison du verbe *haïr*, il suffit de se fier à la prononciation : on met un tréma quand on entend les deux sons voyelles [a] + [i], on n'en met pas quand on entend un seul son voyelle [ɛ].
Il hait les tripes. [ɛ]
Il a toujours haï les tripes. [ai]

Le tréma (2)

Dans certains cas, le tréma a une autre valeur que celle de montrer que deux voyelles se prononcent séparément [voir p. 68].

SUR *E* AVEC A ET O

- Bien que *e* se prononce aujourd'hui toujours séparément du *a* et du *o*, on écrit avec un tréma les noms propres se terminant par [aɛl] et [oɛl].

  Noël, Israël, Gaël, Ismaël

- De même, on a un tréma dans *canoë*. Les dérivés de ces mots ne conservent pas le tréma.

  israélien, gaélique, canoéiste

LE VERBE *OUÏR*

On maintient le tréma dans la conjugaison de *ouïr* – qui se prononçait autrefois en deux syllabes (comme *éblouir* et non comme *Louis*) – et dans les mots de sa famille pour le différencier de l'adverbe *oui*.

*« Ah oui ? Et qu'a **ouï** l'**ouïe** de l'oie de Louis ? »* (Raymond Devos)

Même si la recommandation d'Émile Littré de mettre un tréma sur le *e* dans *il arguë*, et sur le *i* de *nous arguïons* n'a pas été suivie par tous les linguistes et lexicographes d'aujourd'hui, ni par un grand nombre d'écrivains, la prononciation normale de ce verbe est « argu-er », et non « arguer » (comme *narguer*). Le binôme *gu* se prononce [gy] dans *j'argue, que j'argue...*, tandis que le *u* se prononce comme une semi-voyelle dans *nous arguons, arguant, tu arguais...* En aucun cas, en tout cas dans un français de bon niveau, on ne doit faire rimer *argue* avec une onomatopée fréquente en BD : « *Arrgh !* »

DANS LES EMPRUNTS

On utilise le tréma dans certains emprunts pour noter des voyelles propres aux langues étrangères dont ils sont issus et que nous n'utilisons pas en français.

angström : *ö* note le [ø] du suédois

rösti : le tréma note le ¨ (Umlaut) allemand

Les *Rectifications de l'orthographe* proposent que l'on francise ces emprunts [voir p. 179].

Dans les noms propres *Saint-Saëns* et *Staël* (*Mme de Staël* ou *Nicolas de Staël*), le *ë* ne se prononce pas. *Saint-Saëns* rime avec *sens* et *de Staël* avec *cristal*.

SITÔT LU
sitôt su

La consonne muette en finale (1)

La présence de consonnes muettes en finale de mots (en dehors des marques de pluriel ou des désinences* verbales) constitue une des principales difficultés du français. Cependant, il existe certains repères, en particulier le féminin, qui aident à écrire correctement les finales.

PRINCIPE GÉNÉRAL

La forme du **féminin** fait entendre la consonne muette du masculin. En cas d'hésitation, il est donc utile, pour les **noms animés***, les **adjectifs** et les **participes**, d'en rechercher le féminin.

un marchand [maʀʃɑ̃]
avec ***d*** car *une marchan**d**e* [maʀʃɑ̃d]

un homme fort [fɔʀ]
avec ***t*** car *une femme for**t**e* [fɔʀt]

Le couvert est mis. [mi]
avec ***s*** car : *La table est mi**s**e.* [miz]

QUI L'EÛT cru

De nombreux dictionnaires présentent une lacune, en ne lexicalisant que *preux*, en tant que nom et adjectif masculin. Ce synonyme de « vaillant », de « brave », est certes le plus souvent associé à des noms désignant des chevaliers, des militaires... Mais il existe bel et bien le féminin *preuse*, que l'on trouve souvent au sujet de la représentation, sous forme de tableaux ou de sculptures dans de nombreux châteaux, de neuf femmes remarquables dans l'Histoire (*les neuf preuses*) : Hippolyte (reine des Amazones), Penthésilée (autre reine des Amazones), Sémiramis (reine d'Assyrie et de Babylone)...

CAS PARTICULIERS

- Quelques adjectifs s'écrivent sans consonne finale au masculin alors que leur féminin en comporte une. Il faut les connaître [voir p. 111].
  un chant andalou mais *une chanson andalouse ; il est resté coi* mais *elle est restée coite*

- Les participes *absous* et *dissous* ont un *s* muet final bien que leur féminin soit *absoute* et *dissoute*. Les *Rectifications de l'orthographe* proposent de corriger cette anomalie [voir p. 180].

- On écrit bien *-eux*, avec *x* muet, le masculin en [ø], même si le féminin est *-euse* [øz].

SITÔT LU *sitôt su*

- **Lorsqu'à l'oral la forme du féminin est la même que celle du masculin, il n'y a pas de consonne muette.**
  un élu [ely] (sans consonne muette, car *une élue* [ely])
  un enfant gai [ge] (sans consonne muette, car *une fille gaie* [ge])
  un travail fini [fini] (sans consonne muette, car *une œuvre finie* [fini])
- **De même, si le féminin fait entendre un [n] final, le masculin n'a aucune consonne muette après le *n*.**
  un voisin [vwazɛ̃] car *une voisine* [vwazin]
  un passage souterrain [sutɛʀɛ̃] car *une galerie souterraine* [sutɛʀɛn]

La consonne muette en finale (2)

Dans les noms non animés*, on ne peut avoir recours au féminin pour déceler la présence ou non d'une consonne muette finale. Il faut alors chercher des mots de la même famille.

PRINCIPE GÉNÉRAL

Très souvent, la consonne muette finale d'un mot réapparaît :

➤ dans ses **dérivés** ;

*l'instin**ct*** [ɛ̃stɛ̃]
avec **ct** car *instin**ct**if* [ɛ̃stɛ̃ktif]

*un tapi**s*** [tapi]
avec **s** car *tapi**ss**er* [tapise]

➤ dans des mots de la même **famille étymologique**.

*le pou**ls*** [pu]
avec **ls** car *pu**ls**ation* [pylsasjɔ̃]

*le poin**g*** [pwɛ̃]
avec **g** car *la poi**g**née* [pwaɲe]

QUI L'EÛT *cru*

Un personnage rougeaud sera dit *rubicond*, et sa face sera *rubiconde*. La terminaison au féminin indique la présence du *d* final au masculin, ce qui démarque cet adjectif du nom propre *Rubicon*, nom d'une rivière que Jules César franchit, avec son armée, sans avoir l'autorisation du Sénat romain. D'où l'expression *franchir le Rubicon* : « prendre une décision irrévocable ».
L'« Aigle de Meaux », Bossuet, se prénommait Jacques, et aussi Bénigne. *Bénigne* fut autrefois un adjectif masculin, au sens de « doux, bienveillant ». De nos jours, on ne connaît plus que la forme *bénin* (*-igne*).

CAS PARTICULIERS

● Contrairement à ce qui se passe pour les féminins [voir p. 70], l'absence d'une consonne dans un dérivé ne garantit pas l'absence de consonne muette finale.

*secour**s**,* avec *s* muet bien que l'on ait *secourir*
*transfer**t**,* avec *t* muet bien que l'on ait *transférer*

● Certains mots, heureusement ce ne sont pas les plus nombreux, présentent une consonne muette sans rapport apparent avec celle des mots de leur famille.

*taba**c*** mais *tabagie, tabatière – pied* mais *piéton*

Parfois, même, ces dérivés font entendre une consonne alors que le mot souche n'en a pas.

abri mais *abriter, cauchemar* mais *cauchemarder, horizon* mais *horizontal*

Dans certains cas, la consonne qui apparaît dans les mots de la même famille est différente de la consonne muette finale du mot racine. Mais il y a un lien de parenté entre les deux consonnes.

f muet/*v* : *nerf (nerveux), cerf (cervidés)*
x muet/*s* : *croix (croiser), choix (choisir), paix (paisible)*
c muet/*qu* ou *ch* : *escroc (escroquer), flanc (flancher, flanquer)*

SITÔT LU *sitôt su*

La consonne muette en finale (3)

Certaines finales qui se rattachent à un radical s'écrivent toujours de la même façon. Il est donc utile de savoir décomposer un mot et de connaître l'orthographe des principales finales qui ont une consonne muette.

CONSONNE MUETTE

- Les suffixes servant à former les adjectifs ou les noms d'êtres animés* font apparaître leur consonne muette finale dans la forme du **féminin** [voir p. 70].
- Dans les autres cas (non-animés et adverbes), il faut retenir les finales qui se terminent par une **consonne muette**.

  *-ar**d*** : *têtard, buvard, pétard*
  *-a**s*** : *plâtras, coutelas*
  *-a**t*** : *partenariat, résultat, mécénat*
  *-en**t*** : *coefficient, continent*
  *-i**s*** : *cafouillis, croquis, clapotis*
  *-men**t*** (noms) : *rangement, bâtiment*
  *-men**t*** (adverbes) : *heureusement, gaiement*
  *-oi**s*** : *putois, de guingois*
  *-on**s*** : *à tâtons, à reculons*
  *-o**t*** : *cachot, brûlot*

QUI L'EÛT *cru*

Les terminaisons en *-ard* sont le plus souvent, en argot, en langage familier, et même dans le langage courant, la marque de mots dépréciatifs, dévalorisants, voire plus... La signification des mots donne donc souvent une indication sur l'orthographe. À preuve, des termes savoureux comme *badouillard* (de l'argot *bades*, lèvres), au sens de « noceur, viveur », « qui fait la fête » ; *cagnard*, « paresseux, nonchalant » ; *languard*, « qui parle trop, qui dénigre, qui dit du mal » ; *musard*, « qui perd son temps à des riens, à des bagatelles », etc.

SANS CONSONNE MUETTE

On écrit **sans consonne muette** les finales suivantes :

-eau : *barreau, poireau, berceau*
-iau : *matériau, fabliau*
-on (et *-eton*, *-eron*) : *ballon, molleton, aileron*
-oir : *dortoir, espoir,*
-ou : *filou, bisou*

SITÔT LU
sitôt su

Moins d'une trentaine de noms féminins se terminent par une consonne muette *(brebis, voix, paix, dent, fois...)*. Il est bien sûr utile de les connaître et de les retenir, mais il est tout aussi utile de se rappeler que la grande majorité des noms féminins s'écrivent sans consonne muette finale.

Le *e* muet (1)

Certains mots contiennent un *e* que l'on n'entend pas. Le plus souvent, sa présence s'explique.

DANS LES DÉRIVÉS

- Dans les dérivés en **-ement** et **-erie** des verbes du 1er groupe, le *e* du suffixe ne s'entend pas lorsque le radical du verbe se termine par une voyelle (verbes en *-éer*, *-ier*, *-ouer*, *-uer*, *-yer*). Ce *e* appartient au suffixe* et il ne faut pas l'oublier.

  remerci/er → *remerci**ement***
  (tout comme on a *plac/er* → *plac**ement***)
  tu/er → *tu**erie***
  (tout comme on a *chauff/er* → *chauff**erie***)
  *un gré**ement**, une sci**erie**, le dévou**ement**, le pai**ement**, le tutoi**ement***

QUI L'EÛT cru

En poésie, déclamée ou chantée, le *e* muet final peut compter comme une syllabe, comme un pied. Au théâtre, cela peut sembler grandiloquent, artificiel, caricatural, tandis que dans une chanson cela passe beaucoup mieux. Toujours au théâtre, on a pu entendre des comédiens souligner tellement une réplique que dans leur bouche le *e* final, normalement muet, devenait le... treizième pied d'un alexandrin (*N.B.* : celui-ci fait toujours douze pieds).

- Trois exceptions à retenir : *châtiment* (de *châtier*), *agrément* (de *agréer*) et *argument* (de *arguer*).

DANS LA CONJUGAISON

- Ces mêmes **verbes du 1er groupe** forment de façon tout à fait régulière leur futur (et donc leur conditionnel) sur un radical auquel on ajoute *-er* [voir *Toute la conjugaison*, p. 51]. Mais, contrairement à ce qui se passe pour les autres verbes, le *e* devient muet et il ne se prononce jamais.

  nouer → *je **noue**rai* [nuʀe] (tout comme on a ***boucler*** → *je **boucler**ai* [bukləʀe])
  j'agréerai, tu déplierais, nous dénouerons, vous éternueriez, ils paieraient, elle broierait

- Si l'infinitif n'est pas en *-er*, il n'y a aucune raison de faire apparaître un *e* au futur ou au conditionnel.

  inclure → *j'**inclur**ai* (et non ~~*j'inclurerai*~~)

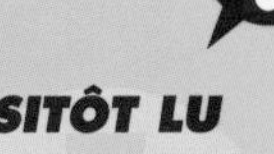

SITÔT LU

sitôt su

La plupart des *e* placés entre deux consonnes ne se font pas entendre, mais il est toujours possible de les prononcer. Il faut s'en souvenir pour ne pas oublier le *e*.

un boulevard [bulvaʀ] ou [bulәvaʀ]

Le cas est fréquent au futur et conditionnel pour les verbes du 1er groupe, dont il ne faut pas confondre la conjugaison avec ceux du 3e groupe.

guetter → *je guetterai* (et non ~~*je guettrai*~~, on peut prononcer le *e* [gɛtәre])

Le *e* muet (2)

Lorsqu'un *e* est la dernière lettre d'un mot et qu'il suit *é, i* ou *u*, il ne s'entend pas (*pâtée* se prononce comme *pâté*). Il ne faut pas l'oublier !

NOMS FÉMININS

- La plupart des noms **féminins** qui se terminent par une voyelle orale se terminent à l'écrit par un **e**.
  *une allé**e**, une bai**e**, la mi**e**, la soi**e**, la bou**e**, une lieu**e**, l'avenu**e***

Seuls une quinzaine de noms féminins (et certains emprunts : *lady*...) ne suivent pas cette règle [voir p. 193].

- Les **finales** servant à former des noms féminins se terminent elles aussi par un *e* muet si elles finissent à l'oral par une voyelle (sauf les suffixes *-té* et *-tié* [voir p. 103]).
  *-ai**e*** ou *-erai**e*** (pour les noms de plantations) : *oliveraie, hêtraie, orangeraie*
  *-é**e*** (pour les noms d'action, de contenu ou d'affection) : *une arrivée, une cuvée, l'onglée*
  *-i**e*** : *jalousie, modestie, pharmacie, biologie*
  *-ti**e*** : *calvitie, suprématie*

QUI L'EÛT cru

L'influence de *gynécée, prytanée, lycée* et autres noms masculins issus du grec se terminant en *-ée* conduit assurément un bon nombre de personnes à orthographier « alizée » – bien qu'elles sachent qu'il s'agit d'un substantif masculin lui aussi – le nom du vent soufflant à longueur d'année sur une partie orientale du Pacifique et de l'Atlantique. En fait, *alizé* est tout bonnement venu de l'ancien français *alis*, et a été un adjectif masculin : *un vent alizé*.

- Si le nom féminin se termine à l'oral par un son consonne, il s'écrit avec un *e*. Il peut y avoir hésitation lorsque la finale est [ʀ] [voir p. 100].
  une date [dat], *une école* [ekɔl], *une reine* [ʀɛn] ; *une heure* [œʀ], *une ardeur* [aʀdœʀ]

NOMS MASCULINS

- Quelques noms **masculins** s'écrivent avec un *e* après *i (ie)* ou *é (ée)*, jamais après une autre voyelle : il faut les retenir [voir p. 194].
  *un lycé**e**, un musé**e**, un géni**e**, un incendi**e**, le foi**e***

- Certains noms masculins d'origine étrangère se terminent par un *e* muet.
  *un barbecu**e**, un caddi**e***

SITÔT LU
sitôt su

- **Deux homonymes* curieux à ne pas confondre : le nom féminin *foi*, « croyance », s'écrit sans *e*, le nom masculin *foie*, « organe », s'écrit, lui, avec un *e*.**
- **Les noms composés masculins dont le dernier composant* est un nom féminin conservent bien évidemment le *e* muet final.**
  un parapluie, un tête-à-queue, un garde-boue

Le *h* à l'initiale

La lettre *h* a la particularité de ne jamais se prononcer. Mais elle joue souvent un rôle dans la prononciation du mot où elle se trouve. En début de mot, on distingue le *h* aspiré du *h* muet.

LE *H* ASPIRÉ

- Dans les mots qui commencent par un ***h* aspiré**, il ne peut y avoir :

➤ ni élision [voir p. 58] ;

je hache (alors que l'élision se fait dans *j'achète*)

Elle le hait.

➤ ni liaison [voir p. 59].

*très **h**aut* [tʀɛo] (alors que la liaison se fait dans *très **o**béissant* [tʀɛzobeisɑ̃])

QUI L'EÛT *cru*

« De Henri IV » ou « d'Henri IV », « d'Hugo » ou bien « de Hugo » ?... Hélas, ou tant mieux, c'est *ad libitum* : les deux traitements sont usités et donc avalisés. Mêmes tolérances pour des prénoms comme *Henriette, Hugues, Hubert*... Mais personne, en France, n'ira dire ou écrire : « La fille d'Henriette s'installe à L'Havre », au lieu de « au [à Le] Havre ».

- Dans les dictionnaires, les mots commençant par un *h* aspiré sont souvent précédés d'un **astérisque** (*). Dans la transcription phonétique, il se transcrit par l'**apostrophe** (').

haricot ['aʀiko], *handicapé* ['ɑ̃dikape]

LE *H* MUET

- Le ***h* muet** à l'initiale permet la liaison et l'élision et n'a aucune incidence sur la prononciation du mot.

***l'h**omonyme* [lomonim] se prononce à l'initiale comme ***l'o**moplate* [lomoplat]

*les **h**élices* [lezelis] se prononce à l'initiale comme *les **é**lites* [lezelit]

- On trouve ce ***h*** initial dans les **éléments*** de composition suivants :

hecto- (cent) : *hectare*
hélio- (soleil) : *héliogravure*
hémi- (demi) : *hémicycle*
hémo-, hémato- (sang) : *hémophile*
hepta- (sept) : *heptaèdre*
hétéro- (différent) : *hétérogène*
hipp(o)- (cheval) : *hippique*
homéo-, homo- (semblable) : *homophone*
horo- (heure) : *horodateur*
hydr(o)- (eau) : *hydrologie*
hyper- (sur, au-dessus) : *hyperactif*
hypo- (sous, au-dessous) : *hypoglycémie*

Pour savoir si un mot s'écrit avec un *h* initial, on regarde :
➤ si l'élision est possible ; si ce n'est pas le cas, le mot commence par un *h* aspiré (sauf *ouate, onze* et *onzième* et les mots avec *y* initial se prononçant [j] : *yoga, yaourt*...) ;
➤ si le mot commence par un des éléments de composition ci-dessus.
On peut ainsi écrire près de trois mots sur quatre sans hésitation.

SITÔT LU
sitôt su

Le *h* dans les mots (1)

À l'intérieur des mots, le *h* ne se prononce pas, mais il peut donner des indications sur la prononciation du mot.

POUR LE SON [ʃ]

- On met un ***h*** après ***c (ch)*** pour écrire le son [ʃ].

  ***ch**apeau, é**ch**elle, empê**ch**er*

- Certains mots d'origine étrangère notent [ʃ] par :

➤ ***sch*** (emprunts allemands ou arabes le plus souvent) ;

*put**sch**, quet**sch**e ; ha**schisch***

➤ ou ***sh*** (emprunts anglais).

sh**ampoing, ca**sh**, ru**sh

POUR LE SON [f]

Des mots venant du grec s'écrivent avec ***ph*** pour transcrire le son [f] [voir p. 93].

***ph**oto, apostro**ph**e, élé**ph**ant*

QUI L'EÛT *cru*

Aujourd'hui, *crapahuter* s'écrit avec un *h*, tout comme *crapahut*, *crapahuteur*, etc. À l'origine, on a vu la version *crapaü*, *crapaüter*... pour ces mots créés dans l'argot de l'École spéciale militaire de Saint-Cyr. Par comparaison avec le déplacement du crapaud – mais aussi par référence à l'acception particulière de *crapaud* à Saint-Cyr : « instrument de gymnastique », puis « exercice, marche » –, les militaires ont désigné ainsi une progression ou une manœuvre en terrain difficile, accidenté. De par le tréma, la prononciation était « crapa-u », et a été conservée par la substitution d'un *h* audit tréma.

LE *H* ENTRE DEUX VOYELLES

Le *h* placé entre deux voyelles indique que ces deux voyelles se prononcent séparément et qu'elles ne forment pas un seul son. Il joue alors le même rôle que le tréma [voir p. 68].

C'est toujours le cas entre :

➤ *a* et *u* (sauf dans les noms propres), prononcés ainsi [ay] et non [o] ;

bahut, cahute, ahurissant

➤ *o* et *u*, prononcés ainsi [oy] et non [u].

cohue, tohu-bohu

SITÔT LU *sitôt su*

Entre une voyelle et *i*, on utilise plus souvent le tréma que le *h*.

maïs, caïd, égoïsme, stoïque

Cependant, on écrit *cahier, ébahir, envahir, trahir, véhicule* (et leurs dérivés) avec *h*.

envahissement, trahison, véhiculaire

Le *h* dans les mots (2)

Dans certains mots, le *h* n'a pas d'incidence sur la prononciation. Mais sa présence peut s'expliquer.

LE *H* GREC

- Le *h* muet apparaît dans des mots venant du grec :
  - le plus souvent après *t* (***th***) ;
    *t**h**éâtre, épit**h**ète, t**h**éorie*
  - parfois après *c* (***ch*** prononcé [k]) ou *r* (***rh***).
    *c**h**œur, arc**h**aïque*
    ***rh**apsodie, **rh**étorique*

- Attention à ne pas mettre de *h* pour donner une allure « plus savante » aux mots. On écrit *étymologie, catéchisme, utopie* sans *h*.

QUI L'EÛT *cru*

Ce mot ne semble pas très compliqué, et pourtant le nom du dahlia est sempiternellement transformé, par erreur, en « dalhia ». Serait-ce sous l'influence de *Delhi* (La Nouvelle-Delhi) ? non, sans doute. En tout cas, il faut se souvenir que la plante ornementale doit son nom à M. Dahl, botaniste suédois, ou bien mémoriser le fait que le *d*, le *h* et le *l* se présentent dans l'ordre alphabétique !

DANS LES DÉRIVÉS ET COMPOSÉS

- Les mots qui s'écrivent avec un *h* à l'initiale [voir p. 75] maintiennent le *h* dans leurs **dérivés*** et leurs **composés***.
  ***h**abiller → dés**h**abiller ; **h**abituel → in**h**abituel ; **h**ors → de**h**ors ; **h**ausser → re**h**ausser*
  ***h**eureux → mal**h**eureux ; **h**omme → gentil**h**omme*

- On retrouve le *h* dans les mots formés à partir des radicaux ***-hal-*** (« souffle »), ***-her-*** (« fixer ») *et* ***-hib-*** (« mettre »).
  *in**hal**er, ex**hal**er ; ad**hér**er, co**hér**ent, in**hér**ent ; ex**hib**er, in**hib**er, pro**hib**er, réd**hib**itoire*

Retenez les éléments d'origine grecque qui contiennent un *h* muet et qui servent à former de nombreux mots.

-anthropo-	homme	*anthropologue, misanthrope*
-chrono-	temps	*chronologie, anachronique*
ethno-	peuple	*ethnie, ethnologue*
-lith(o)-	pierre	*lithogravure, mégalithe*
ortho-	droit, correct	*orthographe, orthophonie, orthogonal*
-path-	sentiment maladie	*sympathie, pathétique,* *pathologie, ostéopathe*
psych(o)-	âme	*psychose, psychologie, psychique*
-thé(o)-	dieu	*théologie, panthéon*
-thèque	collection	*bibliothèque, médiathèque*
therm-	chaleur	*thermal, thermomètre*

SITÔT LU
sitôt su

Le x

Le *x* a la particularité d'être la seule lettre de l'alphabet à représenter deux sons : il se prononce soit [ks], soit [gz]. Pour le *x* muet, voir p. 71.

EX EN DÉBUT DE MOT

- Les mots qui commencent par [ɛks] s'écrivent toujours :
  - ➤ ***ex-*** s'ils sont suivis d'une **consonne** ;
    ***ex**pliquer* [ɛksplike], ***ex**quis* [ɛkski]
  - ➤ ***exc-*** s'ils sont suivis d'une **voyelle** (le cas se présente seulement pour *i* et *e*).
    ***exc**essif* [ɛksɛsif], ***exc**iter* [ɛksite]

- Les mots qui commencent par [ɛgz] s'écrivent toujours ***ex-*** (sauf *eczéma*) et sont toujours suivis d'une voyelle ou d'un *h*.
  ***ex**amen*, ***ex**aucer*, ***ex**ercice*, ***ex**ister*, ***ex**ode*
  ***ex**ubérant*, ***ex**humer*, ***ex**hausser*

QUI L'EÛT *cru*

Vin espagnol, apéritif, le xérès tire son nom de la ville andalouse de Jerez ou Xérès (ce dernier nom propre, en français, s'écrit avec un accent aigu sur le premier *e* et un accent grave sur le second *e*). Usuellement, ce mot se prononce « gzérès », ou « rérès ».

N.B. : deux préfixes grecs commencent par la lettre *x* : *xiph-* (« en forme d'épée ») et *xyl-* (« bois »).

EN FINALE ET DANS LES MOTS

- On écrit généralement *x* pour transcrire [ks]. C'est toujours le cas :
  - ➤ quand [ks] est en **finale**. Les mots de leur famille conservent le *x* ;
    *inde**x** (inde**x**ation), bo**x**, fa**x** (fa**x**er) ; bo**x**e (bo**x**eur), réfle**x**e (réfle**x**ion), se**x**e (se**x**uel)*
  - ➤ quand [ks] suit ou précède une autre lettre **consonne** que *c* ;
    *an**x**iété, te**x**te, ju**x**taposer, mi**x**ture*
  - ➤ quand [ks] précède *a*, *o* ou *u*.
    *ale**x**andrin, kla**x**on, ple**x**us*

- On écrit le plus souvent ***x*** pour transcrire [ks] devant les voyelles *e* et *i*.
  *phyllo**x**éra, pro**x**énète, le**x**ique, ta**x**i, to**x**ique, appro**x**imation, gala**x**ie*

Mais on écrit avec ***cc*** quelques mots dans lesquels on reconnaît un radical* commençant par *ce* ou *ci* précédé des préfixes *ad-*, *ob-*, et *sub-* (*d* et *b* devenant *c* devant *c*).
*a**ccélér**er (dé**célér**er, **célér**ité), a**ccept**er (inter**cept**er), a**ccès** (dé**cès**), o**ccident** (in**cident**, ré**cid**ive), su**ccéd**er (pré**céd**er)*

On écrit aussi : *accent, buccin, coccinelle, coccyx, occiput, occire, succinct* et *vaccin*.

SITÔT LU *sitôt su*

Dans les noms féminins se terminant par [ksjɔ̃], on écrit toujours *-xion* s'il existe un mot ou un radical de la même famille contenant un *x*.
connexion (car de la même famille que *connexe*), *fluxion* (car de la même famille que *flux*), *flexion* (car construit sur le radical *flex-*)

Le y

Le *y* traduit souvent le son [i], mais on le trouve aussi dans d'autres cas.

LE « *I* GREC »

- La lettre *y* se trouve le plus souvent dans des mots d'origine **grecque**. Il a la même valeur qu'un *i*.

  cylindre, zéphyr, odyssée
  syncope, nymphe

- On écrit avec *y* de nombreux **éléments*** qui servent en particulier à former des mots scientifiques [voir p. 196]. Parmi ces éléments, les plus productifs sont :

  hyper- (« sur, au-dessus ») : *hypersensible, hyperbole*
  hypo- (« sous, au-dessous ») : *hypothèse, hypocalorique*
  poly- (« multiple ») : *polycopie, polysémie, polygame*
  syn-, sym-, syl- (« avec ») : *synchroniser, sympathie, syllogisme*

QUI L'EÛT *cru*

Une seule syllabe sonore, en prose, peut correspondre à deux pieds en poésie classique et romantique. Ainsi, en vers, *l'hyène, l'yeuse, l'Yonne* forment chacun deux pieds, leur dernière syllabe tombant muette à la rime féminine : « l'hy-ène », « l'y-euse », « l'Y-onne »... Ils peuvent avoir trois pieds à l'intérieur d'un vers si le mot qui les suit commence par une consonne ou un *h* aspiré.

POUR TRADUIRE LE SON [j]

- *Y* permet d'écrire le son [j] à l'**initiale** des emprunts et de *yeux*.

  ***y**oga, **y**aourt, **y**acht, **y**iddish*

- On écrit *y* entre deux voyelles pour traduire le son [j], comme équivalent de deux *i*.

  *bala**y**er* (balai-ier [baleje]), *cito**y**en* (citoi-ien [sitwajɛ̃]), *tu**y**au* (tui-iau [tɥijo])

Cette valeur de *y* explique pourquoi il est remplacé par *i* quand, dans une forme verbale ou un mot de la même famille, la deuxième voyelle orale disparaît.

*débla**y**er*	[debleje]	*nous cro**y**ons*	[kʀwajɔ̃]	*bru**y**ant*	[bʀɥijɑ̃]
déblai	[deblɛ]	*que je croie*	[kʀwa]	*bruit*	[bʀɥɛ]

- Dans quelques mots (venant de noms propres ou d'une langue étrangère), **y** traduit [j], mais a la valeur d'un seul *i*. Il joue dans ce cas le même rôle que le tréma [voir p. 68].

  *ka**y**ak* [kajak], *go**y**ave* [gojav], *gru**y**ère* [gʀyjɛʀ]

C'est parce que le *y* (appelé « upsilon » en grec) se prononçait en grec ancien comme le *u* de notre alphabet que l'on a choisi cette lettre pour transcrire dans l'alphabet phonétique le son du *u* français.

bu [by], *rue* [ry]

SITÔT LU *sitôt su*

Les consonnes doubles

Savoir si un mot s'écrit avec une consonne double *(ff, nn...)* ou une consonne simple *(f, n...)* est souvent source d'hésitation. Dans de nombreux cas, on peut s'aider de quelques principes.

QUELLES CONSONNES ?

• Certaines consonnes sont rarement doublées. Ainsi on trouve :
➤ ***kk*** seulement dans *drakkar* (emprunt) ;
➤ ***zz*** seulement dans quelques emprunts : *pizza, muezzin, puzzle*... ;
➤ ***bb*** dans *abbé* (et *abbaye, abbatial*), *gibbeux* et dans quelques emprunts : *gibbon, rabbin, sabbat*... ;
➤ ***dd*** dans *addition, adduction, reddition* et quelques emprunts : *pudding, yiddish*... ;
➤ ***gg*** dans *agglomérer, agglutiner, aggraver, suggérer* et quelques emprunts : *loggia, toboggan*...

QUI L'EÛT *cru*

Les noms d'origine étrangère ne s'insèrent évidemment pas dans le canon des règles françaises, et cela conduit parfois à des bévues notables. Ainsi, le patronyme d'un aventurier allemand, le baron de Münchhausen, officier dont les fanfaronnades ont fait un héros de légende, a-t-il été indûment transformé en « Münchausen », avec un seul *h*, dans toutes les affiches en français d'un des films consacrés à ses prétendus exploits !

• Les trois consonnes les plus fréquemment doublées sont :
➤ le *l*, parce que ***-ill-*** sert à transcrire le son [j] présent dans de nombreux mots ;
paille, abeille, fille, nouille, feuille, accueillir
➤ le *s*, parce que ***-ss-*** sert à transcrire le son [s] dans de nombreux mots ;
prouesse, puissance, assez, bossu, cuisson
➤ le *n*, parce que de nombreux dérivés* de noms qui se terminent par ***-on*** doublent le *n*.
actionner, charbonnage, maçonnerie, raisonnable, moissonneur

ANALYSER LES MOTS

• La présence d'une consonne double peut s'expliquer par l'ajout d'une initiale [voir p. 81], d'une finale [voir p. 82], ou se trouver dans le radical*.
irréel (ir- + réel), abondamment (*-amment* s'écrit toujours avec *mm*)

• Souvent, la prononciation peut aider à déceler une consonne double [voir p. 83].
vaccin/vaciller, croissent/croisent, échelle/échelon

SITÔT LU *sitôt su*

• Six consonnes ne sont jamais doublées : *h, j, q, v, w* et *x*.

• La consonne simple ou double d'un mot ou d'un élément de composition est conservée dans les dérivés et composés et les mots de la même famille.

terre → *terrestre, atterrir, Méditerranée*
intérêt → *intéresser, intéressant*
calli- (« beau ») → *calligraphie, calligramme*
phil- (« aimer ») → *philosophe, hémophile*

Consonnes doubles en début de mot

Lorsqu'un mot commence par une initiale (préfixe ou non) se rattachant à un radical, il est souvent possible de savoir s'il a une consonne double ou non.

ANALYSE

- Lorsqu'un mot commence par une initiale se rattachant à un radical*, le mot ainsi formé s'écrit avec une consonne double si la dernière lettre de l'initiale et la première lettre du radical sont identiques.

  surréaliste (sur + réaliste)
  mais *surévaluer (sur + évaluer)*

- Ainsi, lorsque l'initiale se termine par une voyelle, il n'y a généralement pas de consonne double.

  parasol (para + sol), pronom (pro + nom)
  périnatal (péri + natal)

QUI L'EÛT *cru*

Une mauvaise compréhension d'un préfixe peut mener à se montrer désobligeant à l'égard d'autrui. Par exemple, en parlant de l'*aculturation* de quelqu'un (avec un seul *c* venant après un *a* privatif = absence totale de savoir, de culture) au lieu de son *acculturation* (avec deux *c* = adaptation d'une personne à une culture étrangère avec laquelle elle est en contact ; ce processus lui-même).

CAS PARTICULIERS

- Le préfixe **a-** qui marque la privation ne fait jamais doubler la consonne initiale du radical. Il s'écrit **an-** lorsqu'il précède une voyelle.

  ***a**moral, **a**pesanteur, **a**social ; **an**alphabète, **an**allergique*

- **É-** ne fait jamais doubler la consonne initiale du radical, sauf pour le *f (eff-)* et le *s (ess-)*.

  *émerger, émettre ; **eff**éminé, **eff**euiller, **ess**ouffler*

- L'initiale **in-** (négation ou localisation) s'écrit **il-** et **ir-** devant *l* et *r* ; **im-** devant *m, b, p* [voir p. 84]. De même **syn-** (« avec ») devient *syl-* devant *l*.

  négation : ***in**ouï, **inn**ombrable ; **ill**ogique, **irr**éel, **imm**angeable*
  localisation : ***in**onder (in- + onde), **inn**over ; **ill**uminé, **irr**uption (in- + rupt-), **imm**erger*
  ***syn**onyme, **syll**ogisme, **syll**abe*

- Pour *dé-* et *pré-*, voir p. 85 et 86. Pour *re-*, voir p. 87.

SITÔT LU *sitôt su*

Les initiales *é-* (« à l'extérieur ») et *in-* (« à l'intérieur ») se rattachent souvent à un même radical. Lorsque ce radical commence par *n* ou *m*, la consonne est simple avec *é-*, double avec *in-*

émerger/immerger	*émigrer/immigrer*	*énerver/innervé*
é-/in- + merg-	*é-/in- + migr-*	*é-/in- + nerv-*

Consonnes doubles en fin de mot

Connaître la graphie des finales se rattachant à un radical* permet d'écrire la finale de nombreux mots sans hésitation.

CONSONNE SIMPLE

- Les finales suivantes s'écrivent toujours avec une **consonne simple** :
  - *-(e)ment* (noms masculins) *: blanchiment*
  - *-ment* (adverbes) *: rapidement*
  - *-ite* (maladie) *: otite, cellulite*
  - *-ule* (diminutif) : *ovule, granule*
  - *-cole* (adjectifs) : *agricole, viticole*
  - *-ième* (ordinaux) : *deuxième, dixième*
  - *-erie* (noms féminins) : *argenterie, moquerie*

QUI L'EÛT *cru*

Les auteurs – écrivains ou journalistes – peuvent à bon droit hésiter, quand il s'agit de dépeindre la tenue extravagante d'une personne « branchée »... ou quelque peu bizarre. Faut-il employer *détonner*, avec deux *n*, qui signifie « ne pas être dans le ton convenu, normal », ou bien leur faut-il écrire *détoner*, avec un seul *n*, pour bien marquer que le grotesque complet des vêtements et de l'allure en général fait l'effet d'une... bombe ?!

- On trouve très fréquemment ***-at-*** ou ***-it-*** précédant des suffixes* tels que *-aire, -eur, -if, -ion, -ique...* On obtient donc des finales en *-ataire, -iteur, -atique* qui s'écrivent toujours avec un seul *t*.
  *presta**taire**, drol**atique**, gén**iteur**, admir**atif***

CONSONNES DOUBLES

- On écrit toujours avec ***mm*** les adverbes qui se terminent par [amɑ̃] [voir p. 122].
  *sava**mm**ent, nota**mm**ent, scie**mm**ent, patie**mm**ent*

- Le suffixe ***-ette***, qui sert à former des diminutifs, s'écrit toujours avec *tt*.
  *fille**tt**e, cueille**tt**e, pousse**tt**e, maisonne**tt**e*

- Les finales ***-el***, ***-eil***, ***-en***, ***-et*** et ***-on*** doublent leur consonne finale lorsqu'elles forment des adjectifs ou des noms féminins [voir p. 112].
  *actue**ll**e, parei**ll**e, lycée**nn**e, breto**nn**e, rondele**tt**e*

SITÔT LU
sitôt su

Pour savoir si un verbe qui se termine par [one] ou [ɔne] s'écrit avec *n* ou *nn*, il faut rechercher le nom sur lequel il est construit :

➤ **s'il s'agit d'un nom qui se termine par *-one*, le *n* reste simple.**
zone → zoner ; téléphone → téléphoner

➤ **s'il s'agit d'un nom qui se termine par *-on*, le *n* est toujours doublé ; le verbe s'écrit *-onner* ;**
pardon → pardonner ; collection → collectionner

On écrit cependant *s'époumoner. Détoner,* quant à lui, n'est pas formé sur *ton.*

Consonnes doubles et prononciation

Pour certaines consonnes, prononcer un mot renseigne sur le redoublement de la consonne, soit parce qu'il a des conséquences sur la prononciation de la consonne même, soit parce qu'il a des conséquences sur celle du *e* qui précède.

LES CONSONNES *S* ET *C*

- Pour qu'un *s* soit prononcé [s] et non [z] entre deux voyelles, il doit être doublé : ***ss***.

croissant	[kʀwasɑ̃]	*baisser*	[bɛse]
croisant	[kʀwazɑ̃]	*baiser*	[bɛze]

Attention, les noms composés dont le premier élément se termine par une voyelle et dont le deuxième commence par *s*, qui se prononce donc [s], s'écrivent le plus souvent avec un seul *s*.

vraisemblable (vrai + semblable)
aérosol (aéro + sol)

QUI L'EÛT *cru*

Comme l'a parfois exposé Bernard Pivot lors des débats récurrents autour d'une éventuelle réforme de l'orthographe française, il est des mots dont l'orthographe est en phase avec leur signification. Prenons le verbe *susurrer* : il se prononce comme s'il y avait deux *s* entre les deux *u*, alors qu'en fait il n'y en a qu'un. La douceur de cette prononciation « ssussu » ne convient-elle pas fort bien à un mot dont le sens est « murmurer doucement » ?

- Pour qu'un *c* soit prononcé [ks] et non [s] devant *e* ou *i*, il doit être doublé : ***cc***.

vacciner	[vaksine]	*succès*	[syksɛ]
vaciller	[vasije]	*sucer*	[syse]

LA VOYELLE

- Pour qu'un ***e* sans accent** soit prononcé [ɛ] et non [ə] devant une consonne, il faut que cette consonne soit double.

échelle	[eʃɛl]	*ils prennent*	[prɛn]
échelon	[eʃəlɔ̃]	*nous prenons*	[prənɔ̃]

- Pour qu'un *e* soit prononcé [a] et non [ə] devant *m*, il faut que *m* soit doublé : ***mm***.

femme	[fam]	*évidemment*	[evidamɑ̃]
femelle	[fəmɛl]	*évidement*	[evidəmɑ̃]

SITÔT LU *sitôt su*

Pour les verbes dont le radical se termine par *l*, *n*, ou *t* (et leurs dérivés), l'alternance [ə]/[ɛ] est très fréquente. Pensez-y pour écrire correctement leur forme.

renouveler, nous renouvelons, renouvelable	[ə]
il renouvelle, renouvellement	[ɛ]

in-, il-, im- et *ir-*

Selon la première lettre du radical auquel elle se rattache, l'initiale *in-* peut prendre des formes différentes.

VALEURS

In- a deux valeurs différentes.

- ***In-*** venant du préfixe latin *in-* marque la **négation**, le contraire.
  ***in**stable, **in**offensif, **in**somnie, **in**usable*
- ***In-*** venant de la préposition latine *in* a un sens moins précis. Il exprime une idée de mouvement vers l'**intérieur** ou un état.
  injecter, induire, infiltrer, inflammable, inonder, innover

QUI L'EÛT *cru*

Attention : un vieillard ingambe n'est pas du tout privé de ses jambes, n'est absolument pas impotent, invalide, infirme ! Cette erreur très usuelle vient du fait que l'on croit être en présence du préfixe latin *in-* marquant une négation, une privation, un contraire. Il n'en est rien : *ingambe* vient de l'italien *in gamba*, qui signifie « en jambes », c'est-à-dire « alerte » ! On dit couramment d'ailleurs, en français, s'agissant notamment d'un sportif : « Il est bien en jambes, aujourd'hui ! » Notre « vieillard ingambe » peut donc trotter, tant mieux, sinon comme un dératé, du moins comme tout le monde.

GRAPHIES

- *In-* prend toujours la forme :

➤ ***il-*** lorsqu'il se rattache à un radical* commençant par *l* ;
***il**logique, **il**lisible, **il**limité*
***il**lustre, **il**luminer*

➤ ***im-*** lorsqu'il se rattache à un radical commençant par *m, b* ou *p*.
***im**muable, **im**battable, **im**propre*
***im**merger, **im**biber, **im**primer*

Devant *m, im-* se prononce le plus souvent [i], tout comme *il-* et *ir-* devant *l* et *r*.

- Le plus souvent, on écrit ***ir-*** lorsque *in-* se rattache à un radical commençant par *r*.
  ***ir**responsable, **ir**réfléchi*
  ***ir**radier, **ir**rigable, **ir**ruption*

Cependant, on trouve *inracontable* (aux côtés de *irracontable*, plus conforme à la règle, mais qui n'est pas enregistré par les dictionnaires) et *inratable* (registre familier).

SITÔT LU *sitôt su*

Quatre mots (plus ceux de leur famille) gardent la prononciation de l'initiale *in-* [ɛ̃] bien que le radical commence par *m*. Leur graphie est, elle, tout à fait régulière et ils s'écrivent comme les autres *im-*.

[i] : *immuable, immerger*

[ɛ̃] : *immangeable, immanquable, immariable, immettable* (et non ~~*inmangeable, inmettable*~~...)

dé-, dés- ou des- ?

Selon la première lettre du radical auquel elle se rattache, l'initiale *dé*- peut prendre des formes différentes.

VALEURS

Dé- a deux valeurs différentes.

- *Dé*- venant du préfixe latin *dis*- marque la **négation** ou l'éloignement, la séparation.
  *dé**faire**, **dé**monter, **dé**dire, **dé**connecter*
  ***dé**placer, **dé**tourner*

- *Dé*- venant de la préposition latine *de* marque le **renforcement** ou le mouvement de haut en bas.
  ***dé**plorer, **dé**tremper*
  ***dé**pression, **dé**gouliner, **dé**poser*

QUI L'EÛT *cru*

La francisation de mots issus d'une langue étrangère se fait en « laissant du temps au temps ». Il est donc des cas où l'usager de la langue a le choix entre une graphie d'origine (non accentuée) et la graphie francisée (avec accent). C'est le cas, par exemple, du terme musical italien *decrescendo*. Ce terme peut donc s'écrire aussi avec un accent aigu : *décrescendo*, ce que l'on préconisera, dans le souci d'unifier l'orthographe d'après les règles du français et d'après la prononciation.

GRAPHIES

- Lorsque *dé*- se rattache à un radical* commençant par une **consonne** autre que *s* et *h*, on écrit toujours ***dé**-*.
  ***dé**battre, **dé**célérer, **dé**goûtant, **dé**libérer, **dé**polir, **dé**tour, **dé**valiser*

- Lorsque l'initiale se rattache à un radical commençant par une **voyelle** ou un ***h***, on écrit toujours ***dés**-* sauf dans *déambuler, déhancher* et *déodorant*.
  ***dés**agréable, **dés**emparé, **dés**habiller, **dés**honneur, **dés**illusion, **dés**ordre, **dés**uni*

- Devant ***s***, on écrit le plus souvent ***des**-*. Le mot commence donc par ***dess**-*.
  ***des**saler, **des**sécher, **des**serrer, **des**siccation*

Le *s* de *des*- et celui du radical se confondent lorsque le radical commence par *s* suivi d'une autre consonne (*c* ou *t* le plus souvent).
  ***des**cription, **des**cendre, **des**celler, **des**truction, **des**tituer*

On trouve quelques dérivés* récents qui maintiennent *dé*- devant *s*. Il s'agit toujours de dérivés formés avec le préfixe à valeur négative.
  ***dé**stabiliser, **dé**structurer, **dé**stocker ; **dé**sectoriser, **dé**sensibiliser, **dé**solidariser* [s].

SITÔT LU *sitôt su*

Hormis les cas où le préfixe négatif *dé*- est maintenu devant *s*, l'accentuation du *e* suit les règles d'accentuation habituelles. Quoi qu'il arrive, il ne porte donc jamais d'accent s'il est suivi de *ss*, il en porte toujours un s'il précède un *s* suivi d'une voyelle ou d'un *h*.
  desservir, desserrer, dessaler
  désorienter, désespoir, désensibiliser, déshydrater

pré-, prés- ou pres- ?

Selon sa valeur, l'initiale *pré-* peut prendre des formes différentes.

VALEURS

• *Pré-* est un préfixe qui vient de la préposition latine *præ*, qui signifie « en avant, devant ». Le préfixe est utilisé aujourd'hui pour créer des mots dans lesquels il marque l'**antériorité** (le plus souvent dans le temps, parfois dans l'espace).

__pré__histoire, __pré__romantisme
__pré__molaire

• *Pré-* est aussi l'initiale d'un certain nombre de mots qui viennent du latin eux-mêmes formés à partir du préfixe latin *præ-*.

__pré__sumer (*præsumere,* « prendre d'avance »)
__pré__sider (*præsidere,* « s'asseoir devant »)

QUI L'EÛT cru

Le pré-salé (pluriel : des *prés-salés*) n'est pas un mouton... salé à l'avance ! Ici, il s'agit du nom commun *pré* – et non d'un préfixe marquant une antériorité ! Un *pré-salé* (ellipse pour « un mouton de pré salé ») est un mouton élevé sur des pâturages proches de la mer, voire recouverts par celle-ci à certaines périodes de l'année. Les prés-salés de la baie du Mont-Saint-Michel, notamment, sont très réputés. Le mot composé désigne aussi la viande de ces moutons : *acheter 10 kg de pré-salé.*

GRAPHIES

• Qu'il s'agisse du préfixe ou de l'initiale latine, on écrit toujours **pré-** :

➤ devant un radical* qui commence par une **voyelle** ;

__pré__ambule, __pré__adolescent, __pré__exister, __pré__opératoire

➤ devant un radical qui commence par une **consonne** autre que *s.*

__pré__chauffer, __pré__lavage, __pré__histoire, __pré__retraite, __pré__professionnel

• Devant ***s,*** on écrit :

➤ toujours ***pré-*** lorsqu'il s'agit du préfixe ;

__pré__sélection, __pré__supposer, __pré__scolaire, __pré__stratégique, __pré__spécialisation

➤ le plus souvent également ***pré-*** lorsqu'il s'agit de l'initiale latine, sauf dans *pressentir, prescience* et *prescrire.*

__pré__sumer, __pré__sider, __pré__senter

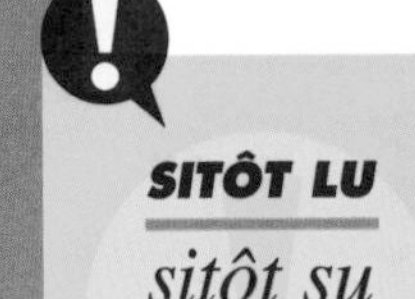

SITÔT LU
sitôt su

Il ne faut pas considérer que *présélection, présupposer,* etc., sont des exceptions à la règle selon laquelle le son [s] s'écrit *ss* entre deux voyelles : le radical garde sa prononciation dans ses dérivés*.
De même, il est tout à fait normal que le préfixe *pré-* conserve son accent devant un radical commençant par deux consonnes.

re-, ré-, res- ou *r-* ?

Selon la première lettre du radical auquel elle se rattache, l'initiale *re-* peut prendre des formes différentes.

VALEURS

- Dans son emploi le plus courant aujourd'hui, *re-* marque la **répétition** (on l'appelle *re-* itératif) ou le **retour** à un état antérieur.

  ***re**faire, **re**calculer, **re**monter, **re**plier*

- Il a aussi une valeur de **renforcement**.

  ***re**doubler, **re**chercher, **re**mplir*

GRAPHIES

- On utilise la forme *re-* devant un radical commençant par **une consonne** autre que *s* ou *h* aspiré*.

  ***re**partir, **re**dire, **re**faire, **re**monter, **ré**nover, **re**hausser* (mais ***ré**hausseur* ou ***re**hausseur*)

Devant *s*, on écrit le plus souvent *res-*. Le mot commence alors par *ress-*. Les deux *s* se confondent lorsque *s* est suivi d'une autre consonne.

***res**saisir, **res**sembler, **res**sasser* ; ***res**plendir, **res**tructurer*

Les verbes de création récente ne doublent pas le *s*.

***re**situer, **re**surgir, **re**saler*

- Devant une **voyelle**, on utilise le plus souvent :

➤ *ré-* si le radical commence par une autre voyelle que *a* ;

***ré**élire, **ré**éducation, **ré**incarnation, **ré**hydraté, **ré**organiser, **ré**unir*

Cependant, on a *rouvrir* et non ~~*réouvrir*~~ (malgré *réouverture*).

➤ *r-* devant *a*, parfois devant *en-* ou *em-*.

***r**adoucir, **r**abaisser, **r**accroc, **r**accorder* et ***r**habiller* ; ***r**enfoncer, **r**emplir*

Mais les formes avec *ré-* devant *a* ne sont pas rares, surtout dans le cas du *re-* **itératif**.

***ré**animation, **ré**activer, **ré**affirmer, **ré**approvisionner*

Pour certains mots formés avec *re-* itératif, on trouve les deux formes.

réécrire et *récrire*, *réengager* et *rengager*, *rajuster* et *réajuster*

QUI L'EÛT *cru*

À partir d'*animer* ont été forgées les deux formes *ranimer* et *réanimer*. Contrairement à *réécrire* et à *récrire*, dont les emplois sont semblables, nos deux verbes ne sont pas interchangeables. *Ranimer* est d'utilisation générale, au sens propre comme au sens figuré : *ranimer les énergies, ranimer le souvenir, ranimer la flamme...* ; *réanimer* appartient exclusivement à la sphère médicale : *réanimer les victimes d'émanations de gaz.*

S'il existe un substantif *réanimation*, il n'y a point de doublet qui serait « ranimation » !

On peut former de nombreux mots avec *re-* pour marquer la répétition d'une action. Mais, attention, cela n'est possible que pour les verbes qui peuvent eux-mêmes avoir des dérivés adjectifs ou noms. Si ce n'est pas le cas, le mot appartient au registre familier.

voici à nouveau (plutôt que *revoici*) ; *en avoir d'autre* (plutôt que *en ravoir*)

SITÔT LU *sitôt su*

Le son [S] : *s, ss, c...* ?

Le son [s] peut s'écrire *s, ss, sc, c, ç* et même *t*. Cependant, selon la voyelle devant laquelle il se trouve, les possibilités sont différentes.

DEVANT *A, O, U*

- À l'**initiale**, le son [s] s'écrit toujours ***s*** devant ***a***, ***o*** et ***u*** (sauf *ça* et *çà*).
  sac, sans, sombre, soif, sur, suivre

- À l'**intérieur** d'un mot ou d'un radical*, il s'écrit le plus souvent ***s*** ou ***ss***.
  versant, chanson, personne, hirsute, ambassade, message, boussole, essor, issue, essuyer, pressurer

Il peut également s'écrire ***ç***. Le plus souvent, il s'agit de dérivés* de mots s'écrivant avec *c* [voir p. 90].
agaçant (agacer), glaçon (glace), aperçu (apercevoir)

QUI L'EÛT *cru*

Cession (action de céder un bien, de le transmettre) et *session* (période pendant laquelle siège une assemblée, notamment) se prononcent de la même façon. En dépit des deux *s*, un certain nombre de personnes, parce qu'elles ressentent la nécessité de préciser la signification, prononcent « cés-sion » le premier de ces deux homonymes. Ce souci louable, en toute rigueur, devrait plutôt être exprimé par un contexte sans ambiguïté.

DEVANT *E* ET *I*

- Devant ***e*** et ***i***, la graphie la plus fréquente reste ***s*** (à l'initiale ou après une consonne) ou ***ss*** (après une voyelle).
  serin, sirop ; verser, persil ; assez, coussin

Mais on peut également trouver ***c*** et, plus rarement, ***sc***.
cercle, ciel ; percer, sorcier, pièce, merci ; science, scène ; obscène, fascicule

- Le son [s] peut également s'écrire *t*, mais seulement devant *i* prononcé [i] ou [j].
  pétiole, ambitieux, préférentiel

Cette graphie se rencontre en particulier dans les noms féminins formés avec le suffixe *-ie* sur un radical se terminant par *t* (que l'on peut entendre) et dans certaines finales [voir p. 89].
acrobatie (acrobate), idiotie (idiot, idiote), démocratie (démocrate), ineptie (inepte)

SITÔT LU *sitôt su*

- **La consonne du radical servant à transcrire [s] est le plus souvent conservée dans les dérivés.**
  un vice → vicieux ; une vis → visser
- **Les dérivés des adjectifs ou noms qui se terminent par *-ique* s'écrivent avec *c*.**
  mécanique → mécanicien ; authentique → authenticité
  classique → classicisme

Le son [s] dans les finales

On peut écrire correctement de nombreuses finales contenant le son [s] si l'on retient quelques principes.

FINALES EN [sjɔ̃]

- Lorsque *-ion* est rattaché au radical* par *-at-* ou *-it-*, la finale [sjɔ̃] s'écrit toujours *-tion*.

  créer → création ; admiration, filiation
  finir → finition ; répétition, dentition

- Lorsque le radical se termine par *u*, la finale *-ion* est précédée d'un *t*.

  pollution, évolution, dissolution, parution

- Dans les autres cas, on écrit *-tion* ou *-sion* selon que l'on retrouve *t* ou *s* dans le radical ou des mots de la même famille.

  désertion (désertique), instruction (instructif), exception (excepter), sécrétion (sécréter)
  convulsion (convulsif), profession (professer)

On écrit cependant *percussion* malgré *percuter, diversion, interversion* et *conversion* malgré *divertir, intervertir* et *convertir.*

QUI L'EÛT *cru*

Piège souvent glissé dans des dictées-concours : le mot *bonace*, qui n'est pas un adjectif, mais un nom désignant le calme de la mer, de l'océan, avant ou après une tempête. Sa terminaison n'est donc pas celle de l'adjectif *bonasse*, qui s'applique à une personne trop débonnaire, trop faible parce que trop bonne. Très souvent, cette terminaison *-asse* a en effet une connotation dépréciative !

AUTRES FINALES

- On écrit avec *c* les finales :
  - *-ace* qui sert à former des adjectifs ;
    fugace, perspicace, efficace, tenace
  - *-ance* et *-ence* qui servent à former des noms féminins ;
    correspondance, arrogance, négligence, existence
  - *-ice* qui sert à former des noms masculins ou féminins.
    justice, malice ; service, exercice

- Retenez les finales *-escent*, *-escence* et *-escible*, dans lesquelles [s] s'écrit *sc*.

  adolescent, arborescence, putrescible

SITÔT LU *sitôt su*

- **Les adjectifs formés sur un nom féminin en *-ence* s'écrivent *-entiel.***

  concurrence → concurrentiel ; existence → existentiel

- **On écrit bien *circonstanciel* et *tendanciel* comme *circonstance* et *tendance*, mais *substantiel* s'écrit avec *t* malgré *substance.***

Les autres noms en *-ance* n'ont pas d'adjectifs dérivés en [jɛl].

La cédille

La cédille est un signe que l'on place sous la lettre *c* pour indiquer que la consonne se prononce [s].

DEVANT *A, O,* ET *U*

- Lorsque *c*, placé devant les voyelles graphiques *a, o,* et *u,* doit se prononcer [s], il faut l'écrire avec une **cédille** : *ç*, et ce quelle que soit la façon dont est prononcée la voyelle.

  traçage, agaçant
  suçoter, glaçon, balançoire
  perçu

En l'absence de cette cédille, le *c* se prononce [k] devant *a, o* et *u*.

  tracas, fabricant
  glucose
  percussion

- On garde la cédille sur la **majuscule**. Avec un ordinateur, on obtient **Ç** en maintenant enfoncée la touche Alt et en tapant 0199 sur un PC ; et Alt avec ç sur Macinstosh.

  Ça, *contraction de* cela, *s'écrit toujours avec une cédille et n'a jamais d'accent.*

QUI L'EÛT *cru*

La cédille est un « petit c » : c'est la signification de l'espagnol *cedilla*, d'où est issu le mot français. En fait, l'acception a d'abord été « petit z », puis la forme du signe a imposé le sens de « petit c »...
Grâce à la cédille, les poètes peuvent légitimement faire rimer *François* et *Niçois* avec *reçois*, comme avec *assois* ou avec *sois*. Certes moins riches, d'autres rimes associent *glaçon* et *limaçon* à *échanson*, à *écusson* et à *paillasson*. Mais, bien entendu, il n'est pas question d'apparier *Macon* et *maçon* : même si toutes les lettres apparaissent comme semblables, il s'agirait de ce qu'on appelle des « rimes riches à l'œil », satisfaisantes quand on les regarde, inacceptables quand on les écoute. Car un signe fait toute la différence : la cédille !

DANS QUELS CAS ?

- La plupart des mots s'écrivant avec **ç** sont des dérivés de mots dont le **radical*** se termine par *c* et formés avec des **finales** telles que *-able, -age, -ais, -ant, -ois, -on, -oire, -ure*.

  balancer → balançoire ; France → français ; limace → limaçon ; gercer → gerçure

- On met une cédille au *c* des **verbes** qui ont une désinence* commençant par ***a, o, u*** : *-ais, -ait, -ant, -ons, -ont, -us, -u...* [voir *Toute la conjugaison*, p. 30].

  il plaçait, nous avançons, ils reçurent

SITÔT LU
sitôt su

C se prononce toujours [s] lorsqu'il est placé devant *e* et *i*. Inutile donc de mettre une cédille.

ici (et non ~~*içi*~~), *merci* (et non ~~*merçi*~~)

Le son [z] : *s* ou *z* ?

Selon sa position dans le mot, le son [z] s'écrit différemment.

À L'INITIALE

Tous les mots qui commencent par le son [z] s'écrivent avec un **z**.

zèbre, zèle, zibeline, zinc

Le *s* se prononce toujours [s] en début de mot. Il ne peut donc jamais servir pour transcrire le [z] initial.

DANS LES MOTS

- Le plus souvent, [z] s'écrit **s** entre deux voyelles.

oser, maison, occasion, résidu

- On écrit toujours *z* quand [z] suit une **consonne** (*s* se prononcerait [s]).

enzyme, chimpanzé, bronze, onze, quatorze

Cependant, les mots composés avec l'élément *trans-* maintiennent le *s* prononcé [z].

***trans**alpin, **trans**iger, **trans**istor*

- Le redoublement du *z* traduisant [z] se fait dans très peu de mots, qui sont tous des **emprunts***; *zz* peut également se prononcer [tz].

jazz, grizzly, blizzard, puzzle, jacuzzi ; pizza

- Le *x* du radical de *deux, six* et *dix* est maintenu dans les ordinaux ***deuxième***, ***sixième*** et ***dixième***, qui se prononcent avec [z]. Mais on écrit ***dizaine*** avec *z*.

- Quand [z] est précédé de [g], il s'écrit **x**. L'association [gz] se rencontre soit à l'initiale, soit dans les mots commençant par [egz] [voir p. 78].

*xénophobe, xylophone ; **ex**ercice, **ex**ode, **ex**ister, **hex**amètre*

Seule exception : *eczéma*. Mais afin de rendre cohérente la graphie de [gz], les *Rectifications de l'orthographe* proposent qu'on aligne sa graphie sur les mots en *ex-* [voir p. 180].

On trouve également [gz] dans *zigzag* [zigzag], qui est une onomatopée formée par redoublement [voir *Toute la grammaire*, p. 145].

> **QUI L'EÛT CRU**
>
> Interjection et onomatopée, un mot lexicalisé par les dictionnaires usuels n'est formé que de *z* ! Il s'agit, bien sûr, de *zzz* (et de sa variante *zzzz*), qui sert à transcrire le ronflement d'un dormeur, le bourdonnement d'un insecte...ou de la fraise du dentiste, le sifflement d'un coup de fouet, etc. Des débats extrêmement pointus, et spirituels, ont porté sur les nuances possibles ou bien sur la synonymie entre *zzz* et *bzzz*. La dernière forme semble l'emporter quand il s'agit des bourdonnements d'insectes, du vibrement d'un téléphone portable, du bruit des hélices d'un ventilateur...

> **SITÔT LU sitôt su**
>
> **Le *z* est souvent le témoin d'un emprunt à une langue étrangère, en particulier à l'arabe.**
>
> *alezan, azur, gazelle*
>
> *blazer* (anglais), *kamikaze* (japonais), *mazout* (russe)

Le son [ʒ] : *g* ou *j* ?

Il existe deux lettres en français pour transcrire le son [ʒ] : le *g* et le *j*. Il faut savoir dans quel cas utiliser l'une ou l'autre lettre.

[ʒ] S'ÉCRIT J

- À l'initiale des mots ou des radicaux*, le son [ʒ] suivi des voyelles graphiques *a*, *o* ou *u* s'écrit toujours *j*.

  jabot, jambe, jauge
  joli, jongler, journée, joindre, joyau
  juste, juin, jungle
  conjoncture (radical *-jonct-*, « joindre »)
  adjudication (radical *-judic-*, « justice »)

Cependant on écrit *geôle* et *geai*.

QUI L'EÛT cru

Enjôler (« séduire par de belles paroles, par des flatteries, pour mieux duper ») et *enjôleur* (« séducteur, trompeur, personne habile à cajoler pour ensorceler autrui ») sont des mots de la même famille étymologique que ...*geôle* (avec un *g*) : « prison, cachot ». L'enjôleur, l'enjôleuse, capturent, captivent leurs dupes, les mettent en cage, en quelque sorte.

- Devant *e* on n'écrit *j* que dans :

➤ les mots formés avec les radicaux *-ject-*, *-jet-* et *-maj-* ;
  *ab**ject**, conj**ect**ure, é**ject**er ; ob**jet**, su**jet**, tra**jet**, **jet**er ; **maj**esté, **maj**eur*
➤ *jeune, jeûne, jeu* (et les mots de leur famille) et le pronom *je*.

Les autres s'écrivent avec *g* : *gencive, genou, geler.*

[ʒ] S'ÉCRIT G OU GE

- Le son [ʒ] suivi des voyelles graphiques *i* ou *y* s'écrit toujours *gi*. La graphie *ji* ne se rencontre que dans quelques mots empruntés à des langues étrangères.

  ***g**ivre, **g**igot, **g**irafe, **g**ingivite, **g**ymnastique, **g**yrophare ; an**g**ine, ar**g**ile, ré**g**ime*
  ***j**ingle, mou**j**ik*

- On écrit également toujours *g* devant un *e* prononcé [ə] (sauf *je*) ou qui ne se prononce pas et dans les **verbes** qui se terminent par [ʒe].

  ***g**elée, ber**g**erie, or**g**elet, asper**g**e, sa**g**e, épon**g**e ; abré**g**er, man**g**er, proté**g**er*

- Devant *a*, *o* et *u*, *g* doit être suivi d'un *e* pour se prononcer [ʒ].

  *exi**ge**ant, bour**ge**on, **g**a**ge**ure, **ge**ôle, **ge**ai*

Il ne faut pas l'oublier dans la conjugaison des verbes en *-ger* qui ont une désinence* commençant par *a*, *o* : *-ais, -ait, -ant, -ons, -ont...* [voir *Toute la conjugaison*, p. 31].

SITÔT LU *sitôt su*

La consonne du radical servant à transcrire [ʒ] est toujours conservée dans les dérivés*.

jambe → enjamber, jambon
bourg → bourgeois

Le son [f] : *f*, *ff* ou *ph* ?

Les mots qui contiennent le son [f] s'écrivent soit avec *f* (ou *ff*), soit avec *ph*.

LA LETTRE *F*

- C'est la graphie la plus fréquente pour le son [f], quelle que soit la place du son dans le mot.

  final, parfait, nef

- On écrit avec *ff* :

➤ la plupart des mots commençant par *aff-*, *eff-*, *diff-* (et les mots de leur famille), parce que les initiales *a-*, *e-*, et *di-* font redoubler la consonne du radical ;

faiblir → *af/faiblir*
farouche → *ef/faroucher*
ferme → *af/fermir* → *raffermir*
fusion → *dif/fusion* → *radiodiffusé*

➤ des mots tels que *chauffer, chiffre, coiffe, griffe, offrir, souffrir* et ceux de leur famille.

QUI L'EÛT *cru*

Certaines graphies en *ph* (à vrai dire peu nombreuses) sont aujourd'hui considérées comme vieillies, c'est-à-dire comme quasiment fautives, du fait de leur abandon dans l'usage. Ainsi, *phantasme* s'est effacé devant *fantasme*, et *pharamineux* a cédé la place à *faramineux*. Il en va souvent ainsi de l'évolution de la langue...

LE GROUPE *PH*

- De nombreux mots qui viennent du **grec** ou qui sont formés avec des éléments* tirés du grec s'écrivent avec *ph*, témoin de la lettre φ grecque.

  ***ph**ase, am**ph**ore*

- Le groupe *ph* ne se trouve jamais en finale, sauf dans *aleph* et *Joseph*.

SITÔT LU *sitôt su*

Retenir le sens et la graphie de ces six éléments permet d'écrire de nombreux mots sans hésitation.

ÉLÉMENT	SENS	EXEMPLES
-graph-	écrire	*orthographe, paragraphe, géographie, graphologue*
-morph-	forme	*isomorphe, métamorphose*
-phag-	manger	*anthropophage, aérophagie, xylophage*
-phil-	aimer	*anglophile, philosophie*
-phon-	son	*téléphone, interphone, francophone, phonétique*
-phot-	lumière	*photographie, photogénique, photosynthèse*

Le son [k] : *c* ou *qu* ?

Le son [k] s'écrit le plus souvent *c* ou *qu*. Il peut s'écrire également de nombreuses autres façons : *ch, k* ou *ck*... Mais ces dernières graphies sont plus rares, et il s'agit souvent d'emprunts*.

C OU QU ?

- On écrit le plus souvent ***c*** devant ***a, o*** et ***u***, et ***qu*** devant ***e*** et ***i***.
  cadeau, local, code, abricot, culot, écu
  quérir, séquelle, quille, équipe

On trouve cependant *qu* dans des dérivés* en *-able* [voir p. 95], *-ant* [voir p. 97], ou *-age* [voir p. 96] et à l'initiale d'une vingtaine de mots *(qualité, quatre...)*.

QUI L'EÛT *cru*

Le son [k] se trouve à la fois au début et à la fin du mot *kayak*, un terme de la langue inuit désignant une embarcation légère dans le Grand Nord (Groenland, Alaska). Ce mot est un palindrome, qui donc, lu de droite à gauche, donne, comme lu normalement de gauche à droite, la graphie *kayak* !

- En finale, on écrit ***que*** dans tous les **noms féminins** et tous les **adjectifs** (sauf les adjectifs masculins *ammoniac, caduc, grec, public, turc* et *sec*).
  *une bar**que**, une épo**que**, une perru**que**, une tuni**que***
  *opa**que**, chimi**que**, univo**que**, glau**que**, brus**que***

- En finale, on écrit ***c*** dans la plupart des **noms masculins**.
  *blo**c**, par**c**, aquedu**c**, ombili**c**, zin**c***

Mais on écrit avec ***que*** les noms correspondant à des adjectifs et ceux correspondant à des verbes en ***-quer*** lorsque le son [k] suit une consonne.
  *un élasti**que**, le physi**que***
  *un cal**que** (calquer), un mas**que** (masquer), un ris**que** (risquer)*

AUTRES GRAPHIES

- On trouve ***k*** et ***ck*** dans des **emprunts** ou dans des mots venant du **grec**.
  *ski, anora**k**, basket, ca**k**e, hado**ck**, jo**ck**ey ; an**k**ylose, **k**yste, **k**érosène, **k**ilogramme*

- La graphie ***ch*** prononcée [k] est la transcription de la lettre grecque χ.
  *le **ch**aos, le **ch**œur, ar**ch**aïque, l'é**ch**o, te**ch**nique*

SITÔT LU *sitôt su*

Il ne faut pas confondre les mots formés sur le radical *aqu-*, qui signifie « eau », avec ceux qui sont formés sur un radical commençant par *qu* précédés de l'initiale *a-* qui fait généralement doubler la consonne du radical *(attabler, accourir...)*. Pour doubler *qu*, on utilise le *c*. Ces mots commenceront donc par *acqu-*.
  aqueduc, aqueux, aquatique
  acquérir, acquiescer, acquitter

c + -able ou qu + -able ?

Il faut savoir quand écrire *c* ou *qu* dans les adjectifs formés avec le suffixe *-able*.

QU DEVANT -ABLE

- Les adjectifs dérivés* de verbes dont le radical* se termine par *qu* maintiennent ***qu*** devant *-able* lorsque la famille de mots ne comprend pas de nom en ***-ation***.

  attaquer → attaquable
  (il n'y a pas de nom en *-ation* formé sur *attaquer*)

  manquer → immanquable
  (il n'y a pas de nom en *-ation* formé sur *manquer*)

QUI L'EÛT cru

Dans *La Mise à mort*, Louis Aragon recourt à un néologisme : le verbe « trifurquer » (« [...] là où trifurque la route dans les champs [...] »), manifestement forgé par l'écrivain sur le modèle de *bifurquer*. La signification ne peut être que « se diviser en trois ». La famille de *bifurquer* comprenant le nom *bifurcation*, il serait logique d'imaginer un substantif « trifurcation ». Dans ce cas, alors, la graphie de l'hypothétique adjectif devrait être « trifurcable » : « Attention ! Dans cette région, tous les chemins sont trifurcables ! Il faut bien regarder la carte ! »

- On écrit toutefois *praticable* et *hypothécable* avec *c* bien qu'il n'existe pas de dérivé en *-ation*.

C DEVANT -ABLE

- Les adjectifs dérivés de verbes dont le radical se termine par *qu* s'écrivent avec ***c*** devant *-able* lorsque la famille de mots comprend un nom en ***-ation*** (qui s'écrit alors *-cation*).

  appliquer → applicable (application)
  évoquer → évocable (évocation)

- On écrit toujours ***c*** devant le suffixe *-able,* lorsque l'adjectif n'est pas dérivé d'un verbe se terminant par *-quer*.

  sécable, implacable

- L'adjectif *bancable* peut s'écrire également *banquable*.

SITÔT LU sitôt su

- **Les contraires des adjectifs en *-able* conservent le *c* ou le *qu*.**

  attaquable → inattaquable
  applicable → inapplicable

- **Ces principes sont également valables pour savoir si on écrit *c* ou *qu* devant le suffixe *-ant* [voir p. 97].**

  fabriquer → fabricant (fabrication) ; attaquer → attaquant

c + *-age* ou *qu* + *-age* ?

Il faut savoir quand écrire *c* ou *qu* dans les noms formés avec le suffixe *-age*.

C DEVANT -AGE

- Les noms dérivés* de verbes dont le radical se termine par *qu* s'écrivent avec *c* devant *-age* lorsque la famille de mots comprend un nom qui se termine par *c*.

  *bloquer → blo**c**age (bloc)*
  *truquer → tru**c**age (truc)*

- On écrit toujours avec *c* les quelques noms qui ne sont pas dérivés d'un verbe en *-quer*.

  marécage, bocage

QUI L'EÛT cru

Pas plus que *bocage* et *marécage*, le mot *pacage* (dont la signification principale est : « terrain où l'on fait paître les bestiaux ») n'est apparenté à un verbe dont le radical se termine en *qu*. Il est de la famille étymologique de *paître* et de *pâturage* ; sa terminaison en *-cage* (avec un seul *c*) respecte donc les normes. Il a pour homonyme *pacquage*, un terme désignant le fait d'entasser du poisson salé dans un baril.

QU DEVANT -AGE

Les noms dérivés de verbes dont le radical se termine par *qu* maintiennent ***qu*** devant *-age* lorsque la famille de mots ne comprend pas de nom se terminant par *c*.

*matraquer → matra**qu**age*
*laquer → la**qu**age*

CAS PARTICULIERS

- On écrit *piquage*, « action de piquer » (et non ~~*picage*~~), malgré l'existence du nom *pic*.

- Pour *trucage* et *démarquage*, certains dictionnaires donnent comme variantes *truquage* et *démarcage*.

- *Plasticage*, « action de faire exploser au plastic », a également pour variante *plastiquage*. Mais, dans le sens « action de recouvrir d'un film plastique », la seule graphie possible est *plastiquage*.

SITÔT LU sitôt su

Il y a *saccage* et *sacquage* ! Le premier désigne bien l'action de saccager (il ne s'agit pas d'un dérivé en *-age*) ; le second est, lui, dérivé du verbe familier *sacquer* (« noter sévèrement »). On évitera l'emploi de ce mot quand le registre ne s'y prête pas.

c + -ant ou qu + -ant ?

Il faut savoir quand écrire *c* ou *qu* dans les noms et adjectifs formés avec le suffixe *-ant*.

QU DEVANT -ANT

- Les adjectifs dérivés* de verbes dont le radical* se termine par *qu* maintiennent **qu** devant *-ant* lorsque la famille de mots ne comprend pas de nom en **-ation**.

  *attaquer → attaq**u**ant*
  (il n'y a pas de nom en *-ation* formé sur *attaquer*)
  Ils ne purent s'opposer aux attaquants.

  *manquer → man**qu**ant*
  (il n'y a pas de nom en *-ation* formé sur *manquer*)
  le chaînon manquant

QUI L'EÛT cru

Prédicateur (nom masculin) a pour synonyme vieilli *prédicant* (nom masculin), au sens de « celui qui fait des sermons, celui qui prêche ». *Prédicant*, dans une acception plus moderne, désigne un pasteur protestant dont la fonction principale est la prédication. Comme adjectif, ce mot équivaut à « moralisateur ». Il n'y a pas eu de verbe « prédiquer » qui aurait découlé du latin *praedicare*, « prêcher », ce qui justifie la graphie en *c* de *prédicant*.

- On écrit également *délinquant* avec *qu*, qui est dérivé de l'ancien verbe *délinquer*.

C DEVANT -ANT

- Les adjectifs dérivés de verbes dont le radical se termine par *qu* s'écrivent avec **c** devant *-ant* lorsque la famille de mots comprend un nom en **-ation** (qui s'écrit alors *cation*).

  *communiquer → communi**c**ant (communication)*
  *vaquer → va**c**ant (vacation)*

- On écrit toujours **c** devant le suffixe dans les adjectifs *convaincant*, *sécant* et *urticant*, qui ne sont pas dérivés d'un verbe se terminant par *-quer*.

  *des arguments convain**c**ants*
  *un plan sé**c**ant à un autre*
  *une sé**c**ante*
  *les poils urti**c**ants de la chenille*

Il ne faut pas confondre les adjectifs qui se terminent par *-cant* avec les formes du verbe dans lesquelles la désinence* *-ant* s'ajoute au radical en *qu* maintenu dans toute la conjugaison [voir p. 133].

La salle se remplit selon le principe des vases communicants. (adjectif)
La pièce communiquant avec son bureau sert de salle d'attente. (participe présent)

SITÔT LU
sitôt su

Le son [g] : *g* ou *gu* ?

Une seule consonne sert à transcrire le son [g] : *g*. Mais, dans certains cas, *g* doit être suivi d'un *u*.

RÈGLE GÉNÉRALE

- Devant les voyelles graphiques *a*, *o* et *u*, le son [g] s'écrit avec un simple *g*.

  galant, gai, gant, gauche, égal, brigand
  godet, goinfre, goût, égoïste, fourgon
  gustatif, inaugurer, aigu

Inutile, donc, de mettre un *u* après *g*.

- Devant les voyelles graphiques *e*, *i* et *y*, le son [g] s'écrit *gu*. Sans le *u*, *g* se prononcerait [ʒ].

  ***gu**enon, **gu**etter, lan**gu**e, on**gu**ent, lon**gu**eur*
  ***gu**itare, **gu**indé, dé**gu**iser, san**gu**in*
  ***Gu**y*

QUI L'EÛT cru

« Olivier en avait plus qu'assez de son conjungo [= mariage] avec une virago [= une femme autoritaire aux rudes façons] que ni le tango, ni le fandango, ni le doux largo ne parvenaient à adoucir. Alors, il partit pour Santiago... ou Chicago. Tout de go ! » (On remarquera qu'il n'y a aucun *u* derrière le *g* de ces mots, quasiment tous issus du latin ou de langues étrangères.)

CAS PARTICULIERS

- Les verbes qui se terminent par *-guer* à l'infinitif maintiennent *gu* dans toute leur conjugaison même lorsque la désinence* commence par *a* ou *o*.

  *je navi**gu**e, nous navi**gu**ons, il navi**gu**ait, navi**gu**ant*

Il est alors important de distinguer :

➤ les participes présents ou gérondifs qui s'écrivent *guant* ;

  *Le malade, se fati**gu**ant vite, doit rester au calme.*

➤ et les adjectifs et noms formés sur ces verbes avec le suffixe *-ant* (qui s'écrivent *-gant*).

  *un travail fati**g**ant*

Pour plus de détails, voir p. 133.

- La règle de la présence ou non du *u* après le *g* est propre au français. On trouvera donc des emprunts qui ne répondent pas à cette règle.

  un hamburger [ɑ̃buʀgœʀ], *boggie* [bogi]
  un distinguo

SITÔT LU sitôt su

Le nom masculin *langage* est bien un mot français, dérivé du nom *langue*. Inutile donc de mettre *u* après *g*.
En revanche, on écrit bien *baguage,* dérivé du verbe *baguer,* avec *u* devant *a* pour le distinguer de son homonyme* *bagage*.

Le son [l] en finale : *l* ou *le* ?

La lettre *l* se prononce en français de la même façon, qu'elle soit suivie ou non d'un *e* (*banal* se prononce comme *banale*, alors qu'on entend une différence dans *rond/ronde* par exemple). Il faut donc savoir quels sont les mots qui, se terminant par le son [l], s'écrivent avec un *e*.

AVEC *E* FINAL

On écrit avec un **e** après le ***l (le)*** :

➤ tous les **noms féminins** et **adjectifs** employés au **féminin**,

*la bal**le**, la poê**le**, la pi**le**, l'éco**le**, la mu**le***
*une situation bana**le**, réel**le***

sauf *béchamel* (écrit aussi *béchamelle*) ;

➤ la grande majorité des **noms** masculins et des **adjectifs** qui se terminent par le **son** [il] ou [yl] ;

*le domici**le**, **le** projecti**le**, un chat agi**le**, un exercice faci**le***
*un fascicu**le**, un modu**le**, un chapeau ridicu**le**, un être minuscu**le***

mais on écrit sans *e* : *civi**l**, puéri**l**, subti**l**, viri**l**, avri**l**, ci**l**, exi**l**, fi**l**, grési**l**, mi**l*** (graine), *péri**l**, pisti**l*** et *profi**l** ; calcu**l**, cumu**l**, consu**l*** et *recu**l**.*

➤ les **adjectifs** masculins qui se terminent par le **son** [ɔl].

*un terrain agrico**le**, un membre bénévo**le**.*

On écrit *espagnol* et *mongol* (emploi adjectival des noms *Espagnol* et *Mongol*).

QUI L'EÛT *cru*

Les mélomanes utilisent couramment le substantif masculin *finale* (avec un *e* final !) pour désigner le dernier mouvement des sonates, notamment, ou bien le dernier morceau d'un opéra : « Dans le finale de cet opéra-comique, le ténor s'est surpassé ! » On a conservé en français la graphie de l'italien *finale* (de *fine*, « fin »).

SANS *E* FINAL

La dernière lettre du mot est le plus souvent *l* pour :

➤ les **noms** masculins qui se terminent par le **son** [ɔl] ;

*l'envo**l**, un bémo**l**, un co**l**, un Espagno**l**, un Mongo**l***

Mais on écrit *capito**le**, créo**le**, monopo**le**, pacto**le**, pétro**le**, protoco**le*** et *symbo**le**.*

➤ les **noms** et **adjectifs** masculins qui se terminent par le **son** [al] ou [ɛl].

*un ava**l**, le ba**l**, un récita**l**, un fait bana**l**, à prix éga**l***
*un hôte**l**, un due**l**, un logicie**l**, un fait rée**l**, un amour éterne**l***

Mais pour ces deux finales les exceptions sont plus nombreuses [voir p. 194].

C'est parce qu'ils sont formés avec les finales :

➤ *-cole* que la plupart des adjectifs en [ɔl] s'écrivent avec *e* ;

viticole, arboricole

➤ *-al* et *-el* que la plupart des adjectifs en [al] ou [ɛl] s'écrivent sans *e*.

idéal, normal, musical, médical ; annuel, culturel, émotionnel

SITÔT LU
sitôt su

Le son [R] en finale : *r* ou *re* ?

Il n'y a pas de règle fixe en ce qui concerne les mots simples pour savoir quels sont ceux qui, se terminant par le son [R], s'écrivent avec un *e*. Mais, pour les dérivés*, on peut s'aider des finales. Voir aussi p. 101.

AVEC *E* FINAL

Un certain nombre de finales s'écrivent avec un *e* après le *r* :

➤ ***-aire***, *-ataire, -itaire* pour former des noms de personnes et des adjectifs ;

*bénéfici**aire**, retard**ataire**, util**itaire***

➤ ***-vore***, « qui mange » ;

*herbi**vore**, carni**vore**, grani**vore***

➤ ***-ure***, *-ature, -ture* pour former des noms féminins exprimant une action, un état, un ensemble ;

*coup**ure**, candida**ture**, chevel**ure**, voil**ure**, sign**ature**, pourri**ture***

➤ ***-ure*** pour former des noms masculins de composés chimiques.

*merc**ure**, cyan**ure**, brom**ure***

QUI L'EÛT *cru*

Celle que l'on personnifie avec une majuscule, et que l'on nomme aussi, en littérature notamment, la « Camarde » ou la « Faucheuse », porte un nom féminin en [R]... mais qui ne comporte pas de *e* final. On a reconnu la Mort, qui souvent, dans les contes populaires, est bernée par les humains. Ce vocable féminin, d'abord nom commun sans majuscule, constitue donc une exception, puisque l'on n'écrit pas « more ».

SANS *E* FINAL

D'autres finales s'écrivent sans *e* après le *r* :

➤ ***-eur***, qui forme des noms généralement féminins exprimant une qualité, un état, le résultat d'une action ;

*la chal**eur**, la grand**eur**, la su**eur**, la val**eur**, le lab**eur***

➤ ***-eur***, *-ateur, -iteur, -teur* qui forment des noms masculins de machines ou de personnes qui font une action et des adjectifs masculins ;

*brûl**eur**, édit**eur**, râl**eur** ; aspir**ateur**, dessin**ateur**, évoc**ateur** ; compos**iteur** ; distribu**teur***

➤ ***-eur***, issu du comparatif latin ;

*meill**eur**, maj**eur**, extéri**eur**, antéri**eur***

➤ ***-ir***, pour former tous les verbes du 2e groupe (participe présent en *-issant*) et quelques verbes du 3e groupe.

*fin**ir**, grand**ir**, jaun**ir**, pâl**ir**, haïr ; ven**ir**, cueill**ir***

SITÔT LU

sitôt su

Pour les noms féminins, il n'y a pas d'hésitation à avoir : excepté *chair* (« viande »), *cour, mer, tour, mort, part* et les noms terminés par le suffixe *-eur*, ils s'écrivent tous avec un *e* final, qu'il s'agisse de mots simples ou de dérivés.

une mare, une paire, une heure, une amphore, la bravoure

-oir ou -oire ?

Il faut savoir reconnaître les suffixes* *-oir* et *-oire* pour écrire correctement les noms et adjectifs qui se terminent par le son [waʀ].

LE SUFFIXE *-OIR*

- Le suffixe ***-oir*** sert à former des **noms masculins** d'instrument ou de lieu à partir d'un verbe, plus rarement à partir d'un nom.

  *gratt**oir** (gratter) ; lav**oir** (laver)*
  *bouge**oir** (bougie)*

- Il prend la forme :

➢ ***-oire*** pour former des **noms féminins** ;
  *écum**oire**, écrit**oire**, rôtiss**oire**, patin**oire***

➢ ***-oire*** lorsqu'il se rattache à un radical qui se termine par *t* ;
  *réfect**oire** (réfect-), direct**oire** (direct-)*

➢ ***-atoire***, ***-itoire*** dans des noms masculins.
  *labor**atoire**, observ**atoire***
  *aud**itoire**, terr**itoire***

QUI L'EÛT *cru*

La distinction masculin en *-oir*/féminin en *-oire*, qui n'est pas appliquée au sein des noms communs, puisque les orthographes découlent de divers facteurs, est respectée dans la graphie du *Loir*, rivière affluent de la Sarthe, et dans celle du plus grand fleuve de France : la *Loire*. Pour autant, il faudra connaître la géographie de la France pour savoir qu'il faut écrire, par exemple, « Saint-Cyr-sur-Loire » et non « Saint-Cyr-sur-Loir ».

LE SUFFIXE *-OIRE*

- Le suffixe ***-oire*** sert à former des **adjectifs** à partir de radicaux se terminant par *t* ou de noms.

  *not**oire** (not-), péremp**toire** (pérempt-)*
  *déris**oire** (dérision), illus**oire** (illusion), mérit**oire** (mérite)*

- Il prend souvent la forme ***-atoire***, ***-itoire*** lorsqu'un nom féminin en *-ation* ou *-ition* correspond à l'adjectif.

  *oblig**atoire** (obligation), diffam**atoire** (diffamation), élimin**atoire** (élimination)*
  *défin**itoire** (définition)*
  *gir**atoire**, ambul**atoire**, prémon**itoire**, rédhib**itoire***

• Tous les noms qui se terminent par [atwaʀ] ou [itwaʀ] sont des dérivés formés avec *-atoire* ou *-itoire* : ils s'écrivent donc tous avec un *e* final.

• *Noir* est le seul adjectif en [waʀ] qui s'écrit sans *e* final au masculin.

SITÔT LU
sitôt su

Les sons [ɛ] et [e]

Les graphies les plus courantes des sons [ɛ] et [e] à l'intérieur des mots sont : *é, è, ê, ai, ei*. En finale, on trouve en plus : *et, er, ai* (suivi ou non d'une lettre muette). Il n'est pas toujours possible de prévoir quelle graphie transcrit ces sons, mais on peut s'aider de quelques principes.

DANS LE RADICAL

- Le plus souvent, on écrit ***ai*** s'il existe un mot de la même famille étymologique comportant un ***a***.

  *ch**ai**r (ch**a**rnel), gr**ai**sse (gr**a**s), gr**ai**ne (gr**a**nuleux), p**ai**re (p**a**rité), n**aî**tre (n**a**tal)*

Mais on écrit *mère* et *père* malgré *maternel, paternel* et *nez* malgré *nasal...*

QUI L'EÛT cru

Le son [ɛ] apparaît lors de la liaison avec des adjectifs se terminant par *-ain* et *-ein*, en particulier, car cette liaison s'accompagne d'une dénasalisation de la voyelle. Dans *plein air, plein(-)emploi, certain espoir*, etc., le son [ɛ̃] disparaît au profit de [ɛ] : « plè-nair », « plè-nemploi »...

- La graphie ***ei*** est plus rare que ***ai***. On la trouve surtout dans le groupe ***eil*** [ɛj] ou [ej].

  *rév**eil**, par**eil**, bout**eil**le, or**eil**ler*

- Le plus souvent, on écrit ***ê*** s'il existe un mot de la même famille étymologique comportant un ***s*** [voir p. 63].

  *intér**ê**t (intére**s**ser), v**ê**tir (ve**s**timentaire), v**ê**pres (ve**s**péral), bapt**ê**me (bapti**s**mal)*

- Les noms correspondant aux verbes en ***-ayer*** s'écrivent ***-ai*** s'ils sont masculins (sauf *relayer → relais*) et ***-aie*** s'ils sont féminins.

  *balayer → un bal**ai** ; essayer → un ess**ai** ; remblayer → un rembl**ai***

  *payer → une p**aie*** (ou *paye) ; monnayer → la monn**aie** ; pagayer → la pag**aie***

LES FINALES

Plusieurs finales se rattachant à un radical contiennent les sons [ɛ] ou [e]. Savoir comment ils s'écrivent permet d'orthographier sans hésitation de nombreux mots. Parmi les plus courantes, on trouve :

-er, -ier *: un bouch**er**, un charcut**ier**, un prun**ier***

-ée *: une veill**ée**, une mont**ée**, une poup**ée***

-aire *: bénéfici**aire**, pécuni**aire***

-et *: un agnel**et**, un boul**et***

-té *: la bon**té**, la fier**té**, la liber**té***

-aie *: hêtr**aie**, roser**aie***

SITÔT LU *sitôt su*

La graphie des sons [ɛ] ou [e] est conservée dans les dérivés*. Il suffit donc de savoir comment s'écrit le mot simple ou le radical pour savoir écrire les mots de la même famille.

plaire, plaisant, plaisir, complaire, déplaire, plaisance...

neige, enneiger, enneigement

-*té* ou -*tée* en finale ?

Selon leur construction, les noms féminins qui se terminent par le son [te] s'écrivent avec un *e* muet final ou non.

LA FINALE -*TÉ*

- La finale -*té* sert à former des noms féminins qui expriment une **qualité**, un état, à partir :

➤ d'adjectifs ;

*la bon**té**, la fier**té**, la pauvre**té***
*la gaie**té**, la pure**té**, la légère**té***
*la générosi**té**, la méchance**té**, la loyau**té***

➤ de radicaux* qui peuvent avoir la même valeur qu'un adjectif.

*la liber**té*** (*liber-*, « libre »), *la clar**té*** (*clar-*, « clair »), *la majes**té*** (*maj-*, « grand »), *la facul**té*** (*facul-*, « faisable »), *la quanti**té*** (*quant-*, « mesurable »)

- Elle s'écrit toujours -*té* et n'est jamais suivi d'un *e* muet.

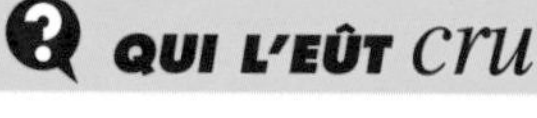

QUI L'EÛT *cru*

Parmi les termes de quantité se terminant par -*tée*, il en est de peu usités qui sont pourtant savoureux et mériteraient de n'être pas rejetés au purgatoire des mots. Ainsi *litée* : « ensemble d'animaux vivant dans un même gîte » (« une litée de lapereaux ») ; *hottée* : « contenu d'une hotte » (« le père Noël aurait dû nous déverser une hottée de cadeaux le 24 décembre au soir ! ») ; ou... *frottée* : « volée de coups », et aussi *jattée* : « contenu d'une jatte, d'une écuelle »...

LA FINALE -*ÉE*

- La finale -*ée* sert à former des noms féminins qui expriment :

➤ une **action** (à partir de verbes) ;

*une envol**ée**, une arriv**ée**, une mont**ée**, une dict**ée***

➤ une **quantité**, un ensemble (à partir de noms ou de verbes).

*une bouch**ée**, une matin**ée**, une nuit**ée**, une brouett**ée***
*une pinc**ée**, une vol**ée**, une tripot**ée**, une pellet**ée***

- Il existe deux autres finales -*ée*, moins courantes, qui servent à former des noms de maladies ou de plantes.

*céphal**ée**, diarrh**ée**, ongl**ée***
*gramin**ée**, girofl**ée**, cact**ée***

- Elle s'écrit toujours -*ée* avec un *e* muet.

Pour écrire correctement un nom féminin terminé par le son [te], il faut donc voir s'il s'agit d'un nom formé avec le suffixe -*té* ou d'un nom formé à partir d'un mot dont le radical se termine par *t* auquel on ajoute le suffixe -*ée*.

SITÔT LU
sitôt su

Les sons [o] et [ɔ] : *o, au* ou *eau* ?

Il n'est pas toujours possible de savoir dans quel cas écrire *o, au* ou *eau*. Mais on peut s'aider de quelques principes.

DANS LE RADICAL

- La graphie **eau** se trouve toujours en finale, jamais dans un mot, sauf *heaume*.
- Le plus souvent, on écrit **au** s'il existe un mot de la même famille étymologique comportant **al**.

autre (altruisme), faucon (falconidé), faux (falsifier), maudire (maldisant)

QUI L'EÛT *cru*

Parmi les pièges que l'on peut tendre – pour s'amuser – à ses amis ou à ses parents, et qui fonctionnent toujours plutôt bien, on peut noter la petite dictée suivante (à énoncer d'un air détaché) : « À Sceaux, alors qu'il pleuvait à seaux, un sot portant un seau d'eau chuta. On se précipita pour ramasser les deux [so]. » La graphie du dernier mot ne peut être exprimée, bien sûr, qu'en recourant à la phonétique !

LES FINALES

Plusieurs finales se rattachant à un radical contiennent les sons [o] ou [ɔ]. Savoir comment ils s'écrivent permet d'orthographier sans hésitation de nombreux mots. Parmi les plus courantes, on trouve :

➤ **-aud**, qui sert à former des adjectifs (à partir de noms ou d'adjectifs) qui ont parfois une valeur péjorative. Au féminin, la finale s'écrit *-aude* : *cost**aud**, nig**aud**, pen**aud**, pat**aud*** ;

➤ **-auté**, qui sert à former des noms féminins qui désignent un état, une fonction ; Le plus souvent correspond à ce nom un adjectif en *-al* ou *-el* : *loy**auté** (loy**al**), cru**auté** (cru**el**).*

➤ **-aux**, qui sert à former le pluriel des noms et adjectifs masculins se terminant par *-al* ou *-ail* [voir p. 115 et 116] : *des chev**aux**, des journ**aux**, loy**aux*** ; *des trav**aux*** ;

➤ **-eau**, qui sert à former des noms et des adjectifs masculins avec parfois une valeur diminutive : *prun**eau**, chevr**eau**, berc**eau**, barr**eau**, chât**eau**, ois**eau*** ;

➤ **-ot**, qui sert lui aussi à former des noms et des adjectifs masculins avec parfois une valeur diminutive ou péjorative : *vieill**ot**, maill**ot**, pâl**ot**, peti**ot**.*

SITÔT LU *sitôt su*

Pour distinguer *-eau* de *-ot*, qui ont une valeur proche, on peut s'aider des mots de la même famille :

➤ aux noms et adjectifs en *-eau* correspond le plus souvent un autre mot ou un féminin en *-el* ;

chapeau (chapelier), nouveau (nouvelle), château (châtelain)

➤ aux noms et adjectifs en *-ot* correspond le plus souvent un autre mot ou un féminin dans lequel on entend le *t* de la finale.

culot (culotté), maillot (emmailloté), pâlot (pâlotte)

Le son [ɑ̃] : *an, am, en ou em ?*

Le son [ɑ̃] *(banc)* est une voyelle [voir p. 221]. Il s'écrit toujours avec un *n*, parfois un *m* pour donner à la voyelle qui précède la prononciation nasale. Le choix de la voyelle *a* ou *e* est souvent source d'hésitation.

ON ÉCRIT *AN, AM*

- On écrit toujours **an, am** après *c* et *g* prononcés [k] et [g], sauf *onguent.*
  *c**an**dide, sc**an**dale, volc**an**, c**am**per*
  *g**an**t, brig**an**d, manig**an**ce, g**am**bade*

- Si un mot se termine par [ɑ̃ʒ] ou [ɑ̃ʒe], il s'écrit toujours avec **an**, sauf *venger.*
  *étr**an**ge, mél**an**ge, m**an**ger, r**an**ger*

- Les verbes qui se terminent par [ɑ̃dʀ] s'écrivent avec **en** sauf *épandre* (et *répandre*).
  *appr**en**dre, t**en**dre, déf**en**dre*

QUI L'EÛT *cru*

Nom masculin, *dam* – qui découle du latin *damnum* – est un mot ancien qui signifie « préjudice, dommage ». La prononciation classique est (était) « dan » [dɑ̃]. L'usage l'a fait évoluer, et, de nos jours, tout le monde, ou presque, prononce « dame » [dam]. Dame oui, et au grand dam, peut-être, de partisans du maintien des choses en l'état !
Le mot n'est pas, n'est plus, homonyme de *dan* (« dent », [dɑ̃]), mot japonais qualifiant chacun des grades de la ceinture noire, dans les arts martiaux, dans les sports de combat.

- On écrit avec le suffixe **-ant** la plupart des adjectifs formés sur le participe présent d'un verbe [voir cependant p. 106].
  *une voix traîn**ant**e (traîner), des propos rassur**ant**s (rassurer), le soleil couch**ant** (coucher)*

ON ÉCRIT *EN, EM*

On écrit le plus souvent **en, em** après *c* et *g* prononcés [s] et [ʒ].
*c**en**dre, enc**en**ser, lic**en**ce, déc**em**bre ; g**en**til, lég**en**de, ging**em**bre*
Cependant, on écrit *-geant* et *-geance*, certains adjectifs issus de verbes en *-ger (exigeant, intransigeant, plongeant...)* et les noms féminins *engeance, intransigeance, obligeance* et *vengeance.*

SITÔT LU *sitôt su*

Retenir la graphie du son [ɑ̃] dans les initiales et finales suivantes permet d'écrire un grand nombre de mots sans hésitation.
anti- (« contre ») : ***antigel, antibiotique, antithèse***
en-, em- (qui signifie vaguement « à l'intérieur » et sert le plus souvent à former des verbes) : ***enfermer, encadrer, enjeu, embarquer, emmêler, empaqueter, embout***
-ment (noms masculins) : ***ornement, agencement***
-ment (adverbes) : ***grandement, longuement, gentiment***

Les adjectifs en [ɑ̃] : *-ant* ou *-ent* ?

Il faut savoir dans quel cas écrire *-ant* ou *-ent* pour les adjectifs qui se terminent par le son [ɑ̃].

ADJECTIFS VERBAUX

• La grande majorité des adjectifs qui se terminent par le son [ɑ̃] sont des adjectifs verbaux, formés sur un **verbe**. Ils s'écrivent alors avec le suffixe* ***-ant***.

*une personne médis**ant**e (médire)*
*un visage charm**ant** (charmer)*

• Cependant, certains adjectifs s'écrivent avec le suffixe ***-ent***, bien qu'ils soient formés sur un verbe. Il faut les retenir et ne pas les confondre avec les formes verbales en *-ant* (participe présent et gérondif) [voir p. 133].

*Elle est arrivée le jour précéd**ant** notre départ.* (verbe au participe présent avec un complément d'objet direct : *ce jour précède notre départ*)
*Vous pouvez consulter les actualités des jours précéd**ents**.*

QUI L'EÛT *cru*

Dans les blasons, on trouve des animaux issants. Cet adjectif *issant(e)* appartenant au langage de l'héraldique désigne des animaux représentés comme s'ils étaient... issus de l'extérieur de l'écu, on ne voit que le haut de leur corps : « Un lion d'or issant sur un écu de gueules... »
Tout comme *issu(e)*, *issant(e)* est une survivance du vieux verbe *issir*, « sortir ».

AUTRES CAS

• La plupart des adjectifs en [ɑ̃] qui ne dérivent pas d'un verbe s'écrivent ***-ent***. Mais les exceptions sont nombreuses. En cas d'hésitation, il faut vérifier dans un dictionnaire.

*abs**ent**, consci**ent**, indulg**ent**, clém**ent**, cont**ent**, évid**ent**, compét**ent***
*abracadabr**ant**, ambi**ant**, clinqu**ant**, flagr**ant**, lancin**ant**, puiss**ant***

• On écrit ***-isant*** la finale qui signifie « qui a une tendance à faire, à être ».

*euphoris**ant**, gauchis**ant**, anabolis**ant**, slavis**ant***

• Dans les adjectifs, l'élément *-esc-*, qui signifie « en cours de, qui ressemble à », est toujours suivi de *-ent*. Ces adjectifs ont donc une finale en ***-escent***.

*efferv**escent**, phosphor**escent**, adol**escent***

SITÔT LU
sitôt su

La voyelle de l'adjectif est conservée dans les adverbes et les noms, sauf *exigeant/exigence, existant/existence* et *résidant/résidence.*

abondant → abondamment → abondance
violent → violemment → violence

Le son [ɛ̃] : *in, ain, ein* ou *en* ?

Les graphies du son [ɛ̃] sont nombreuses et ne sont pas toujours prévisibles. On peut toutefois s'aider de quelques principes.

FAMILLE DE MOTS

- On écrit ***in*** s'il existe un dérivé, un mot de la même famille étymologique ou un féminin qui fait entendre [i].

  *dess**in** (dessiner), couss**in** (coussinet)*
  ***fin** (final), fémin**in** (féminine)*

- On écrit ***ain*** s'il existe un mot de la même famille étymologique qui fait entendre [a].

  ***main** (manuel), **faim** (famine), **bain** (balnéaire), **grain** (granuleux)*

QUI L'EÛT cru

Dessein – signifiant « intention, projet, volonté… » – est issu, comme *dessin*, du vieux français *desseing*. Ce n'est pas une raison pour confondre ces deux termes : « C'est à dessein que le petit Spirou a envoyé un dessin provocateur à son prof de gym ! » Même si ledit dessin n'est qu'une esquisse, un projet…

FINALES ET INITIALES

Connaître la graphie de certaines finales et initiales se rattachant à un radical permet d'écrire de nombreux mots sans hésitation. Les finales et initiales les plus courantes avec le son [ɛ̃] sont :

- ***-ain*** (noms masculins et adjectifs, en particulier noms de personnes vivant dans un lieu) ;

  *terr**ain**, vil**ain**, urb**ain** ; mond**ain**, châtel**ain** ; Améric**ain**, Lorr**ain***
- ***-éen*** (noms masculins et adjectifs qui indiquent l'origine, l'appartenance) ;

  *lyc**éen**, méditerran**éen**, linn**éen***
- ***-ien*** (noms masculins et adjectifs, en particulier noms de spécialistes ou d'habitants) ;

  *collég**ien**, galér**ien**, microb**ien**, quotid**ien***
  *chirurg**ien**, diététic**ien**, magic**ien**, théolog**ien** ; Alsac**ien**, Paris**ien**, Ind**ien***
- ***in-*** marquant le contraire ; il s'écrit *im-* devant *m, b, p* ;

  ***in**collable, **in**décis, **in**confort, **im**battable, **im**mangeable, **im**prudence*
- ***in-*** marquant la localisation (« dans, vers ») ; il s'écrit *im-* devant *b* et *p*.

  ***in**jecter, **in**carner, **in**solation, **in**tonation ; **im**briquer, **im**planter*

Il existe aussi le son [œ̃] qui, dans certaines régions, se prononce de la même façon que [ɛ̃]. Il s'écrit le plus souvent *un* (parfois *um*, en particulier devant *b* ou *p*). On retrouve le *u* dans des dérivés ou des mots de même famille étymologique.

brun (brune, brunir), parfum (parfumer), humble (humilité)

SITÔT LU *sitôt su*

Le son [j] en finale : -*il* ou -*ille* ?

Le son [j] se trouve principalement en finale de noms *(paille, abeille, soleil, écureuil)*. Excepté dans les emprunts *(boy, bonsaï)*, il s'écrit toujours -*il* ou -*ille*. Pour le son [j] dans les mots, voir p. 109.

DANS LES NOMS

- Les noms **féminins** qui ont une finale en [j] se terminent par **-*ille***.
  *la pa**ille**, la bata**ille**, la grisa**ille***
  *l'abe**ille**, la corbe**ille**, la merve**ille***
  *la b**ille**, la f**ille**, la van**ille***
  *la hou**ille**, la grenou**ille***
  *la feu**ille***

QUI L'EÛT cru

Le mot hébreu *goy* se prononce, en finale, [j] comme dans *goyave* (fruit du goyavier). Au pluriel, ce nom par lequel les juifs désignent les personnes étrangères à leur culte, et spécialement les chrétiens, a une forme francisée : *goys*, qu'on doit préférer au pluriel étranger *goyim*.

- Les noms **masculins** qui ont une finale en [j] se terminent par **-*il***. Les plus nombreux se terminent par -*ail* ou -*eil*.
  *le ba**il**, le trava**il**, le porta**il***
  *le réve**il**, le somme**il**, le sole**il***
  *le fenou**il** ; le chevreu**il**, le fauteu**il***

Les quelques rares noms masculins qui ont une finale en [ij] s'écrivent -*ille*.
*un gor**ille**, un joyeux dr**ille**, un quadr**ille*** (danse), *un tr**ille*** (en musique)

AUTRES CATÉGORIES

- Il n'y a que trois **adjectifs** qui ont une finale en [j] : *pare**il**, verme**il**, vie**il***.
  Au féminin, ils s'écrivent -*ille*.
  *un vie**il** ami, une vie**ille** amie*

- Les formes **verbales** qui se terminent par le son [j] s'écrivent toujours **-*ille*** (suivi éventuellement de *s* ou *nt* selon la personne du sujet).
  *je trava**ille**, tu somme**ille**s, il bredou**ille**, elles accue**ille**nt ; Il faut que j'a**ille** la voir.*

Il faut se garder de prononcer les verbes qui ne s'écrivent pas *ill* avec [j] en finale.
Il faut que tu sois là. ([swa] et non [swaj] : *sois* rime avec *oie* et non avec *ouailles*)

SITÔT LU
sitôt su

- **Les noms composés masculins dont le dernier composant* est un nom féminin conservent bien évidemment la finale -*ille*.**
  le chèvrefeuille, le portefeuille, le pince-oreille, l'homme-grenouille
- **Attention, le son [œj] qui suit un *c* ou un *g* s'écrit *ueil* et non *euil*.**
  l'écueil, l'orgueil, cueillir

Le son [j] dans les mots : *ill* ou *y* ?

À l'intérieur des mots, le son [j] peut s'écrire de différentes façons qu'il n'est pas toujours possible de prévoir : *ill, y, i* ou *ï*. Cependant, on peut se fier à quelques principes. Pour le son [j] en finale, voir p. 108.

APRÈS UNE CONSONNE

- Lorsque le son [j] suit directement une consonne, il s'écrit le plus souvent *i*.

  diable [djabl], *orienter* [ɔʀjɑ̃te]
  pied [pje], *axiome* [aksjom]

- Certains noms venant du grec s'écrivent avec *y* et non *i*.

  myope, cyan, lyophiliser, caryotype

QUI L'EÛT *cru*

Pendant longtemps, on a fait l'élision avec *hyène* : « L'hyène est un mammifère carnassier. » Aujourd'hui, la forme la plus fréquente est de dire et d'écrire : « la hyène ». Ainsi : « La hyène albinos a été achetée contre beaucoup de yens (et non : « d'yens ») par un parc zoologique de Nagasaki. »

APRÈS UNE VOYELLE

- Le plus souvent, le son [j] s'écrit *ill* après les voyelles *a* (prononcée [a]) et *ou*.

  un gaillard, poulailler, ailleurs, jaillir
  brouillard, gazouiller, douillet

Cependant, on peut trouver *ï* après *a* [voir p. 68].

aïeul, glaïeul, paranoïa

- On écrit le plus souvent *y* après *a* pour transcrire [ɛj], *o* pour [waj] et *u* pour [ɥij].

  payer, crayon, layette
  aboyer, moyen, soyeux, loyal, boyau
  écuyer, essuyer, tuyau

À L'INITIALE

- Le son [j] se trouve plus rarement à l'initiale. Il s'écrit généralement *i* (et *hi* ou *hy*).

  l'iode, un ion ; hier, hiatus, hyène

- Mais on trouve *y* dans des emprunts et dans *yeux* [voir p. 79].

  yaourt, yoga, yiddish

La façon dont est transcrit le son [j] est conservée dans tous les dérivés et les mots de la même famille.

loyal, loyalement, loyauté, déloyal
grille, griller, grillade, grillage
aïeul, bisaïeul

SITÔT LU *sitôt su*

Variable et invariable

La variation est la possibilité pour un même mot de prendre des formes différentes selon son emploi dans la phrase. On parle alors de mots variables.

ADJECTIFS ET NOMS

- L'**adjectif** prend généralement des formes différentes en fonction de son **genre** et de son **nombre**.

  L'adjectif *fort* peut ainsi prendre quatre formes : *fort* (masculin singulier), *fort**e*** (féminin singulier), *fort**s*** (masculin pluriel), *fort**es*** (féminin pluriel).

- Les **noms**, eux, pour la plupart, ne varient qu'en **nombre** [voir *Toute la grammaire,* p. 14].

  Le nom *boisson* peut prendre ainsi deux formes : *boisson* (singulier), *boisson**s*** (pluriel).

Cependant, les noms qui désignent des êtres animés et, plus particulièrement des êtres humains, peuvent également varier en **genre** [voir *Toute la grammaire,* p. 24].

Le nom *loup* peut prendre ainsi quatre formes : *loup* (masculin singulier), *loup**s*** (masculin pluriel), *lou**ve*** (féminin singulier), *lou**ves*** (féminin pluriel).

- Tous les adjectifs et noms ne forment pas de la même façon leur féminin [voir p. 111] et leur pluriel [voir p. 114].

QUI L'EÛT *cru*

Des mots variables peuvent devenir invariables dans certains cas d'espèce. Par exemple, dans des *gâteaux maison*, le dernier mot reste logiquement invariable parce que cela est une ellipse pour dire « faits comme à la maison, comme chez soi ». Chacun des gâteaux n'est pas une maison ! (S'ils étaient en forme de maison, alors, là, on pourrait envisager un accord au pluriel...).

LES VERBES, LES DÉTERMINANTS ET LES PRONOMS

- Ce sont les **verbes** qui offrent le plus de formes possibles, car ils varient en nombre, en personne, en temps et en mode. L'ensemble de ces différentes formes constituent la **conjugaison** (voir l'ouvrage *Toute la conjugaison* dans cette collection).

  bois, boives, buvions, boirez, ont bu... sont différentes formes du verbe *boire.*

- Les **déterminants*** et les **pronoms*** varient généralement en genre et en nombre, parfois en personne.

  le, la, les ; mon, ton, son ; quel, quels, quelle, quels ; moi, toi, soi ; il, ils

SITÔT LU *sitôt su*

Les mots des autres catégories grammaticales (à savoir : les adverbes, les prépositions, les conjonctions de subordination, les conjonctions de coordination et les interjections) se présentent toujours sous une seule forme. On dit qu'ils sont invariables.

Quelle que soit la phrase, quel que soit le contexte, la préposition *malgré* s'écrit toujours *malgré,* l'adverbe *ensemble* s'écrit toujours *ensemble.*

Le féminin : généralités

Le passage du masculin au féminin se fait selon les mêmes principes pour les noms et les adjectifs. Voir aussi tableau p. 184.

RÈGLE GÉNÉRALE

- Le féminin des noms et des adjectifs se forme à l'écrit par l'ajout de la marque **e** à la forme du masculin.

un commerçant avenant
→ *une commerçant**e** avenant**e***

L'ajout du *e* ne se fait pas toujours entendre à l'oral.

un apprenti assidu
→ *une apprenti**e** assidu**e***

QUI L'EÛT cru

Quoi !? Alors que le professeur Tournesol se tient coi, la Castafiore chahute avec le capitaine Haddock, en imitant les grenouilles : « Coâ ! Coâ ! ». Elle ferait mieux de se tenir coite !
Tout comme *quiet/quiète*, *coi/coite* vient du latin *quietus*, « tranquille ».

- Les noms et les adjectifs qui, au masculin, se terminent déjà par un **e** gardent la **même forme** au féminin.

un élève admissible → une élève admissible

Cependant, certains noms féminins sont formés par l'ajout du suffixe **-*esse*** au nom masculin qui se termine par *e* [voir p. 194].

*un âne → une ân**esse***
*un prince → une princ**esse***

CAS PARTICULIERS

- Dans certains cas, l'ajout du *e* s'accompagne de changements sur la finale du masculin [voir p. 112].

*un ancien sorcier → une ancienne sorci**ère***

- Dans d'autres cas, le féminin ne se fait pas par l'ajout d'un *e*, mais par un changement de finale [voir p. 113].

*un nouveau directeur → une nouvelle direct**rice***

- Quelques noms se forment par suppression de la finale du masculin ou par ajout d'une finale [voir p. 195]. Les quatre adjectifs *coi*, *favori*, *rigolo* et *andalou* ajoutent une consonne avant le *e* : *coite*, *favorite*, *rigolote* et *andalouse*.

un compagnon favori → une compagne favorite

SITÔT LU
sitôt su

Qu'elle soit régulière ou non, audible à l'oral ou non, différente du masculin ou non, la forme féminine d'un nom ou d'un adjectif se termine toujours par un *e* (sauf pour *enfant*).

un enfant sage, obéissant et sensé
→ *une enfant sage, obéissant**e** et sensé**e***

Le féminin : finale modifiée

L'ajout d'un *e* à la forme du masculin peut entraîner des modifications dans la finale de l'adjectif ou du nom.

AJOUT D'UN ACCENT

- Les noms et adjectifs qui se terminent par **-er** au masculin ont une terminaison en **-ère** lorsqu'ils sont au féminin.

  régulier → régulière ; fier → fière
  un conseiller → une conseillère

- Les adjectifs *amer, cher* et *fier* ne marquent pas le féminin à l'oral car ils ont une finale en [ɛʀ] au masculin. Les autres noms et adjectifs changent leur finale orale en passant de [e] à [ɛʀ].

QUI L'EÛT *cru*

Quand un masculin se termine par *-ot*, le féminin se fait souvent en *-ote* mais cela est loin de constituer une règle ! À preuve : « Cette petiote pâlotte est une loupiot(t)e bien boulotte ! » On peut retenir l'orthographe de certains mots *via* des formulettes : « La marmotte court après la cocotte qui lui a pris sa culotte ! »

CHANGEMENT DE CONSONNE

- L'ajout du *e* transforme le ***f*** et le ***x*** du masculin respectivement en ***v*** et ***s***.

  un veuf → une veuve ; neuf → neuve ; vif → vive
  un époux → une épouse ; joyeux → joyeuse

Mais on a *doux/douce, faux/fausse, roux/rousse, vieux/vieille.* D'autre part, certains noms et adjectifs se terminant par *s* ou *c* changent aussi leur consonne [voir p. 184 et 185].

- L'ajout du *e* fait **doubler** la consonne des finales *-el, -ien, -en, -on* et *-et.*

  réel → réelle ; cruel → cruelle ; un mortel → une mortelle
  ancien → ancienne ; un chien → une chienne ; un lycéen → une lycéenne
  bougon → bougonne ; un patron → une patronne
  douillet → douillette ; un blondinet → une blondinette

De même, *pareil* et *vermeil* s'écrivent *-eille* au féminin.

  La situation n'est plus pareille.

Les consonnes ne doublent pas dans les autres terminaisons. Cependant, il existe des exceptions : voir tableau p. 186.

SITÔT LU *sitôt su*

Les noms et adjectifs terminés par *c* non muet transforment leur consonne en *qu* pour conserver le son [k] devant *e*.

  caduc → caduque ; public → publique
  un Turc → une Turque (et non ~~*Turcque*~~)

L'adjectif et nom *grec* suit cette même règle, tout en maintenant le *c* devant *qu*, qui est une façon de doubler la consonne pour garder le son [ɛ] : *grec → grecque.*

Le féminin : changement de finale

Le passage du masculin au féminin se fait par changement de finale pour certains noms et adjectifs. Voir aussi tableau p. 184.

-EAU/-ELLE, -OU/-OLLE

• Les noms qui se terminent par ***-eau*** ainsi que les deux adjectifs *beau* et *nouveau* forment leur féminin avec la finale ***-elle***.

*un jum**eau** → une jum**elle***
*un nouv**eau** texte → une nouv**elle** lettre*

• *Fou* et *mou* ont un féminin en ***-olle***.

*une f**olle**, un fromage à pâte m**olle***

QUI L'EÛT cru

Certains noms, pronoms et adjectifs ont la même forme aux deux genres. On les appelle des mots « épicènes » (d'un mot latin qui veut dire « commun »). Ainsi : *enfant, tu, terrible, facile...* *Épicène* s'applique également aux termes qui désignent aussi bien le mâle que la femelle d'une espèce : on dira une *souris*, qu'il s'agisse de « monsieur » ou de « madame » souris.

-EUR/-EUSE, -EUR/-RICE

• Lorsque le nom ou l'adjectif est formé avec le suffixe ***-eur*** sur un **verbe** dont le radical* ne se termine pas par *t*, son féminin est toujours en ***-euse***.

*un dans**eur**, une dans**euse** ; un ton rag**eur**, une voix rag**euse***

Si le radical du verbe se termine par ***t***, le féminin se termine le plus souvent par *-teuse*, mais on trouve également la terminaison *-trice*.

*un men<u>t</u>**eur**, une men<u>t</u>**euse** (men<u>t</u>ir) ; un édi<u>t</u>**eur**, une édi<u>t</u>**rice** (édi<u>t</u>er)*

• Lorsque le nom ou l'adjectif est formé avec le suffixe *-eur* sur un **radical** qui se termine par *t*, le féminin se termine par *-trice*.

*un audit**eur**, une audit**rice** (audi<u>t</u>-) ; un pays product**eur**, une société product**rice** (produc<u>t</u>-)*

Les noms et adjectifs se terminant par ***-ateur***, ***-iteur*** ont toujours un féminin en ***-atrice***, ***-itrice***.

*un texte fondateur, une théorie fond**atrice** ; un compositeur, une compos**itrice***

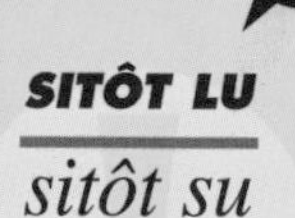

SITÔT LU sitôt su

Nouvelle**, **belle** et **folle **ne peuvent s'employer en tant qu'adjectifs que s'ils se rapportent à un nom ou à un pronom féminin. Il ne faut pas confondre ces formes avec leurs formes homonymes* *nouvel*, *bel* et *fol* que l'on emploie devant un nom masculin commençant par une voyelle ou un *h* muet.**

un fol espoir — *un bel homme*
une folle envie — *une belle amazone*

Le pluriel : généralités

Pour les noms et les adjectifs, le passage du singulier au pluriel se fait selon les mêmes principes. Voir aussi tableau p. 182.

RÈGLE GÉNÉRALE

• Le pluriel des noms et des adjectifs se forme à l'écrit par l'ajout de la marque **s** à la forme du singulier.

un chien gentil
*→ des chien**s** gentil**s***

L'ajout du *s* ne s'entend pas à l'oral.

• Les noms et les adjectifs qui au singulier se terminent par un **s**, un **x** ou un **z** gardent la **même forme** au pluriel.

un gros nez → de gros nez

QUI L'EÛT *cru*

Curiosité de la langue française, *œil* est sans nul doute le seul mot (usuel, en tout cas) qui change d'initiale et de forme au pluriel : *des yeux* ! Mais la forme *œils* existe, réservée à des composés du type *œils-de-bœuf, œils-de-perdrix*... et dans des acceptions particulières, souvent techniques : les *œils* de caractères typographiques, ou de bagues, ou bien d'aiguilles...

CAS PARTICULIERS

• La plupart des noms et adjectifs se terminant par ***-al*** ont un pluriel en ***-aux*** [voir p. 115]. Certains noms en *-ail* ont eux aussi un pluriel en *-aux* [voir p. 116].

*un tribunal régional → des tribun**aux** région**aux***
*un vitr**ail** → des vitr**aux***

• Pour la plupart des noms et des adjectifs se terminant par ***-au, -eau*** ou ***-eu,*** le pluriel se marque par ***x*** et non par *s* [voir p. 117].

*un nouveau feu → de nouveau**x** feu**x***

• Dans les **noms** et **adjectifs composés**, il faut analyser les mots pour savoir quels composants* portent les marques du pluriel [voir p. 118].

*un rouge-gorge → des rouge**s**-gorge**s***
*un porte-bouteille → des porte-bouteille**s***

• Le pluriel des **emprunts** répond parfois à des règles particulières [voir p. 119].

*des sandwich**s** ou des sandwich**es***

• Les noms **propres** peuvent, dans certains cas, se mettre au pluriel [voir p. 120].

*les deux Allemagne**s***

SITÔT LU
sitôt su

Les marques écrites du pluriel s'entendant rarement à l'oral, il est important de toujours bien vérifier si les noms et adjectifs que l'on écrit sont au singulier ou au pluriel et de mettre les *s* et *x* qui s'imposent.

Le pluriel en -*als* ou -*aux*

Les adjectifs masculins et les noms qui se terminent par -*al* ont généralement un pluriel en -*aux*. Mais le pluriel en -*als* se rencontre dans certains cas.

LES EXCEPTIONS

Bien que le pluriel en -**als** puisse s'expliquer (emprunts, *al* faisant partie du radical...), les noms et adjectifs suivants sont considérés comme des exceptions.

Adjectifs (et leurs composés) :

*ban**als***	*fat**als***	*nav**als***
*banc**als***	*nat**als***	*ton**als***

Le pluriel *banaux* s'emploie seulement dans le terme d'histoire : *des fours banaux,* « qui appartiennent à tous, au ban ».

Noms :

*des av**als***	*des cérémoni**als***	*des festiv**als***	*des rég**als***
*des b**als***	*des chor**als***	*des fin**als*** (en musique)	*des tri**als***
*des c**als***	*des chac**als***	*des p**als***	*des v**als***
*des carnav**als***	*des ét**als***	*des récit**als***	*des virgin**als*** (instrument)

Le pluriel *vaux* s'emploie seulement dans l'expression *par monts et par vaux.*
On rencontre également la graphie italienne : *un finale, des finales.*

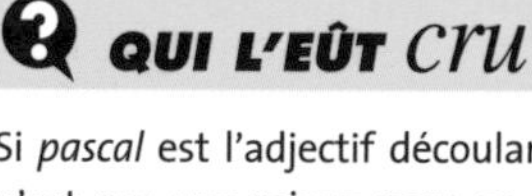

Si *pascal* est l'adjectif découlant de *Pâques*, ce n'est pas une raison pour en déduire que les habitants de la fameuse île de Pâques – célèbre pour les mystérieuses statues géantes qui y ont été érigées –, dans le Pacifique, soient nommés des « Pascals ». Non, l'ethnonyme (ou gentilé) de ces îliens est *Pascuan* : *les Pascuans.*

AUTRES CAS

- Pour d'autres noms, le pluriel en -**als** s'explique parce qu'il s'agit :
  - ➤ d'emprunts désignant des réalités exotiques (plantes, animaux, monnaies, vêtements...) : *des nopals, des gayals, des rials, des sarouals, des marshals* ;
  - ➤ de noms issus de noms propres : *des cantals, vingt pascals* ;
  - ➤ des noms de produits chimiques, pharmaceutiques : *des chlorals, des barbitals* ;
  - ➤ des noms de mois du calendrier révolutionnaire : *des floréals* ;
  - ➤ des noms ou adjectifs familiers : *les Ritals, des futals, morfals.*
- On trouve **les deux pluriels** pour *idéal* (adjectif ou nom) et les adjectifs *austral, boréal, causal, final, glacial, marial* et *pascal* (de Pâques).

  des cierges pascals (ou *pascaux*) ; *des vents glacials* (ou *glaciaux*)

Seuls les noms et adjectifs se terminant par -*eau* peuvent avoir un pluriel en -*eaux*. Il ne faut donc jamais mettre de *e* devant -*aux* pluriel de -*al*.

un cheval → des chevaux (et non ~~*des cheveaux*~~)

SITÔT LU
sitôt su

Le pluriel en -*ails* ou -*aux*

Pour les noms se terminant par -*ail*, il faut savoir dans quel cas le pluriel se marque par *s* et dans quel cas il se marque par -*aux*.

CAS GÉNÉRAL

La plupart des noms qui ont une terminaison en -*ail* ont un pluriel régulier en ***s***. Ils s'écrivent donc **-*ails*** au pluriel.

*un portail → des port**ails***
*un épouvantail → des épouvant**ails***

CAS PARTICULIERS

- Cependant, certains noms font leur pluriel en **-*aux***. Parmi les plus courants, on trouve :

*un bail → des b**aux***
*un corail → des cor**aux***
*un émail → des ém**aux***
*un soupirail → des soupir**aux***
*un travail → des trav**aux***
*un vantail → des vant**aux***
*un vitrail → des vitr**aux***

- Lorsqu'il désigne la partie orangée des noix de coquilles Saint-Jacques, ***corail*** garde un pluriel en *s*.

*Séparez délicatement les cor**ails** de la noix.*

Lorsqu'il est apposé au nom *train*, il reste au singulier si *train* est au pluriel.

Les trains corail ne partent pas de la même gare que les TGV.

- On utilise la forme avec le *s* du pluriel dans les noms composés avec ***bail***.

*Les échéances des crédits-**bails** sont généralement payées d'avance.*
*des cessions-**bails***

- Lorsque ***travail*** désigne un dispositif pour immobiliser un animal, il a un pluriel en *s*.

*On utilise des **travails** pour faciliter le ferrage des chevaux.*

Le nom composé *sans-travail*, synonyme de *sans-emploi*, est lui invariable.

*L'association s'occupe des sans-**travail** et des sans-papiers.*

QUI L'EÛT cru

En jonglant avec les mots, on dira, licitement : « Les convives dégustaient du *porto* non loin des *portails* du domaine. » En revanche, on hésitera peut-être à dire, bien que ce soit acceptable (mais c'est un pluriel d'*ail* qui est vieilli) : « Le kinésithérapeute tressait des *aulx* » (prononcé comme *eau*... ou *os*, ce qui pourrait entraîner des méprises !). Aujourd'hui, on dit, généralement : « des *ails* ».

SITÔT LU
sitôt su

Seuls les noms et adjectifs se terminant par -*eau* peuvent avoir un pluriel en -*eaux*. Il ne faut donc jamais mettre de *e* devant -*aux* pluriel de -*ail*.

un corail → des coraux (et non ~~*des coreaux*~~)

Pluriel en *x* ou en *s* ?

Il faut savoir dans quel cas les noms et adjectifs en *-au, -eau, -eu* et *-ou* font leur pluriel en *x* et dans quels cas ils font leur pluriel en *s*.

PLURIEL EN X

• La plupart des noms et adjectifs qui se terminent au singulier par ***-au, -eau*** ou ***-eu*** prennent un ***x*** au pluriel.

*des noyau**x** d'olive*
*de beau**x** château**x***
*des termes hébreu**x***

Voir les exceptions ci-dessous.

• Seuls **sept noms** en ***-ou*** font leur pluriel en ***x***. Il faut les connaître.

*des bijou**x*** *des caillou**x***
*des chou**x*** *des genou**x***
*des hibou**x*** *des joujou**x*** *des pou**x***

Pour *tripou* (charcuterie aveyronnaise) et *ripou* (verlan de *pourri*), l'usage est hésitant : on trouve *des **tripoux*** ou *des **tripous**, des **ripoux*** ou *des **ripous***.

QUI L'EÛT *cru*

L'ultime dictée de finale des Dicos d'or (janvier 2005) l'a montré : le mot *saindoux* n'est plus connu des jeunes. Cela prouve que cette graisse de porc fondue dont en enduisait les tartines du quatre-heures ou du petit déjeuner a bien disparu des pratiques alimentaires. Rappelons donc que ce mot a été forgé sur *sain*, « graisse », et sur *doux*. Il n'y a aucune question à se poser quant au pluriel : la terminaison demeure en *x* !

PLURIEL EN *S*

• Les noms et les adjectifs qui se terminent au singulier par ***-ou*** prennent un ***s*** au pluriel (sauf les sept noms mentionnés ci-dessus).

*un sachet de clou**s** et un paquet d'écrou**s***
*des sujets tabou**s***

• Deux noms en ***-au*** ont un pluriel en ***s*** : *des **sarraus*** et *des **landaus*** (*landau* vient du nom d'une ville allemande : *Landau*).

• Les noms ***émeu, lieu*** (poisson), et ***pneu*** ainsi que les adjectifs ***feu*** (« défunt ») et ***bleu*** (employé également comme nom) ont eux aussi un pluriel en ***s***.

*Les émeu**s** vivent en Australie.*
*Après sa chute, son bras était couvert de bleu**s**.*

• Pour les noms en *-eau*, pas d'hésitation à avoir : il n'y a aucune exception et, parmi les noms qui se terminent par *u*, ce sont de très loin les plus nombreux !

• Si un nom en [u], autre que les sept noms de la liste des pluriels en *-oux*, s'écrit avec *x* au pluriel, il s'écrit également avec *x* au singulier.

du saindoux, un Sioux, du houx

SITÔT LU
sitôt su

Le pluriel des mots composés

Pour les mots composés, il faut savoir quels sont les composants* qui prennent la marque du pluriel.

SELON LA NATURE

- Dans les mots composés, les **adjectifs** et les **noms** peuvent être au pluriel.
  *des **rouges-gorges**, des **arcs**-en-ciel*
- Les **adverbes** et les **prépositions** sont des mots invariables : ils ne prennent jamais de marque de pluriel.
  *des **avant**-postes, des **contre**-exemples*
  Il en va de même pour les **éléments***, qui sont toujours en composition et ne varient jamais.
  *des grossesses **extra**-utérines, des **micro**-ordinateurs*
- Les **verbes** sont toujours invariables dans les mots composés.
  *des **pare**-chocs, des **tire**-bouchons, des **passe**-partout*
- Les mots composés formés d'**onomatopées** sont généralement invariables.
  *les **tic**-**tac** de l'horloge, des **tchin-tchin***

QUI L'EÛT *cru*

Le pluriel d'*avant-centre* (football, principalement) n'est pas « avant-centres », mais : *avants-centres* parce que le mot composé ne désigne pas des joueurs qui seraient, sur le terrain, « avant », c'est-à-dire devant, les autres membres de la ligne d'attaque, mais parce qu'ils sont à la fois des *avants* et des *centres*.

SELON LE SENS

Le plus souvent, on peut analyser le **sens** du mot pour voir quels sont les termes qui se mettent au pluriel.

*des **timbres**-poste* (= des ***timbres*** pour la ***poste***)

Mais l'analyse n'est pas toujours possible ou elle donne lieu à plusieurs interprétations, notamment dans les composés du type verbe + nom (*des rince-bouche,* qui rincent la bouche, ou *des rince-bouches,* qui rincent les bouches ?). Le problème du *s* se pose d'ailleurs au singulier (*un essuie-main* ou *un essuie-mains* ?) et les divergences entre les dictionnaires ne sont pas rares. Dans ce cas, les *Rectifications de l'orthographe* proposent de réserver la marque du pluriel uniquement à l'emploi au pluriel du mot [voir p. 178].

SITÔT LU
sitôt su

Retenez les sept mots composés suivants : bien qu'ils soient soudés*, chacun des composants prend la marque du pluriel.

un bonhomme, des bonshommes
madame, mesdames
monsieur, messieurs
un gentilhomme, des gentilshommes
mademoiselle, mesdemoiselles
lequel, lesquels ; laquelle, lesquelles

Le pluriel des emprunts

Le pluriel ne se marque pas toujours par un *s* dans les autres langues. Cela peut poser des problèmes pour les mots empruntés.

PLURIELS FRANCISÉS

• Lorsqu'un emprunt désigne un objet, une réalité qui fait partie de notre mode de vie, de notre civilisation, il fait le plus souvent partie intégrante de la langue française. Son pluriel suit alors les règles de formation propres au français (généralement marqué par un **s**) [voir p. 179].

*des anorak**s**, des yaourt**s**, des agenda**s**, des interview**s***

Ainsi, les noms se terminant par *s, x* ou *z* au singulier gardent la même forme au pluriel et au singulier.

des cursus, des box, des merguez

• Pour les termes qui désignent des réalités propres au pays dont la langue a fourni l'emprunt, le pluriel n'est pas toujours francisé.

les fedayin (résistants palestiniens, afghans...)

QUI L'EÛT *cru*

L'enseignement d'une langue est facilité par la disparition d'incohérences, d'illogismes et d'exceptions. Cette simplification passe, entre autres, par la « francisation » de mots pris à d'autres langues. Des pluriels étrangers deviennent donc des singuliers français... qui, au pluriel, suivent les normes du français. On n'est plus choqué de voir *un spaghetti*, puisque tout le monde écrit *des spaghettis*.

DOUBLES PLURIELS

Bien que le pluriel francisé soit toujours possible, on peut trouver le pluriel d'origine pour certains noms.

• C'est en particulier le cas des noms **anglais** :

➤ se terminant par ***y*** (prononcé [i]) et qui ont un pluriel anglais en *-ies* ;

un whisky, des whiskys (ou *des whiskies*)

➤ se terminant par ***x***, ***sh*** ou ***ch*** et qui ont un pluriel anglais en *-es* ;

un sandwich, des sandwichs (ou *des sandwiches*)

➤ composés avec ***man*** et qui ont un pluriel en *men*.

un tennisman, des tennismans (ou *des tennismen*)

• C'est également le cas de ***leitmotiv*** et ***lied***, empruntés à l'allemand.

des leitmotiv (ou *des leitmotive*), *des lieds* (ou *des lieder*)

Lorsqu'on a le choix entre les deux pluriels, on choisit soit le pluriel français, soit le pluriel d'origine, mais on ne mélange pas les deux formes. Pour plus de sûreté, il vaut mieux choisir le pluriel français.

des jazzmans ou *des jazzmen* (mais non *des j~~azzmens~~*)

SITÔT LU *sitôt su*

Le pluriel des noms propres

Les noms propres sont parfois employés au pluriel. Selon les cas, ils prennent ou non les marques du pluriel.

PLURIEL INVARIABLE

On laisse invariables :

➤ les noms de **famille** ;

*Les **Martin** sont nos voisins.*

➤ les **titres** d'œuvres, de journaux... ;

*Nous avons plusieurs **Larousse** à la maison.*

➤ les noms des artistes quand ils sont employés pour désigner leurs **œuvres** ;

*Le musée expose des **Picasso**.*

➤ les noms de **marques** quand ils désignent les produits.

*Ils ont toujours acheté des **Peugeot**.*

QUI L'EÛT *cru*

En anglais, les noms de famille prennent la marque du pluriel mais dans un texte en français ces patronymes doivent respecter les règles de notre langue, à savoir l'invariabilité. On doit donc écrire : « Les Rockefeller ne savent plus très bien de combien de milliards ils disposent ! » (et non « Les Rockefellers... »). Attention : le nom propre en question (celui d'une richissime famille d'industriels américains ; le fondateur a distribué une partie de sa fortune à des institutions...) comporte bien un *e* central.

PLURIEL MARQUÉ

• Prennent les marques du pluriel :

➤ les noms français ou francisés des grandes **dynasties** ou de familles célèbres ;

*les Bourbon**s**, les Stuart**s***

➤ les noms de pays, de régions, etc., qui correspondent à des **entités politiques** différentes.

*la réunification des deux Allemagne**s***

• Lorsqu'un nom de personne désigne non pas la personne qui porte ce nom, mais le type de personne qu'elle représente, la marque du pluriel est régulière. Cependant on observe parfois l'invariabilité.

*Il nous faudrait d'autres Ghandi**s** pour que la paix règne.* (ou *d'autres Ghandi*)

• Certains noms de lieux ne s'emploient qu'au **pluriel**.

les Pyrénées, les Alpes, les Bouches-du-Rhône, les Açores

SITÔT LU
sitôt su

Lorsque les noms propres deviennent des noms communs (ils s'écrivent alors sans majuscule), ils suivent la règle appliquée aux noms communs : ils doivent donc prendre la marque du pluriel s'ils sont employés au pluriel.

J'ai acheté deux camemberts.

Ce sont de véritables harpagons.

La formation des adverbes

De nombreux adverbes sont formés avec le suffixe *-ment* à partir d'adjectifs. Leur formation répond à quelques règles.

RÈGLE GÉNÉRALE

- On forme le plus souvent les adverbes en ***-ment*** à partir du **féminin** de l'adjectif.
  *amer, amère → amère**ment***
  *nouveau, nouvelle → nouvelle**ment***
  *grand, grande → grande**ment***

- Si l'adjectif se termine par *e,* il a la même forme au masculin qu'au féminin : le suffixe s'ajoute après le *e.*
  *ordinaire → ordinaire**ment***

- Si l'adjectif se termine par *ai, é, i* ou *u,* l'adverbe se forme sur le masculin.
  *vrai → vrai**ment** ; effronté → effronté**men**t ; hardi → hardi**ment** ; résolu → résolu**ment***

Certains adverbes ont en plus un accent circonflexe sur le *u (assidûment, crûment...).* Les *Rectifications de l'orthographe* proposent d'écrire ces adverbes sans l'accent [voir p. 177].

QUI L'EÛT *cru*

Les adverbes en *-ment* – naturellement – n'ont pas à être exclus de la langue, que ce soit dans les livres ou bien dans les articles de presse. Toutefois, il est recommandé de ne pas en faire une consommation excessive, qui alourdirait les phrases. En presse, les mots longs contribuent à « chasser » le texte, c'est-à-dire à « faire long », à occuper de l'espace, ce qui n'est pas souhaitable puisque cela peut contribuer à occulter, en conséquence, des éléments d'information.

CAS PARTICULIERS

- Pour certains adverbes, l'ajout du suffixe *-ment* s'accompagne d'un **accent** sur le *e.* C'est le cas de :

*aveugl**é**ment* *commod**é**ment* *commun**é**ment* *conform**é**ment*
*confus**é**ment* *énorm**é**ment* *express**é**ment* *immens**é**ment*
*impun**é**ment* *intens**é**ment* *obscur**é**ment* *opportun**é**ment*
*précis**é**ment* *profond**é**ment* *profus**é**ment* *uniform**é**ment*

- Les adjectifs qui se terminent par ***-ant*** ou ***-ent*** ont des adverbes dérivés en ***-amment*** ou ***-emment*** [voir p. 122].
  *méchant → méch**amment***
  *patient → pati**emment***

SITÔT LU *sitôt su*

On met toujours un seul *m* aux adverbes qui ne se terminent pas par [amɑ̃]**, et il n'y a aucune exception à ce principe.**
gaillardement, rapidement, immensément, gentiment, éperdument

Les adverbes en [amɑ̃] : *a* ou *e* ?

La formation des adverbes qui se terminent par [amɑ̃] répond à des règles précises qu'il faut connaître pour les écrire correctement.

QUELS ADJECTIFS ?

• Les adverbes en [amɑ̃] sont formés sur des adjectifs qui se terminent par ***-ant*** ou ***-ent*** et qui, contrairement aux autres adjectifs, ne forment pas leur adverbe sur le féminin [voir p. 121].

doux, douce → doucement
*cons**tant** → cons**tamment***
*pati**ent** → pati**emment***

QUI L'EÛT *cru*

Pour retenir l'orthographe en *-amment* de *notamment* et de *précipitamment*, on peut, c'est un « truc », une « ficelle », penser au *a* de *notation* et à celui de *précipitation*. Quant à *nuitamment*, il faut songer au *a* de *tard*, par exemple : si l'on rentre très tard, ce peut être nuitamment, bien après minuit !

• On écrit avec ***a*** les adverbes qui dérivent d'adjectifs en ***-ant*** et avec ***e*** ceux qui dérivent d'adjectifs en ***-ent***.

*suffis**a**nt*	*abond**a**nt*	*réc**e**nt*	*fréqu**e**nt*
*suffis**a**mment*	*abond**a**mment*	*réc**e**mment*	*fréqu**e**mment*

Pour savoir comment s'écrit l'adjectif, voir p. 106.

CAS PARTICULIERS

• Les adjectifs *présent* et *véhément* forment leur adverbe sur leur féminin : *présentement* et *véhémentement.* C'est aussi le cas de *lent (→ lentement),* dans lequel *-ent* n'est pas un suffixe*, mais fait partie du radical*.

• *Notamment* et *précipitamment* sont formés à partir des participes présents (en *-ant,* donc) de *noter* et *précipiter* et qui n'ont pas d'emploi en tant qu'adjectifs.

• *Nuitamment* ne dérive pas non plus d'un adjectif français, mais de l'ancien adverbe *nuitantre,* qui s'est transformé en *nuitante,* puis *nuitamment* par analogie avec les autres adverbes *en -amment.*

SITÔT LU
sitôt su

• *Sciemment* est formé sur un adjectif qui n'est plus employé aujourd'hui, mais il appartient à la même famille que *conscient, consciemment* et même *science.* Pensez-y pour vous rappeler qu'il s'écrit avec *e.*

• Quant au nombre de *m,* aucune hésitation à avoir : les adverbes qui se terminent par [amɑ̃] s'écrivent toujours avec *mm* (sinon, *e* ne pourrait pas se prononcer [a]).

Donneurs et receveurs

Lorsqu'il y a accord dans une phrase, dans une proposition, dans un groupe, cela veut dire qu'un mot (le receveur) prend une forme particulière en fonction d'un autre mot (le donneur).

LE DONNEUR

- Le **donneur** est le mot dont le genre, le nombre et parfois la personne **commandent** la forme d'un autre mot qui lui est rattaché.

  trois ***enfants*** *endormis au saloir* (le donneur *enfants* donne ses marques de genre, masculin, et de nombre, pluriel, à *endormis*)

- Le plus souvent, le donneur est un **nom** ou un **pronom**.

  Ils *s'étaient perdus en allant glaner dans les* ***champs*** *avoisinants.*

Lorsque plusieurs donneurs sont **coordonnés**, il faut déterminer le genre, le nombre et la personne de **l'ensemble** des donneurs [voir p. 124 et 125].

Saint Nicolas ne voulait ni du ***jambon*** *ni de la* ***saucisse*** *proposés par le boucher.*

QUI L'EÛT cru

La logique, fort heureusement, est de bon conseil en orthographe et en grammaire. *Sentinelle*, nom féminin, désigne, généralement, un homme, le plus souvent un militaire de sexe masculin. Néanmoins, on n'écrit pas : « Cette sentinelle est fort barbu ! » Non, l'accord doit se faire sur le genre grammatical du donneur : « Cette sentinelle est fort barbue ! ».

LE RECEVEUR

- Le **receveur** est le mot qui reçoit, selon les cas, les marques de genre, de nombre et de personne du mot auquel il est rattaché.

  trois enfants ***endormis*** *au saloir* (le receveur *endormis* prend ses marques de genre, masculin, et de nombre, pluriel, du nom auquel il se rapporte : *enfants*)

- Les receveurs sont les adjectifs (auxquels on joint les participes passés), les déterminants et les verbes.

  « Nous ***avons*** *bien* ***dormi*** *»,* ***déclarèrent les jeunes*** *garçons.*

La forme d'un pronom peut, elle aussi, dépendre de son antécédent, mais ce n'est pas toujours le cas [voir *Toute la grammaire,* p. 59 et 60].

Les garçons sont perdus. ***Ils*** *vont chez le boucher.* (*ils* au masculin pluriel comme *enfants*)
Parmi les garçons, ***l'un*** *est blond,* ***l'autre*** *brun.* (*l'un* et *l'autre* sont au masculin comme *garçons,* mais ils sont au singulier)

Deux règles simples à retenir qui permettent d'éviter plus de 90 % des fautes d'orthographe grammaticale :
➤ le verbe s'accorde en nombre et en personne avec son sujet ;
➤ l'adjectif s'accorde en genre et en nombre avec le nom ou le pronom auquel il se rapporte.

SITÔT LU *sitôt su*

Les accords avec *et*

Lorsque plusieurs donneurs sont juxtaposés ou coordonnés par *et*, il faut savoir quelles seront les marques de nombre, de genre et de personne que prendront les receveurs.

NOMBRE ET GENRE

- Que les membres coordonnés soient au singulier ou au pluriel, le receveur se met au **pluriel**.

  *La paille **et** le bois **sont** plus **fragiles** que la brique.* (*sont* et *fragiles* sont au pluriel)

Cependant, si le 2e terme désigne la même chose ou le même être que le 1er terme, le receveur prend les marques du 1er donneur (et reste donc au singulier si ce donneur est au singulier).

*Le plus courageux des trois frères, **et** aussi le plus malin, **reste vigilant**.*

- Si les termes coordonnés sont du même genre, le receveur prend les marques de ce genre. S'ils sont de **genre différent** (il y en a donc au moins un au masculin), le receveur se met au **masculin**.

  *La brique et la tuile qu'il a **utilisées** sont très **résistantes**.* (féminin + féminin → féminin)

  *Les parpaings et les tuiles qu'il a **utilisés** sont **résistants**.* (masculin + féminin → masculin)

QUI L'EÛT *cru*

Comme toujours, le bon sens doit entraîner les accords grammaticaux. Si l'on commande : « Une orangeade et un citron pressé ! », il va de soi que seul le citron sera pressé, puisque l'orangeade est déjà un liquide. Certes, il peut y avoir un cas où l'accord se ferait au pluriel : celui où, par « pressés », on voudrait signifier « urgents »... mais dans ce cas on servirait une orangeade et un... citron entier !

PERSONNE

La question de la personne ne concerne que les pronoms personnels puisque ce sont les seuls donneurs pouvant être de personne différente. Si le groupe sujet contient un pronom de la 1re personne, le verbe est à la 1re personne *(nous)*. S'il contient un pronom de la 2e personne sans contenir de pronom de la 1re personne, il est à la 2e personne *(vous)*. Dans tous les cas, le verbe est au pluriel.

Ton frère (3e) *et toi* (2e) *n'**avez*** (2e) *pas construit une maison assez solide.*

Dans les autres cas, le verbe est toujours à la 3e personne.

*Les trois petits cochons et le loup ne **sont** pas vraiment amis.*

SITÔT LU *sitôt su*

On peut aussi retenir la règle suivante : le verbe se met au pluriel et à la plus « petite » des personnes contenue dans le groupe sujet.

Vous (2e) *et moi* (1re) *n'avons* (1re) *pas peur du loup.*

Les accords avec *ni* et *ou*

Lorsque plusieurs donneurs sont coordonnés par *ni* ou par *ou*, il faut savoir quelles seront les marques de genre, de nombre et de personne que prendront les receveurs.

GENRE ET NOMBRE

• Si les termes coordonnés sont du même genre, les receveurs prennent les marques de ce genre. S'ils sont de **genre différent** (il y en a donc au moins un au masculin), les receveurs se mettent au **masculin**.

Un indice ou deux seraient suffisants.

*Ni le commissaire ni sa secrétaire n'avaient été **prévenus*** (attribut au masculin).

> **QUI L'EÛT cru**
>
> La ponctuation peut influencer l'accord. S'il n'y a pas d'incise entre tirets, par exemple, l'accord se fera au pluriel dans : « Pierre ou Paul viendront à la réunion » (car il n'y a pas forcément exclusion). En revanche, s'il y a des tirets, l'accord au singulier est adopté : « Pierre – ou Paul – viendra à la réunion » (sous-entendu, c'est l'un d'entre eux qui viendra faire un rapport, qui viendra s'exprimer au nom d'un collectif...).

• Si l'un des membres est au **pluriel**, les receveurs prennent les marques du **pluriel**.

*Ni les empreintes ni le cheveu qu'il a **retrouvés** ne lui **ont** permis de trouver l'assassin.*

• Lorsque les membres coordonnés sont au **singulier**, les receveurs ne restent au singulier que si l'on veut indiquer qu'il y a **exclusion** entre les deux termes coordonnés.

*Il ne reste que deux suspects : sa voisine ou son neveu **sera reconnu coupable**.*

S'il n'y a pas exclusion, les receveurs sont au **pluriel**.

***Seront considérés** comme **nuls** toute déclaration ou tout témoignage qui n'**auront** pas été **enregistrés** dans les règles.*

PERSONNE

S'il n'y a pas exclusion entre les sujets, on applique la même règle qu'en cas de coordination avec *et* : le verbe se met à **la plus petite** des personnes [voir p. 124].

*Est-ce que vous (2e) ou votre mari (3e) **avez** (2e) entendu un bruit suspect ?*

Si les sujets s'excluent (un seul peut faire l'action exprimée par le verbe), le verbe est à la **3e personne**. La 2e personne est admise si les sujets sont à la 2e et 3e personne.

*Toi ou moi **sera** le premier averti.*

*C'est toi ou le commissaire qui **sera** le premier averti.* (ou *qui seras*)

Le cas de l'exclusion est assez rare, car les phrases sont généralement tournées autrement. On peut donc retenir que lorsque des donneurs sont coordonnés par *ou* et *ni*, les accords se font le plus souvent au pluriel.

SITÔT LU
sitôt su

Le donneur singulier ou pluriel ?

Lorsqu'un donneur est constitué d'un nom collectif (nom singulier qui exprime un pluriel) complété par un nom au pluriel, il peut y avoir hésitation sur les marques des receveurs. Le même problème se pose lorsque le donneur est introduit par une locution déterminative.

NOM COLLECTIF

- Si le nom collectif est employé **seul** au singulier, les receveurs prennent les marques du **singulier**.

  La foule ***restait immobile*** *devant le spectacle.* (verbe et attribut au singulier)

- Si le nom collectif est accompagné de son complément, le verbe se met au singulier ou au pluriel selon **le sens**.

  Le tas de cailloux ***était*** *tout juste* ***entamé****.* (c'est le tas qui est entamé)

  Une foule de questions lui ***venaient*** *à l'esprit.* (ce sont les questions qui viennent à l'esprit)

On a souvent le choix selon que l'on veut insister sur l'un ou l'autre élément et que cela n'est pas contraire à la logique.

Une meute de chiens ***avaient*** *été* ***lâchés*** (ou ***avait*** *été* ***lâchée***).

QUI L'EÛT *cru*

De nombreuses erreurs sont commises, notamment, avec le mot *couple*, et l'on voit quantité de phrases du type : « Le couple est venu en vacances avec leurs enfants. » Eh bien ! non : *couple* est un mot singulier, et entraîne un accord régulier, au singulier : « avec ses enfants ». L'accord au pluriel en ce cas est, lui, plus que... singulier : il est fautif !

LOCUTIONS DÉTERMINATIVES

Lorsqu'un nom est déterminé par une locution* telle que *la plupart, beaucoup de, bien des, peu de, assez de, trop de, tant de, combien de,* les receveurs sont du même nombre que ce nom.

Beaucoup de persévérance ***sera nécessaire*** *pour réussir.* (verbe et attribut au singulier comme *persévérance*)

La plupart des questions que nous avons ***abordées seront notées*** *dans le rapport.*

Les locutions peuvent s'employer sans complément s'il s'agit d'un nom au pluriel. Les accords se font alors au pluriel.

Les candidats étaient nombreux. La plupart ***ont*** *été* ***reçus****.*

SITÔT LU *sitôt su*

L'accord se fera toujours avec le complément :

➤ **si le nom collectif est pris au sens figuré ;**

Il ne reste qu'une poignée de rhinocéros qui ***vivent*** *dans des réserves.*

➤ **si le nom collectif est employé sans déterminant*.**

Bon nombre d'internautes ***sont connectés*** *en début de soirée.*

Le donneur exprimant un nombre

Lorsqu'un groupe est constitué d'un nom exprimant un nombre suivi d'un complément, il faut savoir quel est le donneur : le nom de nombre ou le nom complément.

QUELS NOMS ?

Les noms qui expriment une quantité nombrable et qui peuvent être suivis d'un complément sont :

- les **collectifs* numéraux** tels que *dizaine, cinquantaine, centaine,* etc., ainsi que *millier, million* et *milliard* qui sont toujours suivis de noms au pluriel ;

  *une **centaine** d'amis ; six **douzaines** d'œufs*

  *un **million** de visiteurs ; trois **milliers** d'abonnés*

- les **fractions** ;

  *la **moitié** de la population ; le **tiers** des personnes interrogées*

- les **pourcentages**.

  ***un pour cent** des ventes ; **quatre-vingts pour cent** de la population*

QUI L'EÛT *cru*

Derrière des termes tels que *nombre, quantité, légion*... employés sans déterminant et précédant forcément un complément de nom pluriel, les receveurs qui suivent se mettent au pluriel : « Nombre d'Écossais sont des rouquins ! » Quant à savoir s'ils consomment exclusivement de la bière rousse, c'est autre chose !

QUEL EST LE DONNEUR ?

- Lorsqu'ils indiquent une **quantité précise**, ces noms sont donneurs.

  *Une douzaine d'huîtres **coûte** 3 €. 1,5 % des ventes **est réalisé** à l'étranger.*

  *Quatre cinquièmes de la population **sont favorables** à la nouvelle mesure.*

- Dans les autres cas, il faut se demander si l'accent est mis sur l'ensemble ou sur ce qui compose l'ensemble. On a d'ailleurs souvent le choix.

  *La moitié des récoltes **est perdue**. Les trois quarts de mon temps **sont consacrés** à cela.*

  *Une quinzaine de policiers se **sont mobilisés**. Les deux tiers des maisons **sont détruites**.*

  *Une dizaine de jours **suffira**.* (ou ***suffiront***)

- Avec ***million, millier*** et ***milliard,*** le donneur est toujours le nom complément.

  *Un million de visiteurs **sont accueillis** chaque année dans notre musée.*

Avec *plus d'un,* les receveurs restent au singulier (*un* et singulier vont ensemble), mais avec *moins de deux,* ils se mettent au pluriel (*deux* et pluriel vont ensemble).

*Plus d'une minute **sera nécessaire** pour répondre à la question.*

*Moins de deux semaines **seront nécessaires** pour répondre.*

SITÔT LU *sitôt su*

L'accord de l'adjectif

Dans quelques cas, l'accord de l'adjectif peut être source d'hésitation.

RÈGLE GÉNÉRALE

L'adjectif s'accorde en **genre** et en **nombre** avec le nom ou le pronom* auquel il se rapporte. Cela concerne :

➤ les différentes classes d'adjectifs : adjectifs **qualificatifs**, adjectifs **verbaux**, adjectifs **indéfinis** ;

*une **jolie** rose* (qualificatif)
*deux **autres** rencontres* (indéfini)
*un renard **errant apprivoisé*** (verbal)

➤ les différentes fonctions de l'adjectif : **épithète***, **épithète détachée**, **attribut***.

***Seule** sur sa planète, la **jolie** rose est tout de même un peu **vaniteuse**.*
épithète détachée — épithète — attribut

QUI L'EÛT cru

Sauf à vouloir faire de l'humour, on n'utilise pas un adjectif commun pour des éléments de nature différente : « Elle avait la voix et un chapeau pointus. » Grammaticalement, l'accord se défend, certes, mais on ne saurait cautionner une telle formulation.

CAS PARTICULIERS

• Si l'adjectif se rapporte à plusieurs noms ou pronoms coordonnés, il se met généralement au **pluriel** et au **masculin** si l'un des termes est masculin [voir p. 124 et 125].

*La dernière planète et le dernier astéroïde **visités** par le petit prince sont très **éloignés**.*

• Les adjectifs de **couleur** s'accordent s'il s'agit bien d'adjectifs et non de noms exprimant une couleur [voir p. 129].

*Les roses **rouges** portent des épines sur leurs tiges **marron**.*

• Lorsque deux adjectifs **coordonnés** se rapportent à un nom au pluriel, ils peuvent chacun se mettre au singulier si le sens l'exige.

*Connaissez-vous les grands-pères **paternel** et **maternel** du petit prince ?*

• Lorsqu'un adjectif est dans un **groupe* nominal** composé d'un nom lui-même complété par un autre nom, il faut se demander quel sera le donneur*.

*les graines de baobab **géant*** (c'est le baobab qui est géant)
*les graines de baobab **germées*** (ce sont les graines qui sont germées)

C'est le cas pour les noms collectifs et les noms exprimant un nombre [voir p. 126 et 127].

SITÔT LU
sitôt su

Pour vous assurer que vous avez bien écrit un adjectif, il faut d'abord vérifier que vous avez bien repéré le donneur.

L'accord de l'adjectif de couleur

Les mots employés pour désigner les couleurs présentent des particularités quant à leur accord.

IL Y A ACCORD

• Lorsque la couleur est exprimée à l'aide d'un **seul adjectif**, cet adjectif **s'accorde** en genre et en nombre avec le nom qu'il qualifie.

*Les Schtroumpfs ont la peau **bleue** et portent des pantalons **blancs**.*

*l'écharpe **violette** de la Schtroumpfette*

• Bien que désignant des plantes, les noms *rose* et *mauve* s'accordent lorsqu'ils sont employés comme adjectifs.

*La Schtroumpfette a mis des rubans **roses** dans ses cheveux.*

QUI L'EÛT *cru*

Les maillots des joueurs de l'AS Monaco, sauf celui du gardien de but, sont rouge et blanc. Les deux adjectifs de couleur restent au singulier car il s'agit d'une ellipse pour parler de maillots comportant « du rouge et du blanc ». Les footballeurs de cette équipe n'arborent pas des « maillots rouges et blancs », c'est-à-dire, pour les uns, des maillots totalement rouges, tandis que les autres auraient de beaux maillots entièrement blancs !

IL N'Y A PAS ACCORD

• Lorsqu'un **nom** désignant une plante, un animal, une pierre, un métal... est employé comme adjectif de couleur, il ne s'accorde pas.

*La Schtroumpfette aurait aimé avoir les lèvres **carmin**.*

*S'ils déteignent, les habits du Grand Schtroumpf pourraient devenir **orange**.*

Le cas se produit, entre autres, pour les noms suivants :

acier, anthracite, argent, bistre, bouteille, brique, canari, carmin, carotte, cerise, chocolat, citron, crème, émeraude, garance, grenat, groseille, indigo, jonquille, lilas, marron, noisette, orange, paille, parme, pastel, pervenche, platine, rouille, sable, sépia, turquoise, vermillon...

• Si on utilise **plusieurs termes** pour une couleur, aucun des termes ne s'accorde.

*Les Schtroumpfs ont la peau **bleu clair** et non pas **vert bouteille**.*

*Les Schtroumpfs n'ont pas de cheveux : ils ne risquent pas de devenir **poivre et sel** !*

On ne met un trait d'union que si les deux termes sont deux adjectifs de couleur.

*La potion magique avait une couleur **jaune-vert**.*

On peut se rappeler que l'accord ne se fait pas en pensant à *marron* : on ne dira jamais ~~des chaussures marronnes~~ (il n'y a pas d'accord au féminin, il n'y en a donc pas non plus au pluriel).

*les poils **marron** du chat Azraël*

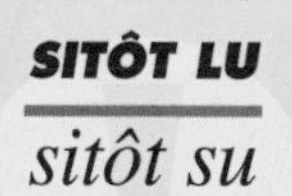

L'accord de l'adjectif employé comme adverbe

Lorsque l'adjectif est employé avec une valeur d'adverbe, il s'accorde dans certains cas, mais pas dans d'autres.

IL Y A ACCORD

- L'adjectif a une valeur d'adverbe quand il se rapporte à un autre adjectif ou à un participe passé qu'il précède. Ce cas se présente dans quelques **locutions* figées** telles que *fou furieux, fou amoureux, frais éclos, ivre (raide) mort, grand (large) ouvert.*

  *Elmer n'a qu'une obsession : voir un jour Bugs Bunny **raide** mort.*

QUI L'EÛT *cru*

Des adjectifs peuvent entrer en tant qu'adverbes dans des noms composés. Des *haut-parleurs* ne sont pas forcément des engins hauts de taille : en réalité, ils sont destinés à s'adresser à des foules, sur de grands espaces. Il est donc nécessaire que l'on puisse, par leur intermédiaire parler fort, parler « haut » ! Ici, *haut* est bien un adjectif employé comme adverbe, il est normal qu'il reste invariable.

- Dans ce cas, l'adjectif **s'accorde** le plus souvent.

  *Tous les chasseurs sont devenus **fous** furieux car ils n'ont jamais eu la peau du lapin.*

Mais on laisse invariables *fin* dans la locution *fin prêt* et *nouveau* dans le nom composé *nouveau-né.*

*Les carottes de Bugs Bunny sont **fin** prêtes : il peut passer à table.*
*Elmer ne supporterait pas que Bugs Bunny lui annonce l'arrivée de **nouveau**-nés.*

IL N'Y A PAS D'ACCORD

Certains adjectifs s'emploient également comme adverbe pour modifier le sens d'un verbe. Dans ce cas, l'adjectif est **invariable**.

*Il demanda tout **bas** : « Quoi de neuf docteur ? »*
*Ces carottes coûtent trop **cher** ! En plus, elles ne sentent pas **bon** !*

Cet emploi est réservé à quelques adjectifs dont les plus fréquents sont :

bas	*bon*	*cher*	*clair*	*court*	*droit*	*dru*
dur	*faux*	*fort*	*franc*	*haut*	*juste*	*net*

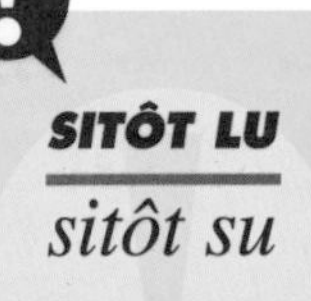

SITÔT LU
sitôt su

C'est au pluriel que la question se pose le plus souvent car la différence entre singulier et pluriel ne se fait pas entendre. Pour s'assurer que l'adjectif ne s'accorde pas, on vérifie que le féminin n'est pas possible.

*Ils ne sentent pas **bon**.* (on ne dirait pas ~~*elles ne sentent pas bonnes*~~ : il n'y a pas d'accord au féminin, il n'y en a donc pas non plus au pluriel)

L'accord du nom employé comme adjectif

Lorsqu'un nom suit directement un autre nom au pluriel, on peut se demander s'il doit s'écrire au singulier ou au pluriel.

L'ANALYSE

Deux cas peuvent se présenter :

- Le 2e nom est **apposé** au premier : on pourrait le traduire par un attribut ;
  un cas type (= un cas qui est un type)
  un apprenti boulanger (= un apprenti qui est boulanger)

- Le 2e nom est un **complément** du premier, mais la préposition n'est pas exprimée ou il y a ellipse*.
  un modèle standard (= un modèle de standard)
  une cassette vidéo (= une cassette pour la vidéo)
  une tarte maison (= une tarte faite à la maison)

QUI L'EÛT cru

Des *grands-parents gâteau* : on laisse le mot *gâteau* invariable, mais il est vrai que dans les bureaux de correcteurs où l'on débat avec passion du moindre point d'orthographe et de grammaire, les discussions à ce sujet furent serrées. L'opinion qui l'emporte est tout de même que ces parents sont du nanan, du sucre, du miel, du... gâteau, et non que chacun pourrait être assimilé à un gâteau...

ACCORD AU PLURIEL ?

- Dans le cas de l'**apposition**, l'**accord** se fait le plus souvent. Le deuxième nom est donc au pluriel si le premier l'est.
  des cas ***types****, des apprentis* ***boulangers***

- Dans le cas du nom **complément**, c'est le **sens** qui détermine le nombre. Le plus souvent le 2e nom reste au singulier.
  des cassettes ***vidéo*** (= des cassettes pour la vidéo)
  des chaussures ***bateau*** (= des chaussures qui ont la forme d'un bateau)

Dans certains cas, le 2e nom est toujours au pluriel.
une finale ***dames*** (= une finale pour les dames, les femmes), *des finales* ***dames***
un espace ***non-fumeurs*** (= pour les non-fumeurs), *des espaces* ***non-fumeurs***

Lorsqu'on peut mettre « qui sont » entre les deux noms, c'est que le 2e nom est apposé. Dans ce cas, il prend toujours les marques du pluriel. Sinon, le 2e nom s'écrit le plus souvent au singulier.
des apprentis boulangers (= des apprentis **qui sont** des boulangers)
des tartes maison (ce n'est pas l'équivalent de *des tartes qui sont des maisons*, il ne s'agit donc pas d'une apposition)

SITÔT LU
sitôt su

L'accord des formes en -*ant*

Il faut savoir dans quel cas les mots se terminant par -*ant* et se rapportant à un nom s'accordent.

IL Y A ACCORD

- L'**adjectif verbal** en -*ant*, formé sur le participe présent d'un verbe, est **variable** : il prend donc les marques de genre et de nombre de son donneur.

  Les personnes ***médisantes*** *lui ont fermé la porte au nez ; l'hôtesse* ***accueillante*** *lui a offert quatre bouts de pain.*

QUI L'EÛT *cru*

« Cette soi-disant cantatrice de haute volée est tout juste bonne à chanter des bluettes ! » Oui : *soi-disant*, et non « soi(t)-disante », parce qu'il s'agit d'un adjectif invariable et adverbe. Une *soi-disant* cantatrice est une personne qui se dit, qui se prétend, cantatrice. *Soi-disant* équivaut à « se disant ».

- On reconnaît l'adjectif au fait qu'il exprime un **état**, une **qualité** et non une action. On peut toujours le remplacer par un autre adjectif.

  L'Auvergnat n'était pas ***regardant***. (n'était pas avare)

  Il peut être suivi d'un complément introduit par une préposition.

  Ces gestes simples et ***touchants*** *de sincérité l'ont ému.*

- Certains adjectifs verbaux ont une finale différente du participe présent [voir p. 133].

  Ce récit ***provocant*** *ne l'atteint pas.* (le participe présent s'écrit ***provoquant***)

IL N'Y A PAS D'ACCORD

- Le **participe présent**, se terminant aussi par -*ant*, est une forme **invariable** du verbe.

  un hôte accueillant un étranger — *une hôtesse accueillant un étranger*
  des hôtes accueillant un étranger — *des hôtesses accueillant un étranger*

- On reconnaît un participe présent au fait qu'il exprime une **action**. Il est le noyau d'un groupe* verbal et peut recevoir les **compléments** propres au **verbe** (complément d'objet, complément circonstanciel...).

  Tous les gens bien intentionnés lui ***fermant*** *la porte au nez, il est allé chez l'Auvergnat.* (*lui* est complément d'objet second de *fermant*, *la porte* est complément d'objet direct...)

SITÔT LU *sitôt su*

Si on peut placer *très* devant la forme en -*ant*, il s'agit de l'adjectif qui s'accorde.

des hôtes accueillants (on peut dire *des hôtes très accueillants* → accord)
des hôtes accueillant l'étranger (on ne peut pas dire ~~*des hôtes très accueillant l'étranger*~~ → pas d'accord)

Adjectif verbal et participe présent

La plupart des adjectifs verbaux en *-ant* ont la même forme que le participe présent, mais ce n'est pas toujours le cas.

CONSONNE CHANGÉE

- Les verbes qui se terminent par ***-guer*** ont un participe présent et un gérondif en ***-guant***.

  *Gepetto, navi**guant** sur son radeau, part à la recherche de Pinocchio.*

Les quatre **adjectifs** formés sur ce type de verbe sont : *fatigant, navigant, extravagant* et *intrigant*. Ils s'écrivent ***-gant***.

*Les efforts fati**gants** rebutent Pinocchio.*

QUI L'EÛT *cru*

« Je ne comprends pas », s'exclamait le casse-pieds. « Je suis un... *adhérent* de longue date, et vous me reprochez d'être... *collant* ! » L'importun ne manque pas d'esprit, en l'occurrence, en jouant ainsi sur les acceptions d'*adhérent* (adjectif verbal en *-ent*) et de *collant* (adjectif verbal en *-ant*) ! Crampon, sans-gêne, glu, pot de colle... mais avec de l'humour, c'est rare !

- Les verbes qui se terminent par ***-quer*** et *vaincre* et *convaincre* ont un participe présent et un gérondif en ***-quant***.

  *Le feu provo**quant** de la fumée, la baleine se mit à éternuer.*

  *En convain**quant** Pinocchio de ne pas aller à l'école, ils l'obligent à mentir.*

Les adjectifs verbaux correspondants s'écrivent ***-cant*** s'il existe un nom en *-cation*. On écrit également *convaincant*.

*L'attitude **provocante** de Pinocchio déçoit alors qu'il pourrait être si **craquant**.*

VOYELLE CHANGÉE

Il faut retenir les adjectifs suivants, qui se distinguent des participes présents des verbes dont ils sont issus : ils ont une finale en ***-ent*** et non ***-ant***.

adhérent	*déférent*	*divergent*	*excellent*	*négligent*	*somnolent*
convergent	*différent*	*équivalent*	*influent*	*précédent*	*violent*

*Pinocchio, néglige**ant** les conseils de la fée, a maintenant bien des soucis.* (participe présent)

*Pinocchio est trop néglig**ent** en classe pour avoir de bonnes notes.* (adjectif)

Seuls les adjectifs pouvant s'accorder, on est sûr qu'il s'agit de l'adjectif (que l'on écrit *-gant, -cant* ou *-ent*) si on entend le *t* au féminin [ɑ̃t].

*Il a promis d'avoir un comportement **différent**.* (on pourrait dire *une attitude différente* → c'est l'adjectif)

*Le jour **précédant** la création du pantin, la fée rend visite à Gepetto.* (on ne dira pas ~~*la nuit précédente la création*~~... → c'est le participe présent)

SITÔT LU

sitôt su

L'accord du verbe (1)

La règle est simple : le verbe s'accorde en nombre et en personne avec son sujet. Mais il faut savoir repérer le sujet, son nombre et sa personne.

REPÉRER LE SUJET

- Le sujet est le mot ou le groupe de mots qui répond à la **question** « Qui est-ce qui ? » ou « Qu'est-ce qui ? ». On peut également repérer le sujet en le **mettant en relief*** avec « C'est/ce sont... qui ».

  Les choristes ***répètent*** *chaque jour.*
  (Qui est-ce qui répète ? les choristes ; ce sont les choristes qui répètent...)

QUI L'EÛT cru

Joe Dalton a attaqué la banque de Dawson City mais Lucky Luke, grâce à Rantanplan, a pu rapidement mettre la main sur le redoutable – mais souvent stupide – hors-la-loi, et récupérer le butin.
« Alors, où est le sujet de *a attaqué* ?
– Ben... En prison, maintenant, j'espère !
– Mais non : le sujet, grammaticalement parlant ! C'est : *Joe Dalton* ! »

- Le plus souvent, le sujet **précède** le verbe. Mais dans certains cas il peut le suivre ; cela n'empêche pas l'accord du verbe [voir p. 135].

  *Le chant qu'****interprètent*** *les choristes est un air célèbre.*

LE NOMBRE ET LA PERSONNE

- Le repérage du nombre du sujet peut poser des problèmes :
  ➤ lorsqu'il y a **coordination** [voir p. 124 et 125] ;
  Ni *toi* ***ni*** *moi n'avons jamais entendu de voix si pure.*
  ➤ lorsque le sujet comprend un **nom collectif** [voir p. 126].
  La majorité *des pensionnaires apprécient Clément Mathieu.*

- Le repérage de la personne du sujet peut poser des problèmes :
  ➤ lorsque le sujet est le pronom relatif ***qui*** [voir p. 136] ;
  C'est moi ***qui*** *vous apprendrai le chant.*
  ➤ si le sujet est un **pronom** indéfini ou interrogatif suivi d'un pronom personnel [voir p. 135].
  Lequel d'entre vous saurait chanter en soliste ? (et non ~~lequel d'entre vous saurez...~~)

SITÔT LU
sitôt su

Il est toujours possible de réduire un sujet, aussi complexe et aussi long soit-il, à un pronom personnel ou à *cela*. En cas de doute, il ne faut pas hésiter à recourir à cette réduction.

Que Clément Mathieu sache se faire respecter des pensionnaires de cette maison de rééducation pour mineurs rendait jaloux certains de ses collègues. (Cela rendait jaloux... → 3e personne du singulier)
Vous et moi ferons un bon concert. (vous et moi = nous)

L'accord du verbe (2)

L'accord du verbe présente dans certains cas quelques particularités.

SUJET INVERSÉ

Le sujet précède le plus souvent le verbe. Mais, dans certains cas, il le suit [voir *Toute la grammaire*, p. 167]. Il faut donc rester vigilant dans les cas suivants :

➤ dans l'**interrogation** directe ;

*Quel avantage **tiraient** les nains à aider ainsi le cordonnier ?*

➤ dans les **incises*** ;

*« Pourquoi les nains m'aident-ils ? » se **demande**-t-il.*

➤ dans les propositions **subordonnées*** ;

*Le cuir qu'**avaient trouvé** les nains sur l'établi du cordonnier était de bonne qualité.*

➤ dans les propositions commençant par un **complément circonstanciel** (registre* soutenu) ou un **adverbe de liaison**.

*Aussi **espéraient**-ils faire plaisir au cordonnier.*

Dans tous les cas, il faut bien accorder le verbe avec son sujet.

QUI L'EÛT *cru*

Pour accorder un verbe avec un sujet composite (une personne désignée sous plusieurs qualifications), l'usage est le singulier. En effet, on fait l'accord avec le sujet le plus proche, ou on retient qu'il n'y a en tout qu'une personne : « Avec lui disparaît un professeur émérite et un père de famille nombreuse exemplaire. »

TOURNURE IMPERSONNELLE

Lorsqu'un verbe est employé en tournure **impersonnelle***, il a pour sujet grammatical le pronom *il* avec lequel il s'accorde toujours. Même lorsque le sujet logique (appelé également « sujet réel ») est exprimé, le verbe reste à la **3e personne du singulier**.

*Les petits nains étaient tout nus alors qu'il **faisait** bien froid dehors.*

*Il ne **reste** plus que quelques coutures à faire, et les chaussures seront prêtes.*

SUJET COMPLEXE

Lorsque le sujet se compose d'un **pronom indéfini** ou **interrogatif** complété par un pronom personnel, l'accord du verbe se fait bien avec le pronom indéfini ou interrogatif (donc à la **3e personne**), et non pas avec le pronom personnel.

*Certains d'entre vous ne **croiront** pas ce conte.* (et non ~~certains d'entre vous ne croirez pas~~)

On peut se rappeler que le verbe impersonnel ne s'accorde jamais avec le sujet réel en pensant à *il y a* : on ne dira ni n'écrira jamais ~~il y ont~~, ce qui prouve que le verbe est à la 3e personne du singulier.

*Il **tombe** de gros flocons.* (et non ~~il tombent de gros flocons~~)

SITÔT LU *sitôt su*

L'accord du verbe avec *qui* sujet

Le pronom *qui* garde toujours la même forme... et pourtant il peut aussi bien être singulier que pluriel, de 1re, 2e ou 3e personne !

QUI, PRONOM RELATIF

• Lorsqu'il est **représentant** (il a un antécédent*), *qui* porte le genre, le nombre et la personne de son antécédent. Le verbe qui a pour sujet *qui* reçoit donc les marques de nombre et de personne de l'**antécédent**.

*Les enfants qui **jouent** chantent une comptine.* (*jouent* est à la 3e personne du pluriel comme *enfants*)

*Un, deux, trois, ce sera toi qui **sortiras**.* (*sortiras* : 2e personne du singulier comme *toi*)

QUI L'EÛT *cru*

Avec *un (une) de ceux (celles) qui...*, le verbe se met au pluriel : le sujet repris par *qui* est bien *ceux* (ou *celles*), et non *un (une)*. On dit et écrit donc : « Vous êtes un de ceux qui peuvent prétendre accéder à la présidence de la République ! » (= vous figurez au nombre de ceux qui ont une possibilité de devenir chef de l'État).

• Un nom mis en apostrophe* est de la 2e personne. Le verbe sera donc à la 2e personne, même si aucun pronom ne reprend l'apostrophe.

*Mes amis, (vous) qui **êtes** à l'abri dans vos cachettes, montrez-vous.*

• S'il est **nominal** (il n'a pas d'antécédent), *qui* est de la 3e personne du masculin singulier. Le verbe est donc toujours à la **3e personne du singulier**.

*Qui **entre** dans la ronde embrassera ses voisins.*

QUI, PRONOM INTERROGATIF

• Lorsqu'il est pronom interrogatif, *qui* n'a pas d'antécédent : il est de la 3e personne du masculin singulier. Le verbe de l'interrogation sera donc à la **3e personne du singulier**, même si la réponse attendue correspond à un sujet pluriel.

*« Qui **commence** ? – Les pions blancs. » Nous ne savons pas qui **gagnera** la partie.*

• *Qui* en début d'interrogation n'est pas toujours sujet : il peut être attribut. Dans ce cas, le verbe doit bien s'accorder avec le sujet qui se trouve placé après lui.

*« Qui **sont** les gagnants ? – Les gagnants sont ceux qui ont le plus de points. »*

SITÔT LU
sitôt su

Dans la relative*, il est toujours possible de vérifier que l'on a mis le verbe à la bonne personne et au bon nombre en transformant la relative en indépendante*.

Ce sera toi qui sortiras. (→ *toi, tu sortiras*)

C'est moi qui ai gagné. (→ *moi, j'ai gagné* ; on ne dira donc pas ni n'écrira : ~~*c'est moi qui a gagné*~~)

L'accord du participe passé

L'accord du participe passé se fait différemment selon la façon dont il est employé. Il faut donc connaître les différents cas de figure possibles.

RAPPELS

- Au **masculin singulier**, les participes passés en [e] s'écrivent toujours ***é*** ; ceux en [y] s'écrivent toujours ***u***, sauf *inclus* et *occlus* (rare) ; ceux en [i] s'écrivent ***i***, ***is*** ou ***it*** [voir p. 144].

  *L'hiver a **voulu** attraper la maison, mais nous l'en avons **empêché**.*

  *Ils se sont **mis** à rouler et ils ont bien **ri**. C'est le garde-barrière qui me l'a **dit**.*

- Lorsqu'ils s'accordent, les participes passés prennent un ***e*** au **féminin** et un ***s*** au **pluriel** (s'ils ne se terminent pas déjà par un *s*).

  *Ils se sont **mis** à rouler et la maison s'est **arrêtée**. Le printemps les a alors **salués**.*

QUI L'EÛT *cru*

« Cécilia a cassé la chaise » : lorsque l'on s'arrête au participe passé, on ne sait pas ce qui a été cassé, alors, dans cette construction avec *avoir*, le participe passé reste neutre, au masculin singulier, puisqu'il ne s'accorde jamais avec le sujet. Mais : « La chaise que Cécilia a cassée ».

COMMENT ACCORDER LE PARTICIPE PASSÉ ?

- Le participe passé employé **sans auxiliaire*** s'accorde en genre et en nombre avec le nom ou le pronom* auquel il se rapporte [voir p. 138].

  *Nous avons vu les <u>saumons</u> **fumés** et les <u>îles</u> **parfumées**.*

- Il s'accorde en genre et en nombre avec le sujet quand il est conjugué avec ***être*** [voir p. 139]. Mais, bien que conjugués avec *être*, les verbes pronominaux* suivent d'autres règles pour l'accord de leur participe passé [voir p. 141 et 142].

  *Quand elle <u>est</u> **arrivée**, elle a rencontré le printemps, et ils **se sont** <u>souri</u>.*

- Quand il est conjugué avec ***avoir***, il ne s'accorde jamais avec le sujet, mais il s'accorde avec le complément d'objet direct qui le précède [voir p. 140].

  *Nous <u>avons</u> **rencontré** le printemps, et il nous <u>a</u> **salués**.*

SITÔT LU *sitôt su*

Pour certains verbes, la question de l'accord du participe passé ne se pose pas. En effet, s'ils se conjuguent avec *avoir* et qu'ils sont intransitifs ou transitifs indirects, ils ne peuvent jamais être précédés d'un complément d'objet direct qui commanderait leur accord. Ils ne peuvent pas non plus s'employer au passif, et ne sont donc jamais conjugués avec *être*. Même en emploi pronominal, ils restent invariables.

*Nous nous sommes **plu** chez elle, alors nous lui avons **souri**.*

Le participe passé sans auxiliaire

Le participe passé employé sans auxiliaire* s'accorde comme un adjectif.

CAS GÉNÉRAL

• Le participe passé employé sans auxiliaire a la valeur d'un adjectif. Il s'accorde en **genre** et en **nombre** avec le nom ou le pronom* auquel il se rapporte.

*un labyrinthe très compliqu**é***
*des labyrinthes très compliqu**és***

• Dans ce cas, le participe passé est :

➤ **épithète*** ;
*Le Minotaure **enfermé** dévore les jeunes gens **sacrifiés**.*

➤ **épithète détachée** ;
***Restée** à l'entrée du labyrinthe, Ariane attend le retour de Thésée.*

➤ **attribut*** du sujet ou du complément d'objet.
*Ariane ne semblait pas **ravie** de savoir Thésée dans le labyrinthe. Elle le croyait **perdu**.*

QUI L'EÛT cru

Fini est couramment employé par ellipse dans des phrases du type « finies, les vacances ! », « finie, la comédie »... en tant qu'attribut disjoint, mis en apposition, à la place, ici, de « les vacances sont finies » et de « la comédie est finie ». La mise en apposition par la virgule (on ne dira jamais assez l'importance de la ponctuation !) justifie l'accord de *fini*, en tant qu'adjectif disjoint, un accord prôné par l'Académie française, entre autres. Un point, c'est important ! Mais, une virgule, c'est encore plus essentiel !

CAS PARTICULIERS

• Quand un participe passé est employé devant un nom ou un groupe* nominal, il peut avoir la valeur d'une **préposition***. Dans ce cas, il ne s'accorde pas.

***Vu** la cruauté du Minotaure, mieux vaut rester prudent.*
*Personne, **excepté** Ariane et Thésée, n'aurait osé s'aventurer dans le labyrinthe.*

Le cas se présente en particulier pour *étant donné, excepté, mis à part, passé, vu.*

• Les participes passés *ci-annexé, ci-inclus, ci-joint* peuvent, eux, avoir une valeur d'**adverbe** lorsqu'ils sont placés devant un nom ou un groupe nominal. Dans ce cas, ils ne s'accordent pas non plus.

*Vous trouverez **ci-joint** les plans du labyrinthe.*

SITÔT LU
sitôt su

Pour s'assurer qu'un participe passé reste invariable devant un nom, on vérifie qu'on peut le remplacer par une préposition ou une locution* prépositive.

vu la cruauté du Minotaure (= à cause de la cruauté du minotaure)
personne, excepté Ariane et Thésée (= personne, sauf Ariane et Thésée)

Le participe passé avec *être*

Les participes passés employés avec *être* s'accordent en genre et en nombre avec le sujet.

CAS GÉNÉRAL

- Certains verbes intransitifs exprimant un mouvement ou un changement d'état se conjuguent toujours avec l'auxiliaire **être** aux temps composés [voir *Toute la conjugaison,* p. 15]. Leur participe passé s'accorde alors en **genre** et en **nombre** avec le sujet.

  *Les enfants sont **allés** au bois.*

QUI L'EÛT cru

« Sire, Votre Majesté s'est trop précipitée ! » : même s'agissant d'un monarque, l'accord du participe passé doit se faire sur le genre du mot *Majesté*. La présence de *sire* ne change rien à l'affaire ! En revanche, si l'on intercale un terme masculin entre *Majesté* et le verbe, le participe sera mis au masculin : « Sa Majesté le roi s'est levé de bonne heure, pour une fois ! »

- Les verbes transitifs directs peuvent s'employer au **passif***, qui se construit avec l'auxiliaire *être* suivi du participe passé. Dans ce cas, le participe s'accorde en genre et en nombre avec le sujet.

  *Les lauriers sont **coupés** et ils seront **ramassés** par la belle que voilà.*

CAS PARTICULIERS

- Le participe passé ayant pour sujet ***nous*** ou ***vous*** peut rester au **singulier** si les pronoms désignent une seule personne [voir p. 162].

  *Êtes-vous **allé** ramasser les lauriers ?* (on s'adresse à une personne que l'on vouvoie)

- Le participe passé ayant pour sujet ***on*** peut se mettre au **pluriel** ou au **féminin** selon la personne que désigne le pronom [voir p. 163].

  *On est **allées** au bois.* (*on* désigne un groupe de filles)

- Les verbes pronominaux* se conjuguent toujours avec l'auxiliaire *être* aux temps composés, mais leur participe passé ne s'accorde pas toujours avec le sujet [voir p. 142].

  *La belle s'est **réveillée** au chant du rossignol.*

  *Elles se sont **coupé** une branche de laurier.*

SITÔT LU sitôt su

Les pronoms ne portent pas toujours les marques de genre et de nombre. Il ne faut pourtant pas oublier qu'ils sont soit masculins, soit féminins, et soit singuliers, soit pluriels.

Je suis venue pour ramasser les lauriers.

C'est vous qui êtes entrées dans la danse.

Le participe passé avec *avoir*

Le participe passé employé avec *avoir* ne s'accorde jamais avec son sujet, mais avec le complément d'objet* direct (COD) qui le précède.

DANS QUELS CAS ?

Le COD commande l'accord du participe passé dans les cas suivants :

➤ le COD est un **pronom personnel** (les pronoms personnels COD précèdent toujours le verbe) ;

*Sa boîte était remplie d'allumettes. Elle les a **craquées** une à une.*

➤ le COD est un **pronom relatif** (le pronom relatif est toujours le premier mot de la subordonnée*) ;

*L'oie qu'elle avait **vue** sur la table disparut lorsque la flamme s'éteignit.*

➤ le COD est le mot sur lequel porte une **interrogation** ou une **exclamation** (il est toujours placé en début de proposition).

*Quels jouets aurait-elle **reçus** si elle avait eu un Noël comme les autres enfants ?*

QUI L'EÛT cru

Il ne faut pas prendre des compléments d'objet directs pour des compléments circonstanciels ! Si l'on évoque avec un athlète les épreuves de 5 000 m et de 10 000 m auxquelles il a participé, *5 000 m* et *10 000 m* sont des noms communs désignant des courses. L'accord du participe est donc absolument obligatoire : « Les 5 000 m que vous avez courus... »

CAS PARTICULIERS

- Le pronom ***en*** est neutre*. Le participe passé qui s'accorde avec *en* est donc toujours au **masculin singulier**. C'est aussi le cas de ***l'*** lorsqu'il représente une proposition.

  *L'oie sur la table était magnifique. Elle n'en avait jamais **vu** d'aussi grosse.*

  *Elle rejoindrait sa grand-mère : elle l'a toujours **su**.* (=elle a toujours su qu'elle rejoindrait...)

- Il ne faut pas prendre les **compléments circonstanciels*** de mesure pour des COD. Ces compléments ne peuvent jamais commander l'accord du participe passé.

  *Elle avait eu très froid pendant ces longues heures qu'a **duré** la nuit.*

- Il ne faut pas prendre les sujets logiques des verbes impersonnels pour des COD. Ces verbes ont un participe passé qui ne s'accorde jamais.

  *Que d'allumettes il lui a **fallu** pour accéder à ces quelques minutes de bonheur !*

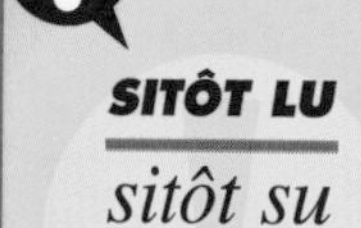

SITÔT LU
sitôt su

Quand le COD est un pronom personnel de la 1re ou de la 2e personne, il ne faut pas oublier d'en chercher le genre pour accorder correctement le participe passé.

*Grand-mère, quand je t'ai **vue**, j'ai voulu te suivre.*

Le participe passé des verbes pronominaux (1)

Seuls les verbes essentiellement pronominaux et les pronominaux à sens passif accordent toujours leur participe avec le sujet. Pour les pronominaux réfléchis et réciproques, voir p. 142.

IDENTIFIER LES VERBES

- Un verbe **essentiellement pronominal** est un verbe tel que *s'enfuir, s'absenter, se méfier* : il ne s'utilise qu'à la forme pronominale et est toujours employé avec un pronom réfléchi *(me, te, se...).*

  *Si Roméo **s'absente**, Juliette sera triste.*

- Un verbe pronominal **à sens passif** est un verbe qui, employé avec un pronom réfléchi, équivaut à une phrase passive*.

  *Malheureusement, l'amour de Roméo et Juliette **s'accompagne** de souffrances.* (= l'amour de Roméo et Juliette est accompagné de souffrances)

- Dans ces verbes, le pronom ne s'analyse pas, il n'a pas de fonction. Pour plus de détails, voir *Toute la grammaire,* p. 121.

QUI L'EÛT *cru*

À la forme pronominale, le pronom personnel doit être du même rang que le sujet : il « réfléchit » ce dernier. « Le coiffeur se peigne toutes les demi-heures » (il en a bien le droit, même si cela semble relever d'un tic professionnel !) est une tournure pronominale, ce qui n'est pas le cas de : « Le coiffeur me peigne sans grand soin » (il exagère !), où *me* n'est pas de la même personne que le sujet.

ACCORDER LE PARTICIPE PASSÉ

- Le participe passé des verbes essentiellement pronominaux et des verbes pronominaux à sens passif **s'accorde** toujours en genre et en nombre avec le **sujet**.

  *Les amants se sont **enfuis** pour toujours.* (verbe essentiellement pronominal)
  *Leur histoire s'est **racontée** partout.* (verbe pronominal à sens passif)

- *S'arroger,* bien qu'essentiellement pronominal, fait exception à cette règle, car il est toujours employé avec un complément d'objet direct [voir p. 142].

  *Pourquoi leurs parents se sont-ils **arrogé** le droit de compromettre leur bonheur ?*

Pour s'assurer qu'il s'agit d'un verbe pronominal à sens passif, on vérifie qu'en « traduisant » le verbe, on obtient bien un passif.

*La pièce de Shakespeare s'est **donnée** dans tous les pays.* (= la pièce de Shakespeare **a été donnée** dans tous les pays → passif → accord)
*Juliette s'est **donné** la mort.* (= Juliette **a donné** la mort à elle-même → ce n'est pas un pronominal à sens passif)

SITÔT LU *sitôt su*

Le participe passé des verbes pronominaux (2)

Pour accorder le participe passé d'un verbe pronominal réfléchi ou réciproque, il faut identifier la fonction du pronom réfléchi qui l'accompagne. Pour les participes passés des autres verbes pronominaux, voir p. 141.

LE PRONOM EST COD

Lorsque le pronom réfléchi *(me, te, se...)* est complément d'objet* direct (COD), le participe passé **s'accorde** avec ce **pronom**. Puisque le pronom et le sujet représentent la même personne, dire que le participe s'accorde avec le pronom revient à dire qu'il s'accorde avec le sujet.

Roméo s'est ***empoisonné*** *et Juliette s'est* ***poignardée****.* (verbes réfléchis)

Dès qu'ils se sont ***vus****, Roméo et Juliette se sont* ***aimés****.* (verbes réciproques)

QUI L'EÛT *cru*

Il n'y a aucune différence, en ce qui concerne le participe passé de *plaire*, entre le sens de « plaire à quelqu'un » et celui de « se plaire en un endroit » : « Au premier regard, ils se sont plu » ; « Ils se sont beaucoup plu sur la côte basque, ils veulent y retourner le plus tôt possible. » Aucun accord n'est possible, que ce soit dans « ils se sont plu (réciproquement) l'un à l'autre, les uns aux autres » ou dans « cela leur a plu d'être sur la côte basque » : il n'y a pas de COD possible.

LE PRONOM N'EST PAS COD

- Lorsque le pronom n'est pas COD et que le verbe n'a pas d'autre complément, le participe reste **invariable**.

  Dès leur première rencontre, Roméo et Juliette se sont ***plu****.*

- Lorsque le pronom n'est pas COD, mais que le verbe est construit avec un COD, le participe **s'accorde** avec ce **COD** s'il le **précède** ; sinon, il reste **invariable**.

  Les amants se sont ***acheté*** *des fleurs.* (le COD *des fleurs* suit le participe → pas d'accord)

  Lesquelles se sont-ils ***achetées*** *?* (le COD *lesquelles* précède le participe → accord avec le COD, qui est au féminin pluriel)

La même règle s'applique lorsque le participe est suivi d'un infinitif [voir p. 143].

SITÔT LU
sitôt su

Pour identifier la fonction du pronom, il faut « traduire » le verbe en employant *avoir.* S'il a pour équivalent *moi, nous, eux...,* il est COD. S'il a pour équivalent *à moi, à nous, à eux...,* il n'est pas COD.

Dès qu'ils se sont ***vus****, ils se sont* ***plu****.* (= Dès qu'ils ont vu **eux**, ils ont plu **à eux** → *eux* est COD ; *à eux* est complément d'objet indirect)

Ils se sont ***acheté*** *des fleurs.* (= Ils ont acheté des fleurs **à eux**)

Lesquelles se sont-ils ***achetées*** *?* (= Lesquelles ont-ils achetées **à eux** ?)

Le participe passé suivi d'un infinitif

Pour le participe passé suivi d'un infinitif, la difficulté réside dans l'analyse.

RAPPELS

- Un participe passé employé avec un complément d'objet direct (COD) **s'accorde** toujours avec ce COD, mais seulement si ce **COD le précède**.

    La pianiste que j'ai ***entendue*** *m'a* ***ravi****.*

- Cette règle s'applique aussi lorsque le participe passé est suivi d'un **infinitif**.

    La pianiste que j'ai ***entendue*** *jouer...*
    Elle s'est ***sentie*** *tomber.*

QUI L'EÛT *cru*

Suivi immédiatement d'un verbe à l'infinitif, le participe passé de *faire* est toujours invariable ! Exemples : « la robe qu'elle s'est fait broder », « les travaux qu'ils ont fait effectuer », « la maison qu'il s'est fait construire »... Le COD de *faire*, à chaque fois, est le verbe à l'infinitif. À propos de la dernière phrase, on évitera de dire et écrire « la maison neuve » : on se fait très rarement construire une maison délabrée !

CONFUSIONS À ÉVITER

- Cependant, il se peut que le complément qui précède le participe soit **COD de l'infinitif** et non pas COD du participe. Dans ce cas, le COD ne peut commander l'accord du participe, qui reste alors **invariable**.

    Les morceaux que la pianiste a ***dû*** *apprendre lui ont demandé beaucoup de travail.* (*que*, mis pour *morceaux*, est COD de *apprendre – apprendre des morceaux –*, et non pas de *dû – devoir des morceaux* n'aurait pas de sens)
    La robe que la pianiste ***s'est fait*** *offrir a des paillettes.* (*que*, mis pour robe, est COD de *offrir – on lui a offert une robe –* et non pas de *fait*)

- Il faut retenir les verbes suivants, dont le participe est toujours **invariable** lorsqu'il est suivi d'un infinitif, car le complément n'est jamais son COD.

    aimer, préférer, souhaiter... – devoir, pouvoir, vouloir... – interdire, permettre, refuser... – croire, demander, dire, penser...

Le participe passé de *faire* est, lui aussi, toujours invariable lorsqu'il est suivi d'un infinitif. Les *Rectifications de l'orthographe* proposent d'appliquer cette même règle à *laisser* [voir p. 179].

On remarquera que, lorsque le complément est COD du participe, il est également sujet de l'infinitif. Cela peut aider à distinguer les cas où il faut faire l'accord.

La pianiste que j'ai entendue jouer... (c'est la pianiste qui joue → accord)
L'opérette que j'ai vu jouer... (ce n'est pas l'opérette qui joue → pas d'accord)

SITÔT LU
sitôt su

Les participes passés en [i] : *-i, -it* ou *-is* ?

Il faut savoir dans quel cas un participe passé masculin singulier qui se termine par le son [i] s'écrit *-i, -it* ou *-is.*

ON ÉCRIT *-I*

Les verbes dont l'infinitif se termine par ***-ir*** prononcé [iʀ] ont un participe passé qui se termine par ***-i*** s'il se prononce [i].

*finir → fin**i** ; pourrir → pourr**i** ; agir → ag**i***
*cueillir → cueill**i** ; dormir → dorm**i***

Seuls les verbes formés sur *quérir* n'ont pas un participe passé en *-i,* mais en *-is.*

*acquérir → acqu**is***
*conquérir → conqu**is***

QUI L'EÛT *cru*

On peut parfois hésiter sur le féminin d'un participe passé, souvent employé comme adjectif dans la langue. C'est le cas avec celui du verbe *confire*, qui semble troubler bien des gens. Eh bien ! si l'on hésite sur le féminin, il faut alors rebondir sur un autre mot de la famille, à savoir *confiture*. La terminaison de ce dernier mot doit rappeler que le féminin est : *confite*, d'où l'on tirera la confirmation que le masculin se termine sur un *t* : *confit*.

ON ÉCRIT *-IT*

La plupart des verbes dont l'infinitif se termine par ***-ire*** prononcé [iʀ] ont un participe passé qui se termine par ***-it*** s'il se prononce [i].

*écrire → écr**it** ; confire → conf**it** ; dire → d**it***
*cuire → cu**it** ; traduire → tradu**it***

Mais les verbes *luire* (et *reluire*), *nuire, bruire* (rare), *suffire, rire* et *sourire* ont, eux, un participe passé en *-i.* Notez qu'il s'agit de verbes intransitifs, dont le participe passé n'a ni féminin ni pluriel.

*Il m'a **souri**, et cela a **suffi** à me redonner du courage.*

Occire (littéraire) et *circoncire* ont un participe en *-is : occis, circoncis.*

ON ÉCRIT *-IS*

Les verbes dont l'infinitif **ne contient pas** le son [i] ont un participe passé qui se termine par ***-is*** s'il se prononce [i]. C'est le cas de *mettre, prendre* et *seoir* et des verbes formés sur eux.

*permettre → perm**is** ; apprendre → appr**is** ; comprendre → compr**is** ; asseoir → ass**is***

SITÔT LU
sitôt su

Mettre le participe passé au féminin, lorsque c'est possible, renseigne utilement sur la finale du masculin.

une pomme pourrie → masculin en *-i*
une lettre écrite → masculin en *-it*
une leçon apprise → masculin en *-is*

Aucun et chacun, chaque

***Aucun* et *chacun, chaque* présentent des particularités d'accord qu'il faut connaître.**

LES DÉTERMINANTS

• ***Aucun*** et ***chaque*** sont des déterminants* qui marquent respectivement la **nullité** et l'**unicité**. Ils ne prennent pas de marque du pluriel et les noms qui les suivent sont au singulier.

*Elle a interrogé **chaque** voisin. Ils ont tous répondu n'avoir vu **aucun** chat.*

Le verbe qui a pour sujet un nom déterminé par *aucun* ou *chaque* reste donc toujours à la 3e personne du singulier.

***Aucune** autre personne n'avait vu le chat.*

QUI L'EÛT *cru*

Cette formule relevée souvent dans les textes, « Sur les routes nationales, la distance entre chaque arbre est de vingt mètres », est contraire à la logique : il ne saurait y avoir de distance entre... une chose ! La bonne formulation consiste à dire et à écrire : « La distance entre deux arbres est de 20 mètres » (ou : « La distance entre les arbres... »).

• Cependant, quand *aucun* détermine un nom qui ne s'emploie qu'au pluriel, il se met au pluriel. Dans ce cas, le verbe se met également au pluriel.

*Elle pensait qu'**aucuns** frais ne lui seraient demandés pour la recherche de son chat.*

LES PRONOMS

• ***Aucun*** et ***chacun*** sont les pronoms correspondant respectivement aux déterminants *aucun* et *chaque*. Ils sont toujours au **singulier** et, lorsqu'ils sont sujets d'un verbe, le verbe se met à la 3e personne du singulier.

*Elle a interrogé tous ses voisins : **aucun** n'a vu le chat.*

• Ces pronoms peuvent être complétés par un **groupe* nominal** au pluriel. Mais, même dans ce cas, le verbe reste au singulier.

*Aucun de ses voisins n'**avait** vu le chat.* (et non ~~*aucun de ses voisins n'avaient vu le chat*~~)

• Ils peuvent également être complétés par un **pronom personnel**. Là aussi, le verbe qui a pour sujet *aucun* ou *chacun* se met à la 3e personne et ne s'accorde pas avec le pronom complément.

*Chacun de vous **doit** m'aider à retrouver le chat.* (et non ~~*chacun de vous devez m'aider*~~...)

***Chaque*, lui, ne s'emploie jamais avec des noms employés uniquement au pluriel, mais il est toujours possible d'utiliser le pronom.**

chacune des archives (et non ~~*chaque archives*~~ ni ~~*chaques archives*~~)

SITÔT LU

sitôt su

Autre

La distinction entre le singulier et le pluriel de *autre* ne s'entend pas à l'oral. Il faut savoir quand écrire *autre* ou *autres*.

AUTRE AU SINGULIER

- On écrit bien entendu ***autre*** au singulier quand il est précédé d'un **déterminant* singulier** *l', cet, mon... : l'un et l'autre, ni l'un ni l'autre, l'un ou l'autre...*

  *L'une des deux jumelles s'appelle Delphine, l'**autre** s'appelle Solange.*

- *Autre* reste au **singulier** quand il qualifie un pronom indéfini ou interrogatif : *personne d'autre, rien d'autre, quelqu'un d'autre, qui d'autre...*

  *Elles ne font rien d'**autre** que de chanter et de danser.*

QUI L'EÛT *cru*

« Je suis un autre » : cette affirmation paradoxale, contradictoire a priori, a été énoncée dans une lettre par le poète Arthur Rimbaud. Au pied de la lettre, le sujet, « moi », « je », est donc identifié à « l'autre », qui n'est pas forcément un contraire, certes, mais qui est un étranger. Le poète signifiait par là qu'à ses yeux un individu ne maîtrise pas ce qu'il exprime en tant qu'artiste. C'est un double, un « autre », qui fait éclore la poésie, le roman, la musique, la peinture... Il faudrait alors admettre qu'il y ait chez chaque intellectuel et artiste un dédoublement de la personnalité !

AUTRES AU PLURIEL

- On écrit bien entendu ***autres*** au pluriel quand il est précédé d'un **déterminant pluriel** : *les autres, certains autres, quelques autres...*

  *Leur mère sait les reconnaître, mais les **autres** ne savent pas les distinguer.*

- *Autres* sert à **renforcer** les pronoms personnels des 1re et 2e personnes du pluriel : *nous* et *vous*. Il s'accorde alors avec ces pronoms et se met au pluriel.

  *Nous **autres** aimerions bien faire la connaissance des deux sœurs.*

  *N'auriez-vous pas envie, vous **autres**, de venir chanter et danser avec nous ?*

- La locution* adverbiale ***entre autres*** s'écrit avec *autres* au pluriel. Elle signifie « entre ces plusieurs choses », ce qui explique le pluriel.

  *Nous aimons **entre autres** chanter, danser, jouer de la musique...*

SITÔT LU *sitôt su*

Nous autres, vous autres **sont utilisés pour renforcer *nous* et *vous* quand on veut nettement distinguer ceux qui parlent et ceux à qui on s'adresse. On évitera d'employer *autres* avec *eux, elles* : cette tournure est, elle, familière.**

Que faisaient-elles, elles, pendant que, nous, nous travaillions ? (et non pas ~~elles autres~~)

Avoir l'air

Selon le sens de l'expression *avoir l'air*, l'adjectif qui suit s'accorde différemment.

SEMBLER, PARAÎTRE

• Quand *avoir l'air* signifie « sembler, paraître », il s'agit d'une **locution* verbale** qui a le même statut que les verbes d'état tels que *être, sembler, demeurer...*

*Dupond et Dupont **ont l'air** de bien s'entendre.* (= ils paraissent bien s'entendre)

• Dans ce cas, l'adjectif qui suit est **attribut*** du sujet, avec lequel il s'accorde en genre et en nombre.

*Une fois de plus, Dupond et Dupont sont arrivés trop tard : ils avaient l'air **malins** !*
*Même s'ils sont sûrs d'eux, leurs méthodes de travail n'ont pas l'air très **sérieuses**.*

QUI L'EÛT *cru*

L'ellipse est un procédé couramment utilisé pour exprimer une ironie tout à la fois subtile et mordante. Ainsi, dans un quatrain satirique qui entendait se moquer d'un monarque, l'auteur, prudemment anonyme, de l'épigramme se gardait bien d'attaquer directement le souverain. Mais, parlant de la nouvelle statue équestre du roi, il terminait son texte par : « Il a l'air intelligent, le cheval ! », ce qui suggérait sans le moindre doute que le cavalier avait moins de neurones que le quadrupède.

AVOIR LA MINE, L'APPARENCE

• Quand *avoir l'air* signifie « avoir la mine, l'apparence... », on a affaire au **verbe** *avoir* suivi du complément d'objet *air*.

*Avec leurs déguisements, ils **ont l'air** de deux clowns !*

• Ainsi, lorsqu'on accorde l'adjectif avec *air*, c'est la mine, l'apparence que l'on qualifie.

*Les deux détectives ont l'air **sûr**.* (= ils ont un air sûr)

• *Avoir l'air* est toujours à prendre dans ce sens quand *air* est complété par un **complément**. L'adjectif reste au masculin singulier.

*Ils ont l'air **idiot** de ceux qui ne comprennent rien à la situation.* (= ils ont le même air idiot que ceux qui ne comprennent rien à la situation)

Lorsque *avoir l'air* s'applique à un nom non animé (objet, chose), il est à prendre dans le sens de « sembler, paraître ». L'adjectif s'accorde alors avec ce nom.

*Les deux détectives trouvent que leur enquête a l'air bien **compliquée**.*

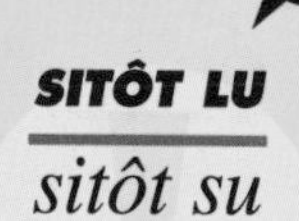

Cent et vingt

Cent et _vingt_ présentent la particularité de prendre parfois un _s_, alors que les déterminants numéraux, dont ils font partie, ne varient jamais.

AU PLURIEL

• *Cent* et *vingt* prennent le **s** du pluriel quand ils sont « multipliés » par un nombre qui les précède et s'ils ne sont suivis d'aucun autre nombre.

*Perrette aurait aimé avoir quatre-**vingts** poulets. Elle les aurait revendus et aurait gagné plus de trois **cents** euros.*

QUI L'EÛT *cru*

Les Quinze-Vingts, hospice fondé à Paris par Saint Louis entre 1254 et 1261, a eu pour mission principale, dès son origine, d'accueillir les aveugles. Son nom s'explique par le fait qu'il y avait trois cents lits, répartis en quinze vingtaines. *Vingt* est en fait synonyme de *vingtaine*, d'où son accord au pluriel.

• Pour *vingt,* cela ne se présente que dans ***quatre-vingts*** (= quatre fois vingt).
Cent peut être, lui, multiplié par tous les nombres compris entre deux et dix-neuf, sauf dix.

On peut dire *douze cents* pour *mille deux cents,* mais on ne dira pas ~~*dix cents*~~ pour *mille.*

AU SINGULIER

• S'ils ne sont précédés d'aucun autre nombre, *cent* et *vingt* restent toujours au **singulier**.

*Si Perrette vend **cent** œufs, gagnera-t-elle **vingt** euros ?* (que l'on doit prononcer [vɛ̃tøʀo] en faisant la liaison avec *t* et non pas [vɛ̃zøʀo] en faisant une liaison en *s*)

• S'ils sont suivis d'un autre nombre, *cent* et *vingt* restent également toujours au **singulier**, même s'ils sont multipliés par un autre nombre.

*Avec la vente de ses quatre-**vingt**-quatre litres de lait et de ses deux **cent** cinquante œufs, Perrette espérait pouvoir acheter quatre-**vingt**-dix poussins.*

• *Cent* et *vingt* restent également toujours au singulier lorsqu'ils entrent dans la composition d'un nombre qui n'a plus la valeur d'un déterminant, mais celle d'un **adjectif ordinal***.

*Cette fable se trouve à la page trois **cent** du recueil.* (= la trois centième page)
*Cela se passait en l'an mille six cent quatre-**vingt**.* (= la mille six cent quatre-vingtième année après la naissance de Jésus-Christ)

SITÔT LU
sitôt su

Attention, _mille_ ne multiplie pas _cent_ dans _mille cent,_ mais il s'additionne : _mille cent_ (1 100), c'est mille plus cent (1 000 + 100). _Cent_ s'écrit donc sans _s_.

C'est, ce sont

Quand on emploie la tournure *c'est*, il faut savoir dans quel cas le pluriel *ce sont* s'impose.

RÈGLE GÉNÉRALE

• On emploie *ce sont* quand le sujet* réel qui suit la tournure est un nom à la **3e personne du pluriel**.

__Ce sont__ des bonbons que j'ai apportés spécialement pour vous.

• *C'est* reste à la **3e personne du singulier** dans les autres cas, même s'il est suivi d'un pronom des 1re ou 2e personnes du pluriel.

J'irai voir vos parents et je leur dirai : « __C'est__ vous que je viens voir. »

QUI L'EÛT CRU

Poète de génie, Edmond Rostand est principalement célébré pour son *Cyrano de Bergerac*. Rimeur talentueux, il respectait la grammaire, à preuve sa parfaite utilisation de *ce sont* dans la tirade des cadets de Gascogne :

« Ce sont les cadets de Gascogne
De Carbon de Casteljaloux ;
Bretteurs et menteurs sans vergogne,
Ce sont les cadets de Gascogne ! »

CAS PARTICULIERS

• Dans certaines locutions* figées, la forme du verbe *être* ne varie pas en nombre. C'est le cas des expressions suivantes :

est-ce ?	*n'est-ce pas ?*	*serait-ce*	*c'est-à-dire*
est-ce que ?	*si ce n'est/n'était*	*fût-ce* (« même »)	

J'aimerais rester avec vous, __ne serait-ce__ que quelques instants.
__Est-ce__ ces bonbons-là que vous aimez ?

• On peut employer au choix ***c'est*** ou ***ce sont*** :

➤ quand le sujet réel se compose de donneurs* singuliers **coordonnés** ou d'une énumération, en particulier si la liste commence par un terme au **singulier** ;

C'est (ou ***ce sont***) *votre indifférence et votre mépris qui me font souffrir.*

➤ quand *ce, c'* **reprend** un nom ou un pronom au **singulier** qui le précède ;

Le mieux, __c'est__ (ou ***ce sont***) *les bonbons ; les fleurs, elles, fanent vite.*

➤ quand le sujet réel est ***eux*** ou ***ceux***.

Voici des bonbons, __ce sont__ (ou ***c'est***) *ceux que je voulais vous offrir.*

L'accord au pluriel se fait également aux autres temps et aux autres modes, même si à l'oral cet accord ne s'entend pas.

__C'étaient__ des bonbons pour vous.
J'ai voulu que __ce soient__ des bonbons qui vous plaisent.

SITÔT LU
sitôt su

Chose

***Chose* est un nom féminin, mais il s'emploie dans des locutions* pronominales indéfinies qui sont du genre masculin.**

LES ACCORDS

• *Chose* perd son genre féminin dans les locutions *quelque chose* et *autre chose*, qui ont la même valeur qu'un **pronom***. Les accords avec ces deux locutions sont à faire au **masculin**.

*Si **quelque chose** était **arrivé** à Caroline, Bill serait très triste.* (le participe passé *arrivé* s'accorde en genre et en nombre avec le sujet et se met donc au masculin singulier)

QUI L'EÛT cru

Si l'on est bizarre, voire dans un état second, cela peut s'exprimer par la locution *être tout(e) chose* : « Depuis qu'elle a appris le départ de son frère pour l'internat, Ludivine est toute chose. » Ou par sa variante *avoir l'air tout(e) chose*. On n'écrit plus, comme l'a fait Victor Hugo dans *Les Misérables* : « Tu as toujours l'air chose. »

• C'est en particulier le cas lorsque les locutions *quelque chose* et *autre chose* sont complétées par un **adjectif épithète** qui doit donc se mettre au **masculin singulier**.

*Bill voulait offrir **quelque chose** de **joli** à Caroline.*

*Boule devra trouver **autre chose** de plus **convaincant** pour décider ses parents.*

LES PRONOMS

• Quand les locutions *quelque chose* et *autre chose* sont reprises par un **pronom**, ce pronom est lui-même au **masculin singulier**.

*Boule envoie **quelque chose** en l'air. Bill **le** saisit au vol, pensant qu'il s'agissait d'une balle.*

*Et si Boule envoie **autre chose** en l'air, Bill **le** saisira au vol de la même façon !*

• C'est en particulier le cas lorsque les locutions sont l'antécédent* du pronom relatif ***qui*** ou ***que***, dont le genre est alors **masculin**.

*Il y a autre chose **que** je n'ai pas encore **dit** à Caroline* (et non pas ~~*autre chose que je n'ai pas encore dite*~~...)

*La fidélité d'un chien envers son maître est quelque chose **qui** est très **important** pour lui.*

SITÔT LU *sitôt su*

Il faut bien distinguer *autre chose*, pronom masculin, de *une autre chose*, groupe* nominal féminin. Ils peuvent avoir un sens équivalent mais se construisent différemment : le groupe nominal a notamment besoin d'un déterminant.

*Il y a **autre chose** que Boule n'avait pas encore **dit** à ses parents.*

*Il y a **une autre chose** que Boule n'avait encore **dite** à ses parents.*

De + singulier ou pluriel ?

La préposition *de* introduit souvent un nom employé sans déterminant*. Il est alors difficile de trouver le nombre de ce nom : faut-il le mettre au singulier ou au pluriel ?

S'AIDER DE L'ANALYSE

- Lorsque *de* introduit un complément du nom sans déterminant, il faut **décomposer** l'expression en fonction de son sens pour faire apparaître un **article**.

  *Gargantua a avalé tout un paquet de **bonbons**.* (= un paquet qui contient **des** bonbons)

  *Il devrait peut-être surveiller ses règles d'**hygiène** alimentaire.* (= les règles qui régissent **son** hygiène alimentaire)

QUI L'EÛT cru

Parce que l'on a constaté qu'il avait besoin de se dépenser physiquement, Éric a été inscrit au club de football local. Dès lors, c'est dans le ballon qu'il donne des coups de pied. Quelle que soit son envie d'accaparer la balle et de multiplier les tirs au but, il ne peut frapper que d'un pied à la fois... sinon il tomberait ! Le singulier de *pied* est donc des plus logiques, dans ce contexte.

- Dans bien des cas, on a le choix, l'analyse permettant les deux nombres.

  *Gargantua aime beaucoup la confiture d'**abricot*** (ou *d'**abricots***). (= de la confiture faite avec de l'abricot ou faite avec des abricots)

CAS PARTICULIERS

- Lorsque le complément donne une indication sur la **cause**, la **matière** ou le **but**, on trouve le plus souvent le **singulier**.

  *À la vue d'une table si bien garnie, des larmes de **joie** lui viennent aux yeux.*

- On met en particulier le nom au **singulier** lorsqu'il s'agit d'un nom **non comptable***.

  *Combien de litres de **lait** avalait-il chaque jour ?* (*lait* est un non-comptable : on ne peut pas dire ~~deux laits, trois laits~~...)

- Le complément est évidemment toujours au **pluriel** s'il s'agit d'un nom qui ne s'emploie qu'au pluriel.

  *Il a toujours un panier de **victuailles** près de lui.*

SITÔT LU sitôt su

Le nombre du complément introduit par *de* est le plus souvent indépendant de celui du nom qui le précède.

un pot de confiture (= un pot qui contient de la confiture)

des pots de confiture (= des pots qui contiennent de la confiture ; mais on pourrait écrire *des pots de confitures,* ce qui signifierait « des pots qui contiennent des confitures »)

Demi (accord)

Selon la façon dont on l'emploie, *demi* prend les marques de genre et de nombre, ou non. Il faut connaître les différents cas.

DEMI EST INVARIABLE

• Quels que soient le genre et le nombre du nom qu'il précède et auquel il est relié par un trait d'union, **demi** reste **invariable** quand il sert à former un **nom composé***.

*Géo Trouvetou a inventé cette machine en moins d'une **demi**-journée.*
*Il a même fabriqué une feuille entière avec deux **demi**-feuilles.*

• *Demi* reste également **invariable** dans la locution* adverbiale ***à demi***.

*Après l'explosion, on a retrouvé Géo Trouvetou et sa machine **à demi** enfouis sous les décombres.*
*Son invention n'a qu'**à demi** marché, mais Géo Trouvetou ne désespère pas.*

QUI L'EÛT *cru*

« Il est 4 heures et demie précises ! » : l'adjectif *précises* s'accorde naturellement au féminin pluriel, sur l'ensemble « 4 heures et demie », et non sur le seul *demie* (au féminin singulier, puisque équivalant à « une demi-heure »), ce qui reviendrait à dire : « Il était – vaguement – 4 heures, plus très précisément une demi-heure » !
Placé derrière un nom, *demi(e)* (précédé de *et*) est évidemment figé au singulier : il désigne la moitié d'une unité, d'un objet, etc.

DEMI EST VARIABLE

• Lorsque **et demi** suit un nom, *demi* se met au masculin ou au féminin selon le **genre du nom**, mais il reste toujours au **singulier**.

*Sa dernière invention n'a pas marché plus de deux heures et **demie**.*
*Il est évident qu'un stylo qui mesure deux mètres et **demi** n'est pas très pratique.*

• Lorsqu'il est employé comme **nom** pour désigner une demi-baguette, une demi-heure, un verre de bière, etc., *demi* prend la marque du pluriel s'il est au pluriel. Il se met au féminin ou au masculin selon ce qu'il désigne.

*L'horloge de Géo Trouvetou ne sonne les **demies** qu'un jour sur deux.*
*Il a inventé une machine à servir les **demis** automatiquement.*

SITÔT LU *sitôt su*

• On peut se rappeler que *demi* est invariable en composition en pensant à *semi-* et à *mi-*, qui ne s'emploient qu'en composition et qui sont toujours invariables.

*C'est un chronomètre spécialement conçu pour les **mi**-temps.*
*Il travaille actuellement sur une porte à ouverture **semi**-automatique.*

• *Demi* ne s'écrit avec un trait d'union que s'il est suivi d'un nom. Dans les autres cas, il n'y a pas de trait d'union.

Des plus, des moins, des mieux

On peut hésiter sur l'accord de l'adjectif qui suit les expressions *des plus, des moins* ou *des mieux* prises dans leur valeur intensive (elles sont l'équivalent de *très* pour les deux premières, de *très peu* pour la troisième).

AU PLURIEL

- Lorsqu'il se rapporte à un **nom pluriel**, l'adjectif précédé de l'une de ces locutions* se met toujours au **pluriel**.

  *Fifi Brindacier a toujours des idées des plus **originales**.*

- Lorsqu'il se rapporte à un **nom singulier**, l'adjectif précédé de l'une de ces locutions se met généralement au **pluriel**. Il prend le genre du nom.

  *Fifi a toujours fait preuve d'une imagination des plus **débordantes**.*

  *Il faut dire que son mode de vie est des moins **habituels**.*

  *Elle est des mieux **installées** dans sa maison.*

- Cependant, on rencontre de plus en plus souvent le singulier dans ce cas et de nombreuses grammaires admettent les deux possibilités.

  *Il faut dire que son mode de vie est des moins **habituel**.*

QUI L'EÛT *cru*

Une formule de politesse très usuelle revient à la fin des lettres : « Je vous prie d'agréer, Monsieur, l'expression de mes sentiments les meilleurs. » Ce superlatif se veut des plus courtois, des plus polis, des plus révérencieux, des plus affables... mais on peut lui reprocher de n'être pas des moins banals ! L'expression de civilité est des mieux venues, mais selon les manuels classiques et orthodoxes du savoir-vivre la bienséance interdit toutefois – en toute rigueur – de manifester ses « sentiments » les meilleurs à une femme. Aussi bien à l'égard d'une jeune fille qu'à celui d'une femme mariée. L'usage évolue, toutefois, et permet aujourd'hui d'utiliser cette formule bien innocente, en vérité !

AU SINGULIER

L'adjectif reste au **singulier** s'il se rapporte à :

- un **pronom neutre*** (*ce, cela, il* en tournure impersonnelle*) ;

  *Il est des plus **normal** que Fifi soit très heureuse.*

- une **proposition**.

  *Vivre toute seule sans parents, avec une jument à pois est des moins **habituel**.*

Il ne faut pas confondre ces locutions avec l'expression du superlatif traduite par *les plus, les moins, les mieux*, se rapportant toujours à un donneur au pluriel. L'adjectif se met donc au pluriel.

*La jument et le singe sont ses amis **les plus fidèles**.*

*Fifi est une des filles **les plus heureuses** sur la planète.*

SITÔT LU *sitôt su*

Égal

Égal, employé dans certaines locutions*, présente des particularités d'accord.

SANS ÉGAL

Égal prend généralement le **nombre** et le **genre** de son donneur.

*Blanche-Neige est d'une beauté sans **égale**.*
*La jalousie et la cruauté de la reine sont sans **égales**.*

Cependant, l'usage hésite dans ce cas à utiliser le masculin pluriel *égaux*. On peut alors laisser *égal* invariable.

*La reine jouit de pouvoirs sans **égal**.* (ou *La reine jouit de pouvoirs sans **égaux***)

QUI L'EÛT cru

« Ce choix n'est pas douteux, et sa rare vaillance / Ne peut souffrir qu'on craigne aucune concurrence. / Comme ses hauts exploits le rendent sans égal / Dans un espoir si juste il sera sans rival. » (Corneille, *Le Cid*). L'auteur dramatique a opté pour le singulier, au sens de « sans le moindre égal ». Le choix d'*égaux* n'eût pas constitué, cependant, une hérésie, si l'on envisageait l'existence de plusieurs héros d'égal mérite.

N'AVOIR D'ÉGAL QUE

Dans l'expression *n'avoir d'égal que*, on a le choix entre les **deux possibilités** :

- soit on accorde *égal* avec le sujet de *avoir* ;
  *La cruauté de la reine n'a d'**égale** que son ressentiment à l'égard de Blanche-Neige.*
- soit on accorde *égal* avec le groupe qui suit *que*.
  *La cruauté de la reine n'a d'**égal** que son ressentiment à l'égard de Blanche-Neige.*

Là aussi, l'usage hésite à employer le masculin pluriel. Ainsi, lorsque les deux éventuels donneurs sont au masculin pluriel, on préfère laisser *égal* invariable, quoique *égaux* soit tout à fait possible.

*Les sentiments des nains à l'égard de Blanche-Neige n'ont d'**égal** que leur générosité et leur altruisme.* (ou *n'ont d'**égaux** que leur générosité et leur altruisme*)

D'ÉGAL À ÉGAL

La locution *d'égal à égal* est **invariable**.

*Blanche-Neige traite tous les nains **d'égal à égal**.*
*Ce n'est pas une relation **d'égal à égal** qui existe entre Blanche-Neige et la reine.*

SITÔT LU
sitôt su

- **Dans *toutes choses égales par ailleurs*, *égal* se rapporte toujours à *choses*. On l'écrit donc toujours au féminin pluriel.**
- **Dans la locution *à l'égal de*, *égal* a la valeur d'un nom masculin (on le reconnaît à l'article *l'*). Il garde toujours la même forme.**
  *Sa beauté est **à l'égal de** sa pureté.*

Ensemble

Ensemble, lorsqu'il est adverbe, est invariable. Il ne faut pas le confondre avec _ensemble(s)_, le nom, qui est variable.

INVARIABLE

• Lorsqu'il est **adverbe**, *ensemble* reste **invariable** : il ne s'écrit jamais avec un *s*, même s'il contient la notion de pluriel dans son sens.

Le prince et Cendrillon ont dansé ***ensemble*** *toute la soirée.*

Les deux sœurs iront ***ensemble*** *au bal et laisseront Cendrillon toute seule.*

On reconnaît l'adverbe au fait qu'il se rapporte à un **verbe** (plus rarement à un adjectif ou à un autre adverbe).

• L'adverbe *ensemble* présente la particularité de pouvoir se rapporter à un **nom** ou à un **pronom** avec la valeur d'un adjectif [voir *Toute la grammaire,* p. 134]. Même dans ce cas, il reste **invariable** et ne s'accorde jamais.

Les deux sœurs, ***ensemble****, sont de vraies pestes.*

Maintenant que le prince a retrouvé Cendrillon, il a décidé qu'ils resteront toujours ***ensemble****.*

Ils sont allés tous ***ensemble*** *au mariage de Cendrillon.*

QUI L'EÛT cru

« Ensemble, ensemble,
Notre devise est en ce mot.
Ensemble,
Tout semble plus beau. »

Ce refrain est celui d'un des chants de marche les plus fameux du scoutisme, dont le titre est... *Ensemble.*

Il s'agit évidemment ici de l'adverbe invariable. En revanche, lorsque l'on parle des patrouilles de scouts, il est alors question d'ensembles (nom commun) de guides, d'éclaireurs, etc. « Ensemble, les ensembles de scouts en ensembles kaki ou bleu marine progressaient vers le sommet de la colline. »

VARIABLE

Quand *ensemble* est un **nom**, il s'écrit avec *s* de façon tout à fait normale s'il est au pluriel.

Les sœurs de Cendrillon la narguaient avec leurs nouveaux ***ensembles****.*

Le prince n'a jamais appris la théorie des ***ensembles*** *en calcul.*

À l'époque de Cendrillon, les grands ***ensembles*** *n'existaient pas encore.*

SITÔT LU sitôt su

Si l'on peut remplacer _ensemble_ par _l'un avec l'autre_, c'est qu'il est adverbe : il doit alors s'écrire sans _s_.

Ils resteront toujours ***ensemble.*** (= ils resteront toujours l'un avec l'autre)

Espèce : quels accords ?

Quand *espèce* est suivi d'un complément, il faut savoir si c'est *espèce* ou le complément qui est donneur* dans les accords.

ESPÈCE, DONNEUR

- Lorsqu'il garde son **sens premier** (race, classe, catégorie), *espèce* est donneur. Les receveurs* (déterminant, adjectif, participe passé) se mettent donc au féminin.

  *Petit Pied n'a jamais vu un tel animal. Cette espèce de dinosaures lui **est** tout à fait **inconnue**.* (*est* et *inconnue* s'accordent avec *espèce* et non pas avec *dinosaures*)

- Si *espèce* est employé **sans complément**, il reste évidemment le donneur.

  *Les « Dents Tranchantes » sont des dinosaures carnivores. Cette espèce **est** très **cruelle**.*

QUI L'EÛT *cru*

« Il s'agit d'une espèce d'arbres fruitiers très résistante » : l'accord au féminin singulier, sur *espèce*, est correct, assurément, mais il n'est pas fautif, dans ce cas, d'accorder sur *arbres* (= c'est une espèce composée d'arbres fruitiers qui sont très résistants). Mais l'on veut peut-être dire, en parlant d'un arbre unique en son genre, qu'il ressemble, en gros, à un arbre fruitier ; alors, il faut mettre *arbre* au singulier, et *résistant* au masculin singulier : « C'est une espèce d'arbre fruitier très résistant. »

LE NOM COMPLÉMENT, DONNEUR

- Très souvent, *espèce,* suivi d'un complément, est pris dans un **sens atténué**, figuré pour indiquer que quelque chose n'est pas très nettement défini.

  *Il se sentit soudain rempli d'une **espèce** de courage qui le mènerait jusqu'à la vallée.*

Dans ce cas, c'est le **nom complément** qui est le **donneur**.

  *Il avait entendu une espèce de cri **lointain** qu'il n'avait pas tout de suite **identifié.*** (*lointain* et *identifié* sont au masculin comme *cri*)

- On applique les mêmes principes avec *genre*, *type* et *sorte* lorsqu'ils sont suivis d'un complément.

  *Ce genre d'expérience sera très **enrichissante** pour Petit Pied et ses compagnons.*
  *Il avait en face de lui une sorte de monstre **sorti** de nulle part et **prêt** à l'attaquer.*

SITÔT LU
sitôt su

Qu'il soit donneur ou non, *espèce* reste toujours un nom féminin. Le déterminant qui le précède doit donc être au féminin.

*Il a senti **une** espèce de tremblement sous ses pieds.* (et non pas ~~*un espèce de tremblement*~~)

***Quelle** espèce d'idiot : il aurait pu se faire dévorer par un « Dents Tranchantes » !* (et non pas ~~*quel espèce d'idiot*~~)

Il y a

Il faut veiller à la façon dont on écrit la locution *il y a* et dont on fait les accords dans certains cas.

LE NOMBRE

• *Il y a* est une locution* **impersonnelle** dans laquelle le verbe *avoir* s'accorde toujours avec le pronom *il* et reste donc au **singulier**.

*Derrière chez moi, il y **a** un petit bois.*

Il faut s'assurer qu'on laisse bien *avoir* au singulier lorsque la forme du singulier ne diffère pas de celle du pluriel à l'oral.

*Dans les arbres il y **avait** des nids, et dans ces nids il y **aurait** des œufs.* (et non pas ~~*il y avaient des nids, il y auraient des œufs*~~)

• L'adjectif qui suit *il n'y a de..., il n'y a pas plus...* ou *tout ce qu'il y a de...* reste lui aussi au **singulier** et se met au **masculin**.

*Il n'y a pas plus **beau** que ces arbres qui sont derrière chez moi.*

*Ces petits oiseaux dans leur nid sont tout ce qu'il y a de plus **charmant**.*

*Il n'y a de **nouveau** que l'éclosion des œufs dans l'arbre de mon jardin.*

QUI L'EÛT cru

Dans *Il y avait des arbres*, Charles Trenet s'est plu à reprendre comme un refrain la formule *il y avait*, alternant, derrière, les mots au singulier et les vocables au pluriel. Bien entendu, *il y avait* demeure à chaque fois invariable : « Il y avait des arbres, des coteaux, des châteaux / Et dans le ciel des oiseaux rigolos [...]. Il y avait la pluie sur le toit de l'auto [...], / Il y avait des gouttes qui pleuraient aux carreaux [...]. / Il y avait la lune par-dessus les coteaux [...]. » L'auteur-compositeur s'est amusé à user du procédé cher aux contes de fées classiques : « Il y avait une fois... », variante du « Il était une fois... », démontrant que des tournures bien simples peuvent constituer un bon support de textes poétiques.

LES TRAITS D'UNION

Dans la forme interrogative, on inverse le pronom *il* en le faisant précéder d'un *t* euphonique [voir p. 47]. Ce *t* s'écrit entre **deux traits d'union**.

Qu'y a-t-il derrière chez toi ?

Mais on ne met pas de trait d'union entre *y* et *a* : les pronoms qui précèdent le verbe n'y sont jamais reliés par un trait d'union.

De même, on veillera à ne pas mettre d'apostrophe à la place du deuxième trait d'union : *t'* est la forme élidée du pronom *te*, qui ne peut en aucun cas servir à la forme interrogative de la locution.

Pour une fois, « jamais deux sans trois » n'est pas vrai.
Souvenez-vous-en si vous êtes tenté d'ajouter un trait d'union entre *y* et *a*.

SITÔT LU
sitôt su

Ledit

Le participe passé *dit* présente la particularité de se souder au déterminant* lorsqu'il précède un nom.

AVEC L'ARTICLE

- Le participe passé **dit** se soude à l'article **le** (*la* au féminin et *les* au pluriel).

__ledit__ contrat *__ladite__ convention*
__lesdits__ contrats *__lesdites__ conventions*

- On emploie les formes contractées **au** et **du soudées** à *dit* lorsque le déterminant est précédé des prépositions *à* et *de.* Il faut alors bien penser à mettre un *x* au **pluriel**.

un avenant __audit__ contrat, __auxdits__ contrats, __auxdites__ conventions
l'acceptation __dudit__ contrat, __desdits__ contrats, __desdites__ conventions

QUI L'EÛT cru

Attention ! On ne doit pas se laisser emporter par un élan aveugle d'unification orthographique : il ne faut pas souder *le* et *dit* quand ce dernier mot désigne un récit poétique – ou « poésie récitée » – du Moyen Âge. Il faut bien écrire, ainsi : « le Dit du mercier », « le Dit de la bonté des femmes », « le Dit des rues de Paris », etc. Les auteurs de dits, généralement, proposent une description plaisante de personnes, de situations, de lieux, mais le style et le thème de ces récits sont très variés.

AUTRES CAS

- L'emploi du participe soudé à un **autre déterminant**, quoique possible, est plus rare.

Le maire sera autorisé à signer __cedit__ contrat, __cettedite__ convention.
Il l'a reçu de __sondit__ père, de __sadite__ mère.

On écrit aujourd'hui plus fréquemment le déterminant et le participe sans les souder.

Le maire sera autorisé à signer __ce dit__ contrat, __cette dite__ convention.
Il l'a reçu de __son dit__ père, de __sa dite__ mère.

- On soude également *dit* à **sus** (qui lui reste invariable), tout comme on le fait avec ***mentionné*** et ***nommé***.

Les __susdites__ parties s'engagent à respecter chacune les termes du contrat.

Susdit, susmentionné et susnommé peuvent **suivre** le nom, contrairement à *ledit*, qui contient le déterminant et doit donc toujours précéder le nom.

Pour accéder au formulaire d'inscription, vous devez accepter les conditions __susmentionnées__.

SITÔT LU
sitôt su

Il faut bien employer *ledit* avec le sens qu'il a, « dont on vient de parler, que l'on vient de citer », et non pas dans le sens de « prétendu ».

Lequel

Il faut savoir écrire les différentes formes du pronom *lequel*, en particulier lorsqu'il est employé avec les prépositions *à* et *de*.

EMPLOYÉ SEUL

Le pronom *lequel* est composé du déterminant ***le*** auquel est **soudé** le pronom ***quel***, ces deux composants variant chacun en nombre et en genre.

	MASCULIN	FÉMININ
SINGULIER	*lequel*	*laquelle*
PLURIEL	*lesquels*	*lesquelles*

Étienne Lantier connaît bien les mineurs.
*Il sait **lesquels** le suivront dans la grève.*
*La grève dans **laquelle** ils s'étaient engagés a été un échec.*

QUI L'EÛT *cru*

« Lequel des trois mousquetaires a englouti dans la nuit les restes des victuailles ? Porthos, évidemment, au sujet duquel on peut penser que Dumas s'est inspiré de lui-même et de sa propre gloutonnerie, à laquelle il faut attribuer sa bedaine imposante ! Auquel cas il conviendrait peut-être de mettre au compte de son antagonisme pour les personnes ascétiques son aversion pour l' "homme rouge", le Cardinal de Richelieu ! »
L'accumulation volontaire de différentes formes de *lequel* montre... ce qu'il ne faut pas faire, ou, tout du moins, ce qu'il convient d'éviter autant que possible si l'on veut alléger un texte !

AVEC LES PRÉPOSITIONS À ET *DE*

Le pronom *lequel* **se contracte** avec les prépositions *à* et *de* au masculin singulier et au pluriel.

	À	DE
MASCULIN SINGULIER	*auquel*	*duquel*
FÉMININ SINGULIER	*à laquelle*	*de laquelle*
MASCULIN PLURIEL	*auxquels*	*desquels*
FÉMININ PLURIEL	*auxquelles*	*desquelles*

***Auquel** des deux hommes Catherine tient-elle le plus ?*
*Les mines près **desquelles** se trouve Montsou emploient de nombreux ouvriers de la ville.*
*Les mineurs, **auxquels** s'adresse Étienne Lantier, sont prêts à le suivre dans le combat.*

Pas de *s* sans *x* ni de *x* sans *s* : aucune de ces deux lettres ne s'entend. Il faut donc bien penser à les mettre toutes les deux quand le pronom est au pluriel.

le combat auquel les mineurs participent
*les combats aux**x**quel**s** les mineurs participent*
*les luttes aux**x**quelle**s** les mineurs participent*

SITÔT LU
sitôt su

Leur, leurs

Il faut bien distinguer le déterminant possessif *leur* du pronom personnel *leur* et savoir dans quel cas on peut écrire *leurs* avec *s*.

LEUR, POSSESSIF

- *Leur* est **déterminant possessif** quand il se rapporte à un **nom**. Il introduit directement le nom ou peut être séparé du nom par un adjectif placé devant le nom.

  Les trois fils avaient été appelés par ***leur*** *père.*

  Leur *vieux père tenait à les avoir près de lui avant sa mort.*

- Le déterminant s'écrit ***leur*** quand il se rapporte à un nom **singulier** et ***leurs*** quand il se rapporte à un nom **pluriel**.

QUI L'EÛT cru

L'homophonie de *leur* et de *leurs* peut provoquer des… malentendus, des quiproquos, des bévues, si l'on ne prend pas soin de vérifier certaines données. Prenons l'exemple d'une réception lors d'un week-end : des invités font appeler leurs hôtes afin de savoir s'ils peuvent venir avec « leur chien ». Obligeamment, on leur répond qu'il n'y a pas de problème. En fait, un problème, il va y en avoir un, sérieux, quand au lieu d'un unique basset les invités sans-gêne vont apparaître avec une demi-douzaine de dalmatiens : « leurs chiens » !

C'est le sens qui permet de savoir si l'on a affaire à un singulier ou à un pluriel.

Les enfants ont labouré ***leur*** *champ.* (ils n'ont qu'un champ)

Les enfants ont labouré ***leurs*** *champ****s****.* (ils ont plusieurs champs)

- *Leur* sert également à former le pronom possessif ***le leur*** (*la leur,* au féminin). Il s'écrit toujours ***leurs*** avec ***s*** dans le **pronom pluriel** *les leurs.*

  Le champ du père renfermait un trésor. Et ***le leur*** *?* (s'ils ont un champ)

  Le champ du père renfermait un trésor. Et ***les leurs*** *?* (s'ils ont plusieurs champs)

LEUR, PRONOM PERSONNEL

Leur est un **pronom personnel** quand il est complément d'un verbe. Il précède généralement directement le verbe, ou le suit si le verbe est à l'impératif non négatif.

Le père des trois enfants avait un secret à ***leur*** *confier.*

Si vous avez un secret à ***leur*** *confier, dites-le-****leur****.*

Leur est le pluriel de *lui :* il est l'équivalent de « à eux », « à elles ». Il s'écrit toujours *leur* et ne prend jamais de *s*.

SITÔT LU
sitôt su

- **Quand il est déterminant possessif, on ne peut avoir *leurs* devant un donneur* singulier ni *leur* devant un donneur pluriel.**

  leurs champs ou *leur champ* (mais pas ~~*leurs champ*~~ ni ~~*leur champs*~~)

- **Quand il est pronom personnel, *leur* est déjà un pluriel. Inutile donc de lui ajouter un *s*.**

Même, mêmes

Il faut savoir dans quels cas *même* s'accorde et dans quel cas il est invariable.

VARIABLE

- *Même* est **variable** quand il **renforce** :
  - ➤ un pronom (il signifie « en personne ») ;
    *Ses neveux eux-**mêmes** le trouvent plutôt avare.*
  - ➤ un nom ou un pronom démonstratif.
    *À l'instant **même** où il sort de son lit, Picsou compte son argent.*
    *Picsou recompte ses billets, ceux-là **mêmes** qu'il a déjà comptés.*

Il n'est pas illicite d'avoir, en certains cas d'espèce, un double raisonnement, qui peut conduire, non par facilité mais parce que *même* peut être adjectif ou adverbe, à l'accord ou bien à l'invariabilité. Ainsi, avec « ses paroles même (= même ses paroles, jusqu'à ses paroles) m'ont étonné » ou « ses paroles mêmes (= ces paroles-là elles-mêmes) m'ont étonné ». Souplesse bienvenue de la langue !

- Quand il signifie « semblable, identique », *même* **s'accorde** avec le **nom** qu'il qualifie.
  *Picsou n'a pas les **mêmes** préoccupations que ses neveux, mais il n'a pas le **même** âge !*

- Enfin, ***le même*** est un **pronom** qui **varie** en genre et en nombre.
  *Il trouve ces pièces très belles : il aimerait avoir **les mêmes**.*

INVARIABLE

- Quand il signifie « également, aussi, y compris », ***même*** est **adverbe** et il reste donc **invariable**.
  *Picsou garde toutes ses pièces, **même** les plus petites.*

Dans ce cas, *même* peut se placer après le groupe nominal. On prendra alors garde à ne pas le confondre avec l'adjectif.
*Picsou garde toutes ses pièces, les plus petites **même**.*

- *Même* est également adverbe dans les **locutions** telles que *à même de, même plus, tout de même, de même, même si...* Il reste alors **invariable**.
  *Ses neveux ne sont pas **à même de** dire à combien se monte la fortune de leur oncle.*

SITÔT LU

sitôt su

Quand *même* suit un nom ou un pronom, il reste invariable s'il peut être placé devant sans changer le sens de la phrase ; il s'accorde si le sens change ou si la phrase devient incorrecte.

Il garde toutes ses pièces, les plus petites même. (on peut dire *même les plus petites* → invariable)
Il recompte ses billets, ceux-là mêmes qu'il a déjà comptés. (on ne pourrait pas dire ~~*il recompte ses billets même ceux là qu'il a déjà comptés*~~ → variable)

Nous et *vous* : quels accords ?

Le plus souvent, *nous* et *vous* sont des donneurs* pluriels, mais dans certains cas, les accords se font au singulier.

CAS GÉNÉRAL

• Le plus souvent, *nous* désigne un ensemble de personnes dont fait partie celle qui parle ou écrit. Les receveurs* qui s'accordent avec ***nous*** se mettent donc au **pluriel**.

*Nous sommes plutôt **différents**, mais nous sommes vite **devenus amis** et nous sommes toujours **unis**.*

QUI L'EÛT cru

Les lecteurs n'ont pas toujours raison... Et, parmi eux, ceux qui écrivent pour fustiger les journalistes qui ont écrit des phrases comme : « Nous nous sommes rendu en jeep ... », en critiquant la prétendue faute d'orthographe sur l'accord de *rendu*... Ces lecteurs ignorent le principe journalistique du « *nous* de modestie » !

• Généralement, *vous* désigne un ensemble de personnes dont fait partie celle à qui on s'adresse. Les receveurs qui s'accordent avec ***vous*** se mettent donc au **pluriel**.

*Vous êtes très **maladroits** tous les deux, et vous n'en êtes même pas **conscients**.*

CAS PARTICULIERS

• On emploie couramment *vous* lorsqu'on s'adresse à une personne que l'on **vouvoie**. Lorsque cette personne est le seul locuteur auquel on s'adresse, les adjectifs et les participes passés restent au **singulier**.

*Laurel, comme vous aviez **disparu**, Hardy vous a **cherché** partout !*

• Un auteur emploie parfois *nous* en parlant de lui-même. C'est ce qu'on appelle le *nous* de **modestie**. Les adjectifs et participes passés qui se rapportent à *nous* restent dans ce cas au singulier.

*« Dans ce film, nous nous sommes **amusé** à parodier des films de légionnaires », a déclaré le réalisateur.*

• Lorsque ***même*** renforce un *vous* de politesse ou un *nous* de modestie, il reste également au singulier.

*C'est vous-**même** qui l'avez dit, mon commandant !*

SITÔT LU *sitôt su*

Qu'ils désignent une seule personne ou plusieurs, *nous* et *vous* sont toujours porteurs d'un genre. Ils sont donneurs masculins si l'une au moins des personnes désignées est de sexe masculin.

*« Excusez-moi, mesdames, je ne vous avais pas **vues** », bredouilla Laurel.*
*« Mon amie et moi, nous nous sommes **quittés** », avoua Hardy.*
*Vous êtes très **jolie**, mademoiselle.*

On : quels accords ?

Selon la valeur de *on*, les accords se font au masculin singulier ou en fonction du sexe et du nombre des personnes désignées.

PRONOM INDÉFINI

- Lorsque le pronom *on* est employé comme **indéfini**, les adjectifs et participes passés qui s'y rapportent se mettent au **masculin singulier**.

  On n'est jamais mieux ***servi*** *que par soi-même.*

- *On* est **indéfini** quand il désigne :

➤ une personne indéterminée ;

On est ***venu*** *vous apporter un colis.*

➤ un groupe de personnes indéterminé ;

On est très bien ***logé****, dans cet hôtel.*

➤ l'être humain, les hommes en général.

On n'est jamais ***sûr*** *de rien.*

QUI L'EÛT cru

« On aura beau dire et beau faire, plus on ira, moins on rencontrera des gens ayant connu Napoléon » : cette phrase de bon sens, mais surtout pleine d'humour, est due à l'un des princes de l'esprit français version loufoque, à savoir Alphonse Allais. Le premier *on* désigne sans doute l'humanité en général, le second pouvant avoir la même acception ou bien désigner le monde, la planète. La formule aurait comporté des adjectifs et – ou – des participes passés, ceux-ci auraient été mis au singulier : « On aura beau se montrer contestataire et contrarié, plus on ira... »

On doit par ailleurs à A. Allais un recueil intitulé *On n'est pas des bœufs*, reprise d'une formule populaire où le *on*, là encore, désigne l'être humain en général.

PRONOM PERSONNEL

- Lorsque le pronom *on* est employé comme **pronom personnel**, les adjectifs et participes passés qui s'y rapportent peuvent prendre les marques de genre et de nombre selon la ou les personnes désignées par *on*.

  Dis-moi, on a été ***mignonne*** *aujourd'hui ?* (on s'adresse à une petite fille)

- *On* est **pronom personnel** quand il peut être remplacé par :

➤ ***nous*** (c'est son emploi le plus courant en tant que pronom personnel) ;

Mon mari et moi, on s'est ***rencontrés*** *sur les bancs du lycée.*

➤ ***je, tu*** ou ***vous***. Il traduit alors différentes valeurs stylistiques (modestie pour *je*, familiarité ou complicité pour *tu* et *vous*, etc.).

On s'est ***attachée****, dans ce livre, à donner des explications claires.* (l'auteur est une femme)

On sera ***sensibles****, j'espère, à la pertinence de la question.* (= vous serez sensibles...)

SITÔT LU sitôt su

L'emploi de *on* pour *nous* est possible, mais reste encore empreint d'une certaine familiarité. De toute façon, il faut éviter d'employer à la fois *on* et *nous* dans un même texte.

Nous *sommes partis le matin et* ***nous*** *sommes arrivés le soir.* (éventuellement ***on*** *est partis le matin et* ***on*** *est arrivés le soir*, mais pas ~~*nous sommes partis le matin et on est arrivés le soir*~~)

Personne

Selon qu'il est nom ou pronom, *personne* se comporte différemment en tant que donneur* d'accord.

LE NOM FÉMININ

• *Personne* est un **nom féminin** quand il signifie « individu, être humain ». Ses receveurs* (déterminant, adjectifs, participes) se mettent donc au **féminin**.

*Arsène Lupin est **une** personne très **courtoise** et **polie**.*

***La** personne que j'ai **vue** entrer dans le château portait un chapeau.*

*Les personnes victimes d'un cambriolage sont **priées** de se faire connaître.*

QUI L'EÛT cru

« C'est une vaine ambition que de tâcher de ressembler à tout le monde, puisque tout le monde est composé de chacun et que chacun ne ressemble à personne » (André Gide, *Le Prométhée mal enchaîné*). Voilà un propos qui devrait susciter de bonnes séances de remue-méninges, et rendre bien des fronts pensifs et halitueux (autrement dits : couverts de sueur) ! Par ailleurs, ici, *personne* est un pronom indéfini, et équivaut à « aucune autre personne ».

• On veillera en particulier à utiliser des **pronoms** de genre **féminin** pour représenter le nom *personne*.

*Les personnes victimes d'un cambriolage sont priées de se faire connaître. **Elles** pourront porter plainte.* (et non pas ~~*ils pourront porter plainte*~~)

LE PRONOM INDÉFINI

• *Personne* est un **pronom indéfini** quand il est employé dans une phrase négative et qu'il signifie « aucune personne, aucun individu ». Les accords se font alors au **masculin singulier**.

*Il n'y a personne de plus **courtois** ni de plus **poli** qu'Arsène Lupin.*

*Personne n'est **entré** dans le château, et pourtant mon tableau a disparu.*

• *Personne* s'emploie également dans le registre* soutenu avec un **sens positif** et signifie « quelqu'un, quiconque ». Il reste pronom indéfini du **masculin singulier**.

*Je doute que personne puisse être **comparé** à notre gentleman cambrioleur.*

SITÔT LU *sitôt su*

Si *personne* est précédé d'un déterminant, il ne peut s'agir que du nom féminin. On distinguera donc bien les deux constructions suivantes :

*Dans les cambriolages d'Arsène Lupin, aucune personne n'est jamais **blessée**.* (*personne* est le nom précédé du déterminant *aucune*)

*Dans les cambriolages d'Arsène Lupin, personne n'est jamais **blessé**.* (*personne* est le pronom indéfini)

Plein : quand l'accorder ?

Selon la valeur avec laquelle il est employé, *plein* est variable ou non. Il faut savoir reconnaître ses différents emplois.

PLEIN, ADJECTIF

- Quand *plein* signifie **« rempli »**, il est adjectif : il **s'accorde** donc en genre et en nombre avec le nom ou le pronom auquel il se rapporte.

  J'ai rapporté de grands paniers ***pleins*** *de champignons.*

  La forêt est ***pleine*** *de champignons.*

- *Plein* est un adjectif qui présente la particularité de pouvoir se placer **avant** le nom et son déterminant* (alors qu'en principe les adjectifs se placent après le déterminant). Dans ce cas, *plein* reste **invariable** bien qu'il soit adjectif (il a la valeur d'une préposition).

  J'avais des champignons ***plein*** *mes paniers.*

QUI L'EÛT *cru*

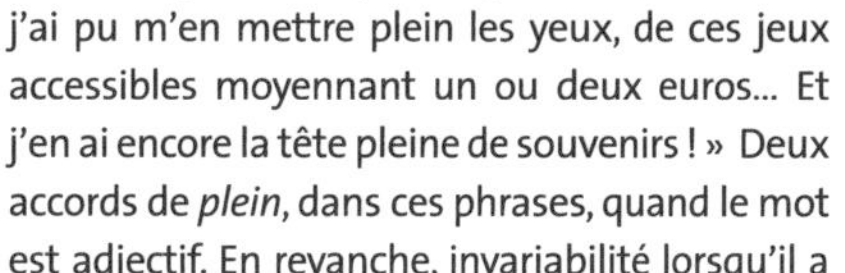

« Comme j'avais les poches pleines de monnaie, j'ai pu m'en mettre plein les yeux, de ces jeux accessibles moyennant un ou deux euros... Et j'en ai encore la tête pleine de souvenirs ! » Deux accords de *plein*, dans ces phrases, quand le mot est adjectif. En revanche, invariabilité lorsqu'il a la fonction de préposition : on pourrait avoir, ainsi, « des souvenirs plein la tête ».

PLEIN, ADVERBE

- Quand il signifie **« beaucoup »**, *plein* a la même valeur qu'un adverbe : il est donc **invariable**. Dans ce cas, il ne peut jamais être remplacé par « rempli ».

  Il y a ***plein*** *de champignons dans la forêt : des tout petits, des gros, des minces.*

Le registre* soutenu refuse d'employer *plein* avec cette valeur et préférera employer *beaucoup.*

Il y a beaucoup de champignons dans la forêt.

- L'expression *tout plein* est familière. On pourra lui préférer les équivalents *très* ou *beaucoup* selon les emplois.

  J'ai ramassé ***beaucoup*** *de champignons.* (et non ~~*j'ai ramassé tout plein de champignons*~~).

  Ils sont ***très*** *mignons, ces champignons !* (et non ~~*ils sont mignons tout plein*~~).

SITÔT LU *sitôt su*

La principale difficulté est finalement de savoir s'il faut écrire le masculin *plein* au singulier ou au pluriel. En effet, dès lors que l'on entend le féminin, on sait que *plein* s'accorde. En cas d'hésitation, on remplacera le nom par un nom féminin : si le féminin se fait entendre, il faut mettre *pleins* au pluriel. Sinon, il reste au singulier.

des paniers pleins de champignons (des corbeilles pleines de champignons → accord)

des champignons plein les paniers (des champignons plein les corbeilles → pas d'accord)

Possible

Il faut savoir comment accorder *possible* lorsqu'il est employé avec un superlatif *(le plus, le moins)* ou un comparatif *(aussi, autant).*

AVEC UN SUPERLATIF

- Quand *possible* sert de **renforcement** au superlatif, il s'accorde avec *le plus* ou *le moins* :

➤ il reste donc au **singulier** si *le plus, le moins* sont au singulier, même s'il suit un nom au pluriel ;

Sophie voulait toujours avoir le plus de cadeaux ***possible****.* (*possible* sert de renforcement *à le plus,* il est au singulier, même s'il suit le nom pluriel *cadeaux*)

C'est en voulant faire le moins de dégâts ***possible*** *qu'elle en avait fait le plus.*

QUI L'EÛT cru

« Nous devons tenter d'accéder au meilleur des mondes possible(s) » : que faut-il comprendre par cette phrase pleine d'espoir, semble-t-il ? Qu'il faut s'efforcer de bâtir le meilleur possible des mondes, afin d'en profiter ensuite, ou bien qu'il faut, parmi les différents modèles pouvant raisonnablement être conçus, ou existant déjà, choisir le meilleur d'entre eux ? Les débats autour de l'accord ou du non-accord de *possible* dans ce type de phrase n'ont pas fini de faire couler salive et encre !

➤ il se met au **pluriel** si le superlatif est au pluriel : *les plus..., les moins...*

Sophie voulait que sa poupée ait les joues les plus rouges ***possibles****.*

Sa mère avait essayé de lui inculquer les principes les meilleurs ***possibles****.*

- Si *possible* ne sert pas de renforcement au superlatif, mais qu'il est bien pris dans son **sens premier**, c'est-à-dire dans le sens de « qui peut exister, qui est réalisable », *possible* se rapporte au nom et **s'accorde** avec celui-ci.

C'est toujours elle qui faisait le plus de bêtises ***possibles****.* (= *le plus de bêtises réalisables ; le plus de bêtises possible* n'aurait pas le même sens).

AVEC UN COMPARATIF

Possible est **invariable** lorsqu'il est complément d'un comparatif avec *aussi, autant*, même s'il accompagne un adjectif au pluriel.

Sophie voulait que sa poupée ait les cheveux aussi frisés que ***possible****.*

Dans ce cas, *possible* ne se rattache pas au nom au pluriel, mais à une tournure impersonnelle sous-entendue : *qu'il est...*

Sophie voulait que sa poupée ait les cheveux aussi frisés qu'il est ***possible*** *d'avoir.*

SITÔT LU
sitôt su

Avec *le plus, le moins,* on laisse toujours *possible* au singulier si l'on peut le placer avant le nom au pluriel.

Sophie voulait toujours avoir le plus de cadeaux ***possible****.* (= *le plus* ***possible*** *de cadeaux* → pas de pluriel à *possible*)

le moins de dégâts ***possible*** (=*le moins* ***possible*** *de dégâts* → pas de pluriel à *possible*)

Quel

Que le déterminant *quel* soit au féminin ou au pluriel, on n'entend pas à l'oral ses marques de genre ni de nombre. Il ne faut pourtant pas les oublier à l'écrit.

EMPLOIS ET FORMES

• *Quel* s'écrit différemment selon son genre et son nombre.

	MASCULIN	FÉMININ
SINGULIER	*quel*	*quelle*
PLURIEL	*quels*	*quelles*

• *Quel* est déterminant interrogatif* et exclamatif* : il **s'accorde** en genre et en nombre avec le nom auquel il se rapporte.

*À **quels** autres animaux la grenouille aurait-elle pu vouloir ressembler ?* (*quels* est au masculin pluriel comme le nom *animaux*)

***Quelle** idée de vouloir ressembler à un bœuf !* (*quelle* est au féminin singulier comme le nom *idée*)

QUI L'EÛT cru

Déterminant interrogatif ou exclamatif, *quel* est un des mots les plus usuels de la langue française. On le trouve aussi bien dans la traduction du dernier propos de l'empereur romain Néron, un despote dément qui se prenait, au moins, pour le poète et musicien Orphée : « Quel grand artiste périt avec moi ! », que dans les devinettes populaires : « Quel arbre protège les marins ? – L'abricotier (= l'abri côtier). »

EMPLOIS PARTICULIERS

• *Quel* présente la particularité de pouvoir occuper la fonction d'**attribut**. Il ne faut pas oublier de l'accorder même s'il est éloigné du nom auquel il se rapporte.

*Je ne sais pas **quelle** a été la réaction du bœuf quand il a vu la grenouille éclater.*

***Quels** sont la taille et le poids du bœuf ?*

Quel est également attribut dans la locution ***quel que*** suivie du verbe *être* au subjonctif [voir p. 169].

*La grenouille voulait ressembler au bœuf **quelle** que soit la taille de l'animal.*

• *Quel* **s'accorde** également en genre et en nombre dans les locutions ***n'importe quel*** et ***je ne sais quel***, qui ont la même valeur qu'un déterminant.

*Elle était accompagnée de je ne sais **quelle** amie.* (elle était accompagnée d'une amie)

Il ne faut, bien sûr, pas confondre *quel*, déterminant, et *qu'elle(s)*, qui est composé de *que* élidé et du pronom *elle(s)*. On écrit *qu'elle(s)* quand on peut mettre *qu'il(s), qu'eux, que lui* au masculin.

*Je sais **quelle** sera la conclusion de cette idée folle.* (on ne peut pas dire : ~~*je sais qu'il sera la conclusion de cette idée folle*~~)

*Je sais **qu'elle** n'y arrivera jamais.* (on peut dire : *je sais qu'il n'y arrivera jamais*)

SITÔT LU sitôt su

Quelque

Selon ses emplois et le sens qu'il a, *quelque* s'écrit au singulier ou au pluriel.

LE DÉTERMINANT

- Quand il signifie **« plusieurs »**, *quelques* est un déterminant* : il s'emploie avec des noms au **pluriel** et prend lui-même la marque du pluriel ***s***.

  *Phileas Fogg a emporté **quelques** affaires dans sa valise.*
  *Il a fait un pari avec **quelques** amis.*

Il peut alors lui-même être précédé d'un autre déterminant.

  ***Les quelques** personnes qu'il fréquentait ne savaient pas grand-chose de lui.*

- Quand il signifie **« un certain, un quelconque »**, *quelque* est également un **déterminant** : il s'emploie avec des noms au singulier et reste lui-même toujours au **singulier**. Dans ce sens, *quelque* ne peut jamais être précédé d'un autre déterminant.

  *Son pari avait-il **quelque** chance de succès ?*

Quelque au singulier appartient au registre* soutenu, sauf dans des locutions* très courantes telles que *quelque chose, quelque part, en quelque sorte, quelque peu, quelque temps.*

  *Depuis **quelque temps**, Fix soupçonne Fogg d'être le voleur de la Banque d'Angleterre.*

QUI L'EÛT cru

Et quelques s'écrit au pluriel derrière un numéral qui exprime un nombre rond, puisque cela signifie que l'on ajoute, de manière imprécise certes, quelques unités : « J'avais en poche cent et quelques euros », « Nous étions deux cents et quelques à la manifestation » (*et quelques* n'étant pas assimilé à un déterminant numéral, le mot *cent* peut donc s'accorder). Certains auteurs, notamment quand *quelques* ne s'applique pas à la même unité que celle exprimée dans la phrase (par « dix heures et quelques » on ne veut pas dire « dix heures et quelques heures »), font de cette locution un adverbe figé au singulier et équivalant à *environ*.

L'ADVERBE

- Quand *quelque* précède un déterminant cardinal *(dix, quinze, cent...)*, il signifie **« environ »**. Dans ce cas, il est adverbe et reste **invariable**.

  *Il devait faire le tour du monde avec **quelque** vingt mille livres en poche.*
  *Les **quelque** cent personnes qui attendaient Fogg l'acclamèrent à son arrivée.*

- Il ne faut pas confondre ***quelque*** avec la construction ***quel que*** [voir p. 169].

  ***Quelles que** soient les difficultés, il fera le tour du monde en quatre-vingts jours.*

SITÔT LU sitôt su

On peut se rappeler que *quelque temps* est au singulier en pensant à son équivalent *un certain temps*, qui, lui, est bien au singulier (*plusieurs temps* n'aurait pas de sens).

Quel que, quelque

Lorsqu'on exprime une concession au subjonctif, il faut savoir dans quel cas on écrit *quel que* et dans quel cas on écrit *quelque*.

QUEL QUE

- On écrit toujours en **deux mots** *quel que* précédant le verbe *être* au subjonctif et son sujet.

  ***Quel que** soit le problème, Mac Gyver a toujours une solution.*

- Dans cette construction, *quel* **s'accorde** toujours en genre et en nombre avec le **sujet** de la proposition [voir p. 167]. Il ne faut pas non plus oublier d'accorder *être* en nombre avec le sujet.

  ***Quels que** soient les problèmes, Mac Gyver a toujours une solution.*

  ***Quelle que** serait la difficulté, Mac Gyver aurait toujours une solution.*

  ***Quelles que** puissent être les difficultés, Mac Gyver a toujours une solution.*

QUI L'EÛT cru

« Quelques bonnes raisons que Sophie ait pu alléguer, on ne peut accepter ce qu'elle a fait, à savoir manger tous les petits-beurre de sa sœur cadette. » Si l'on retranche l'adjectif *bonnes*, la phrase conserve sa signification, son sens général : donc, *quelques* est un déterminant variable s'accordant avec *raisons*. Sophie, même saisie de fringale, aurait sans doute pu se contenter de dévorer... quelques petits-beurre ! (Rappelons que l'orthographe de *petits-beurre* au pluriel s'explique par le fait qu'il s'agit d'une ellipse pour « des petits gâteaux faits au beurre ».)

QUELQUE... QUE

- On écrit en un **seul mot** le déterminant* *quelque* qui précède un **nom** repris par *que* ou *qui* introduisant une subordonnée* au subjonctif.

  ***Quelque** envie **que** Mac Gyver ait de se sortir d'affaire, il faut avouer qu'il a peu de chances de réussir.*

La construction appartient au registre* soutenu. L'usage courant préférera utiliser une autre construction avec *bien que, malgré...*

Bien qu'il ait envie de se sortir d'affaire... (ou *malgré son envie de se sortir d'affaire*)

- Dans cette construction, *quelque* est **déterminant** : il se met donc au pluriel si le nom auquel il se rapporte est au pluriel.

  ***Quelques** difficultés **qu'**il rencontre, Mac Gyver n'est jamais pris au dépourvu.*

SITÔT LU sitôt su

Pour s'assurer que l'on doit écrire *quelque* en un seul mot, on vérifie qu'on peut utiliser la construction avec *bien que*. Si cela n'est pas possible, il faut écrire *quel que* en deux mots.

Quelques difficultés qu'il rencontre... (on peut dire *bien qu'il rencontre des difficultés* → *quelques* en un mot)

Quelles que soient les difficultés... (on ne peut pas dire ~~*bien que soient les difficultés*~~ → *quelles que* en deux mots)

Quoique ou quoi que ?

Lorsqu'on exprime une concession au subjonctif, il faut savoir dans quel cas on écrit *quoique* et dans quel cas on écrit *quoi que*.

QUOIQUE

- On écrit en **un seul mot** la conjonction* de subordination *quoique* qui signifie « bien que ».

  Quoiqu*'il ne soit pas très fort, Arthur a pu tirer l'épée prisonnière de l'enclume.*

- *Quoique* n'a pas de fonction dans la subordonnée*. Si on transforme la subordonnée en proposition indépendante*, *quoique* disparaît.

  Il n'est pas très fort, mais il a pu tirer l'épée prisonnière de l'enclume.

QUI L'EÛT *cru*

Attention aux couacs orthographiques ! « Restons courageux, quoi qu'il arrive ! », se disaient les Schtroumpfs, prêts à affronter tous les dangers possibles, toutes les catastrophes imaginables. Mais le Grand Schtroumpf ne nous démentira pas si nous affirmons que *quoique* doit être écrit en un mot : « Restons courageux, quoiqu'il arrive ! », si les petits hommes bleus se préparent à l'arrivée de l'infâme Gargamel à proximité de leur village (= « restons courageux, bien qu'il arrive »).

- Dans une subordonnée **sans verbe**, on utilise toujours la conjonction ***quoique***.

  Quoique *méfiant, Merlin n'avait pas prévu le piège de la sorcière.*

QUOI QUE

- On écrit en **deux mots** la locution* pronominale *quoi que,* qui signifie « quelle que soit la chose que », « quelle que soit la chose qui ».

  Quoi qu*'il fasse, Arthur finit toujours par se retrouver transformé en curieux animal.*
  Il faut, ***quoi qu****'il arrive, que Merlin vienne à bout de cette affreuse sorcière.*

- *Quoi que* a la valeur d'un pronom et a toujours une **fonction** dans la phrase.

  quoi qu'il fasse (*quoi qu'* est complément d'objet direct de *fasse : qu'il fasse ceci ou cela...*)
  quoi qu'il arrive (*quoi qu'* est sujet réel du verbe impersonnel *il arrive* : il arrive cela)

- C'est bien la locution pronominale que l'on retrouve dans l'expression ***quoi qu'il en soit*** et qui signifie « de toute façon, en tout état de cause ».

  Arthur n'a pas la carrure d'un roi, mais, ***quoi qu'il en soit****, il a tiré l'épée de l'enclume.* (et non ~~*quoiqu'il en soit*~~)

SITÔT LU
sitôt su

Il faut penser à ces deux constructions pour faire la différence entre *quoique ce soit...* (suivi d'un attribut*) et *quoi que ce soit* (qui signifie « n'importe quoi »).

Quoique ce soit *incroyable, c'est bien Arthur qui a tiré l'épée de l'enclume.*
Si Mim l'affreuse sorcière te propose ***quoi que ce soit****, refuse !*

Sans + singulier ou pluriel ?

La préposition *sans* introduit souvent un nom employé sans déterminant. Il est alors difficile de trouver le nombre de ce nom : faut-il le mettre au singulier ou au pluriel ?

S'AIDER DU SENS

- Lorsque *sans* introduit un complément du nom sans déterminant, il faut faire appel au **sens** et à la **logique** pour savoir si le nom est au singulier ou au pluriel.

  *Un pull sans **col** et sans **manches*** (s'il y en avait, il aurait un col et deux manches)

- Dans bien des cas, on a le **choix**, l'analyse permettant les deux nombres.

  *un ciel sans **nuage*** (il n'y a pas un seul nuage dans le ciel)

  *un ciel sans **nuages*** (s'il y en avait, il y en aurait plusieurs)

QUI L'EÛT cru

Le choix entre le singulier ou le pluriel derrière *sans* peut être déterminé à partir de l'orthographe adoptée pour les phrases positives. On écrit, ainsi, « une femme, un homme, sans façons » parce que, pour signifier le contraire, on dit « une femme, un homme, qui fait des façons » et « vivre sans soucis », par comparaison avec « avoir des soucis ».

Si l'on veut affirmer à quelqu'un qu'il peut compter absolument sur une lettre importante de votre part, il faut lui faire passer un billet ou un courriel : « Je vous écrirai sans faute ! » Mettre un *s* à *fautes* signifierait que l'on s'engage (... pour une fois ?!) à soigner son orthographe !

LOCUTIONS FIGÉES

- Il faut retenir certaines **locutions* figées** dans lesquelles le nom précédé de *sans* est toujours au **singulier**.

sans arrêt	*sans crainte*	*sans exception*	*sans suite...*
sans cesse	*sans délai*	*sans fin*	
sans conteste	*sans encombre*	*sans pareil*	

- Lorsque ***sans faute*** (« absolument »), ***sans doute*** (« peut-être »), ***sans façon*** (« simplement ») sont employés comme adverbes, ils s'écrivent toujours au **singulier**.

  *Elle viendra **sans faute** demain et arrivera **sans doute** pour le déjeuner.*

  *Acceptez ce petit cadeau offert **sans façon**.*

SITÔT LU sitôt su

On peut souvent s'aider de l'expression contraire présentant la préposition *avec*, qui fait apparaître le déterminant et donne donc une indication sur le nombre.

*un pull sans **col** et sans **manches***

→ *un pull avec un **col** et avec des **manches***

Tel

Tel est toujours variable, mais il pose des problèmes d'accord, car, selon ses emplois, les donneurs* sont différents.

AVEC UN SEUL NOM

- Quand *tel* se rapporte à un seul nom, pronom ou groupe* nominal, il **s'accorde**, comme tous les adjectifs, en genre et en nombre avec ce donneur.

  *Un **tel** sourire est inoubliable.*

  *Rien de **tel** que la joie exprimée par ce sourire pour vous réconforter.*

- *Tel* présente la particularité de pouvoir occuper la fonction d'**attribut***. Il ne faut pas oublier de l'accorder même s'il est éloigné du nom auquel il se rapporte.

  ***Tels** étaient les sentiments de Mona Lisa à ce moment.* (*tels* : attribut du sujet *sentiments*)

  *Avait-il peint Mona Lisa **telle** qu'il l'avait connue ?* (*telle* : attribut du complément d'objet *l'* mis pour *Mona Lisa*)

- On accorde de la même façon ***tel quel***, qui signifie « pareil, sans modification ».

  *Le peintre a reproduit **tels quels** les sentiments de Mona Lisa.*

QUI L'EÛT cru

« Tell père ! Tell fils ! » : ainsi se présentaient sans doute le légendaire arbalétrier suisse et son descendant quand ils se promenaient. Tel Tell, peut-être êtes-vous capable de transpercer, à vingt ou à trente mètres, une pomme placée sur la tête d'un de vos ascendants ou d'un de vos descendants, à qui l'on devrait porter un petit ... remontant, ensuite !? Une boisson revigorante telle que le génépi.

AVEC PLUSIEURS NOMS

- ***Tel que*** sert en quelque sorte à introduire un exemple ou une comparaison. *Tel* doit alors s'accorder avec le **nom illustré** par l'exemple ou la comparaison (il le précède le plus souvent) et non avec les noms ou les pronoms qu'il introduit.

  *Des tableaux **tels** que* La Joconde *sont célèbres.*

  ***Tel** qu'une apaisante lumière, ce sourire vient illuminer le tableau.*

- Lorsque ***tel*** introduit une comparaison sans *que*, l'accord peut se faire soit avec le nom qui exprime la comparaison (usage le plus fréquent), soit avec le nom comparé.

  *Ce sourire, **telle** une apaisante lumière, vient illuminer le tableau.* (ou *ce sourire, **tel** une apaisante lumière...*)

SITÔT LU
sitôt su

Pour se rappeler que *tel* reste bien au masculin singulier quand il se rapporte à *rien*, on peut le remplacer par un autre adjectif dont le féminin se prononce différemment du masculin.

Il n'y a rien de tel que la peinture... (on ne dirait pas ~~*il n'y a rien de plus belle que la peinture*~~, mais bien *il n'y a rien de plus beau que la peinture* → *tel* reste bien au masculin singulier)

Tout (1)

Pour pouvoir écrire correctement *tout,* il faut savoir s'il est adverbe, pronom, déterminant ou adjectif.

TOUT, ADVERBE

- *Tout* est **adverbe** quand il est devant un **adjectif**, un autre **adverbe** ou une locution* adverbiale. Il signifie, selon les cas, « complètement, entièrement, tout à fait, vraiment... ».

  *James était **tout** ennuyé d'annoncer la nouvelle à la marquise.*

  *Elle tenait **tout** spécialement à sa jument.*

- Dans ce cas, *tout,* comme les autres adverbes, est **invariable**.

  *L'écurie **tout** entière a brûlé.* (et non pas ~~toute entière~~)

  *Ils étaient **tout** gênés d'annoncer la nouvelle à la marquise.* (et non pas ~~tous gênés~~)

Cependant, si *tout* précède un **adjectif féminin** commençant par une **consonne** ou un ***h* aspiré***, *tout* prend les mêmes marques de genre et de nombre que cet adjectif.

*Elles étaient **toutes** gênées et **toutes** honteuses d'annoncer la nouvelle à la marquise.*

QUI L'EÛT *cru*

« Le Tout-Paris se pressait au Salon du livre » : deux majuscules et un trait d'union obligatoires dans ce mot composé désignant les personnes en vue, les personnalités « qui comptent ». Le masculin reste la règle pour *Tout* même quand il est associé à un nom de ville dit « féminin » (se terminant sur une syllabe muette) : « le Tout-Londres », « le Tout-Rome »... « Le Tout-Lisbonne s'est empressé autour de la très médiatique star hollywoodienne... »

TOUT, PRONOM

- Le pronom **singulier *tout*** ne s'emploie qu'au masculin pour désigner un ensemble de choses. Il n'a pas d'antécédent*.

  *Je vais **tout** vous expliquer, madame la marquise : **tout** a brûlé.*

- Le pronom **pluriel** varie en genre selon son antécédent : ***tous*** ou ***toutes***.

  *Les écuries de la marquise étaient très belles, mais **toutes** ont brûlé.*

  *Les domestiques ont fait ce qu'ils ont pu et la marquise les a **tous** remerciés.*

Le pronom pluriel peut servir de renforcement à un nom ou à un pronom dont il prend alors les marques de genre.

*Ils ont **tous** essayé de maîtriser l'incendie.*

Le pronom pluriel *tous* se prononce toujours [tus] en faisant entendre le *s* final. On peut ainsi faire la distinction entre *tous,* pronom, et *tout,* adverbe modifiant un adjectif au masculin pluriel.

*Ils sont **tous** gênés de lui annoncer la nouvelle.* ([tus] → pronom ; la phrase équivaut à *tous sont gênés de lui annoncer la nouvelle*)

*Ils sont **tout** gênés de lui annoncer la nouvelle.* ([tu] → adverbe ; la phrase équivaut à *ils sont vraiment gênés de lui annoncer la nouvelle*)

SITÔT LU
sitôt su

Tout (2)

Tout, déterminant ou adjectif, s'accorde toujours avec le nom ou le pronom auquel il se rapporte. Mais lorsque le nom est employé sans autre déterminant que *tout*, on peut avoir des hésitations sur le nombre.

CAS GÉNÉRAL

- Quand *tout* se rapporte à un **nom** ou à un **pronom**, il est adjectif ou déterminant. Il doit **s'accorder** en genre et en nombre avec ce donneur.

  *La marquise téléphone **tous** les jours.*

- Selon ses emplois, *tout* précède :

  ➢ un autre **déterminant** (article, possessif* ou démonstratif*) ;

  ***Toutes** vos écuries ont brûlé. C'est à cause de **toutes** ces flammes. Mais il ne faut pas en faire **toute** une histoire.*

  ➢ un **nom** ;

  *En **tout** état de cause, vos écuries ont été endommagées.*

  *C'est à **tous** égards une grande catastrophe.*

  ➢ un **pronom** démonstratif *(ce, cela, celui...)* ou un pronom numéral.

  *L'incendie a détruit **tout** ce que vous aviez.*

  *Le marquis et votre jument ont eu **tous** deux un petit incident.*

QUI L'EÛT cru

La bride est une pièce du harnais fixée à la tête du cheval pour le diriger. Même si elle se subdivise en plusieurs parties (frontail, sous-gorge, têtière...), c'est une seule pièce. Cela explique que des expressions comme *aller à toute bride* et *galoper à bride abattue* soient figées au singulier : Lucky Luke ou Zorro abandonnent dans ce cas... toute la bride au cheval. Idem pour *tenir son cheval en bride*.

TOUT SUIVI D'UN NOM SANS AUTRE DÉTERMINANT

- Quand ***pour tout*** est employé dans le sens de « pour seul, pour unique », l'expression reste au singulier.

  *Il lui restait **pour tout** logement le cabanon de James.*

- Les expressions composées de ***tout*** et d'un **nom sans déterminant** sont aujourd'hui le plus souvent au singulier. Mais certaines expressions ne s'emploient qu'au pluriel, et dans certains cas on a le choix [voir p. 195].

  *Il aurait fallu à **tout prix** empêcher le feu de se propager. Mais ils se sont enfuis à **toutes jambes**. De **toute façon**, le château est détruit.* (ou *de **toutes façons**...*)

SITÔT LU

sitôt su

Si l'on peut intercaler *les* entre *tout* et le nom, l'expression peut s'écrire au pluriel.

*Le feu a pris de **tous côtés**.* (= de tous les côtés)

***Toutes proportions** gardées, ce n'est pas si grave.* (= toutes les proportions gardées...)

Un

Selon qu'il est cardinal* ou ordinal*, *un* s'accorde ou reste invariable. Il faut savoir reconnaître ces différents emplois pour l'écrire correctement.

UN, CARDINAL

- *Un* est un **déterminant cardinal** quand il donne une indication sur le **nombre**. Il s'emploie soit seul, soit en composition avec un autre déterminant.

  *Cela coûte **un** euro, vingt et **un** euros, mille **un** euros.*

- Dans ce cas, ***un*** s'accorde en genre avec le nom qu'il détermine. Mais il est toujours au **singulier**.

  *Il lui reste **une** pièce, vingt et **une** pièces, mille **une** pièces.*

QUI L'EÛT cru

Voulez-vous jouer au quatre-cent-vingt-et-un ? Ce divertissement bon enfant, qu'on appelle aussi « quatre-vingt-et-un », est dérivé du zanzi. Comme son nom l'indique, la combinaison la plus forte à obtenir avec les trois dés est composée d'un quatre, d'un deux et d'un as (on ne dit pas : un « un »). Les traits d'union marquent que l'on est en présence d'un nom commun de jeu ; le numéral *quatre cent vingt et un*, lui, n'a pas de traits d'union.

- Dans les indications de type ***vingt et un mille***, ***trente et un mille***..., *un* est **invariable**, car il ne se rapporte pas directement au nom qui le suit. Il fait partie de toute l'indication numérique.

  *Sa collection compte plus de **vingt et un mille** pièces.* (et non ~~*vingt et une mille pièces*~~)

UN, ORDINAL

- Si *un* est employé dans le sens **ordinal** (il a le sens de « premier ») à propos d'un numéro, d'une page..., il reste le plus souvent **invariable**.

  *Le nom des auteurs se trouve en page **un**.* (= en première page)

  *la ligne **un** du métro*

- De même, les composés ***vingt et un, trente et un...*** restent invariables s'ils sont utilisés dans leur sens ordinal.

  *Le chapitre trois commence page cinquante et **un**.* (et non ~~*page cinquante et une*~~)

  *Le train partira voie vingt et **un**.*

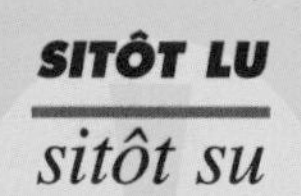

SITÔT LU *sitôt su*

- **On peut se rappeler que *un* reste invariable quand il est ordinal, en pensant aux années : on dira bien *un* et non pas *une* pour *année 2001*, ce qui prouve qu'il n'y a pas d'accord.**
- ***Un* ne peut se mettre au pluriel que dans les pronoms indéfinis (il ne sert pas à exprimer un nombre) : *quelques-uns, les uns...***
Quand il est ordinal ou cardinal (il exprime un nombre), il ne prend jamais la marque du pluriel.

  *les trente et **un** jours des mois impairs* (et non ~~*les trente et uns jours*~~)

Rectifications de l'orthographe

Au cours de son histoire, l'orthographe du français a toujours évolué. Cela se traduit en particulier dans le dictionnaire de l'Académie française qui, d'une édition à l'autre (la première date de 1694), enregistre ces évolutions (par exemple, plus de six mille mots ont changé de graphie entre la 2e édition de 1718 et la 3e de 1740). Les *Rectifications de l'orthographe* s'inscrivent dans cette évolution. Cependant, les spécialistes de la langue ne les reconnaissent pas unaninement.

PRÉSENTATION

En octobre 1989, le Premier ministre, Michel Rocard, crée le Conseil supérieur de la langue française présidé par le secrétaire perpétuel de l'Académie française et composé de linguistes, d'auteurs de dictionnaires, d'écrivains, de professionnels de l'édition et de la presse... En juin de l'année suivante, ce Conseil rend un rapport qui propose des rectifications visant à rendre l'orthographe du français plus cohérente. Ce rapport est approuvé par le Premier ministre et est publié au *Journal officiel de la République française* le 6 décembre 1990.

Ces nouvelles graphies et nouvelles règles ne bouleversent en aucun cas l'orthographe du français. Mais elles tentent, d'une part, d'instaurer une certaine cohérence là où cela faisait défaut, d'autre part, de refléter l'évolution de la langue.

Les formes ainsi préconisées ne peuvent et ne doivent être considérées comme fautives. D'un autre côté, elles n'ont rien d'obligatoire et les formes utilisées auparavant ne peuvent être condamnées. D'ailleurs, certains jurys ne reconnaissent pas la validité des nouvelles graphies.

L'ACCENT GRAVE SUR *E*

• On met un **accent grave** sur les *e* qui précèdent les *e* muets [voir p. 67] :

➤ dans des mots qui jusque-là étaient enregistrés dans les dictionnaires avec un accent aigu ;

évènement, règlementaire, crèmerie (comme *fièrement, pèlerin*)

➤ dans les formes du futur et du conditionnel des verbes qui se conjuguent sur le modèle de *céder* [voir *Toute la conjugaison*, p. 34] ;

il succèdera, il protègerait (comme *il sèmera, il lèverait*)

➤ en cas d'inversion du sujet *je*.

aimè-je, dussè-je

- On maintient l'accent aigu même lorsqu'il précède un *e* muet sur :

➤ les préfixes *dé-* et *pré-* ;

*d**é**geler, pr**é**lever*

➤ les *é* en début de mot ;

***é**levage, **é**peler*

➤ les deux noms *médecin* et *médecine*.

L'ACCENT SUR LE *E*

On met un **accent aigu** ou **grave** selon le cas sur le *e* des mots qui en étaient dépourvus jusqu'à maintenant lorsque ce *e* se prononce [e] ou [ɛ].

asséner, réfréner, sénestre

papèterie

Cela concerne en particulier les emprunts dont la langue d'origine ne connaît pas le système d'accentuation du *e*.

révolver, placébo, mémento

LES VERBES EN *-ELER* ET *-ETER*

- Les verbes en ***-eler*** et ***-eter*** se conjuguent avec un **accent grave** pour marquer le son [ɛ]. Ils se conjuguent ainsi comme les autres verbes qui présentent l'alternance [e]/[ɛ] dans leur conjugaison *(semer, mener, lever...)* [voir *Toute la conjugaison*, p. 33].

*il feuill**è**te, il déniv**è**le, je renouv**è**le* (comme *il sème, il mène, il lève...*)

Les noms en *-ment* dérivés de ces verbes s'écrivent également avec l'accent grave.

un amoncèlement, le renouvèlement

- On maintient la consonne double pour les verbes *appeler* et *jeter* ainsi que les verbes de leur famille.

il appelle, il rappelle, il jette, il rejette

ACCENT CIRCONFLEXE SUR *I* ET *U*

- Les voyelles ***i*** et ***u*** s'écrivent sans **accent circonflexe** [voir p. 63].

*la cha**i**ne, la bo**i**te, il pla**i**t, para**i**tre, il para**i**t, accro**i**tre, il accro**i**t, il g**i**t*

*la b**u**che, le f**u**t, br**u**ler, ao**u**t, assid**u**ment*

- On maintient l'accent circonflexe sur :

➤ l'adjectif *sûr*, le nom *jeûne*, les participes passés *dû, mû*, et *recrû* et le verbe *croître* pour éviter des confusions avec leurs homophones *sur, jeune, du* (article), *mu* (lettre grecque), *recru* (fatigué) et les formes du verbe *croire* ;

➤ la désinence des deux premières personnes du pluriel du passé simple ;

*nous v**î**mes, nous f**û**mes, vous v**î**ntes, vous aperç**û**tes*

➤ la désinence de la 3e personne du singulier de l'imparfait du subjonctif.

*qu'elle f**î**t, qu'il f**û**t*

LE TRÉMA

● On écrit avec le tréma sur le *u* :
➤ les féminins des adjectifs *aigüe* (et *suraigüe*), *ambigüe, contigüe* et *exigüe* ainsi que le nom *cigüe* ;
➤ les noms *ambigüité, contigüité* et *exigüité.*

● On met un tréma sur le *u* de *argüer* et de *gageüre* pour signaler que ce *u* se prononce et qu'ainsi *argüer* ne doit pas être prononcé comme *narguer*, ni *gageüre* comme *majeure.*

LE TRAIT D'UNION

● On relie entre eux par un trait d'union tous les termes servant à écrire les nombres [voir p. 48].

cinq-cent-quatre, trois-mille-neuf-cent-douze, trente-et-un, cinquante-et-un

La règle s'applique dans tous les cas et il n'y a plus d'hésitation à avoir sur l'emploi ou non du trait d'union.

● On utilise la soudure pour les mots composés [voir p. 45] formés à partir :
➤ d'emprunts ;

un facsimilé, le turnover, un weekend

➤ d'éléments savants ;

biochimie, socioculturel, électroacoustique, antichoc

Cependant on maintient le trait d'union pour éviter le rapprochement de deux voyelles dont la lecture pourrait prêter à confusion.

auto-induction, extra-utérin

➤ d'onomatopées ;

un tictac, le tamtam, coincoin

➤ de composants que l'on analyse plus.

un boutentrain, un tournedos, un lieudit, un millepatte

SINGULIER ET PLURIEL DES NOMS COMPOSÉS

● Les **noms composés** formés d'un verbe ou d'une préposition suivi d'un nom commun prennent les marques du pluriel **à la fin du nom commun**. Ils prennent ainsi les mêmes marques de pluriel que les noms écrits en un seul mot *(des portemanteaux, des entractes)* [voir p. 118].

*des abat-jour**s**, des ramasse-miette**s**, des après-midi**s***

● On laisse invariables les noms précédés de l'article et ceux qui prennent une majuscule.

des cessez-le-feu, des trompe-l'œil

des prie-Dieu

● Ces noms ne prennent la marque du pluriel que s'ils sont au pluriel. Il n'y a ainsi plus d'hésitations sur la graphie d'un grand nombre de noms composés au singulier.

un cure-dent, un ramasse-miette, un pèse-personne

Dans certains cas, le singulier pourra paraître contraire à la logique (*un sèche-cheveu,* même si on sèche plusieurs cheveux ; *un tire-fesse,* même si les deux fesses sont toujours tirées en même temps), mais on n'oubliera pas que d'autres mots s'écrivent ainsi sans marque de pluriel bien qu'ils fassent référence à une notion plurielle : cf. *millefeuille, entracte* (qui se situe bien entre deux actes !).

LES EMPRUNTS

● Lorsque plusieurs variantes existent pour un mot emprunté à une langue étrangère, on privilégie celle qui correspond le mieux au système orthographique du français [voir p. 61].

shampoing (plutôt que *shampooing*), *canyon* (plutôt que *cañon*)

● Les emprunts intégrés au français suivent les mêmes règles que les mots français pour la formation de leur pluriel [voir p. 119].

des sandwichs, des barmans, des lieds, des duplicatas, des confettis

des box, des merguez

L'ACCORD DU PARTICIPE PASSÉ DE *LAISSER*

On applique la même règle à *laisser* qu'à *faire* : son participe passé est toujours invariable lorsqu'il est suivi d'un infinitif.

*Elles se sont **laissé** tomber.*

*Je les ai **laissé** partir.*

LES ANOMALIES

● On écrit *-**iller*** (au lieu de *-illier*) les noms dans lesquels le *i* ne s'entend pas.

un joailler, un quincailler, une serpillère (comme *conseiller, poulailler...*)

● On écrit avec une consonne simple les noms dont la finale est en [ɔl] (*-**ole*** au lieu de *-olle*).

une girole, une corole, une guibole, un mariole (comme *bestiole, profiterole...*)

On conserve cependant la consonne double dans *folle, molle* et *colle.*

● On écrit avec une consonne simple les verbes dérivés de noms en *-ot* et ceux qui sont formés avec le suffixe *-**oter***.

frisoter (friser + -oter), balloter (de *ballot*), *greloter* (de *grelot*), comme *clignoter, emmailloter...*

Les noms et adjectifs dérivés de ces verbes s'écrivent eux aussi avec une consonne simple.

un frisotis, un ballotage, ballotant, le grelotement, grelotant

• Les graphies des mots suivants sont rectifiées afin d'assurer la cohérence au sein d'une même famille de mots ou de respecter le système orthographique du français.

ancienne graphie	nouvelle graphie	cohérence corrigée
absous	absou**t**	féminin *absou**te***
appas	app**ât**s	comme *app**ât**er*
asseoir, rasseoir, surseoir	assoir, rassoir, sursoir	le *e* ne se prononce pas
bizuth	bizu**t**	comme *bizu**t**er*
bonhomie	bonho**mm**ie	comme *ho**mm**e*
boursoufler, boursouflure, boursouflement	boursou**ff**ler, boursou**ff**lure, boursou**ff**lement	comme *sou**ff**ler*
cahute	cahu**tt**e	comme *hu**tt**e*
chariot, chariotage, charioter	cha**rr**iot, cha**rr**iotage, cha**rr**ioter	comme *cha**rr**ette*
chausse-trape	chaussetra**pp**e[1]	comme *tra**pp**e*
combatif, combativité	comba**tt**if, comba**tt**ivité	comme *comba**tt**re*
cuissot	cuiss**eau**	
dentellier	dente**l**ier	se prononce [ə], comme *chapelier*
dessiller	dé**c**iller	comme ***c**il*
dissous	dissou**t**	féminin *dissou**te***
douceâtre	dou**ç**âtre	**ç** et non *e* pour le son [s]
eczéma, eczémateux	e**x**éma, e**x**émateux	comme *e**x**écuter*
imbécillité	imbéci**l**ité	comme *imbéci**l**e*
innomé	inno**mm**é	comme *no**mm**é*
interpeller	interpe**l**er	[ə] devant consonne simple
levraut	levr**eau**	comme *chevr**eau***
nénuphar	nénu**f**ar	conforme à son étymologie
oignon	**o**gnon	le *i* ne se prononce pas
persifler	persi**ff**ler	comme *si**ff**ler*
prud'homal, prud'homie	prudho**mm**al, prudho**mm**ie[1]	comme *ho**mm**e*
relais	rel**ai**	comme *bal**ai**, dél**ai***
vantail	v**e**ntail	comme *v**e**nt*

1. En plus de la consonne double pour harmoniser ces mots avec ceux de leur famille, il y a soudure car les composants ne sont plus analysés.

La ponctuation du dialogue

DIALOGUES EN COLONNE

• Avec guillemets

De temps en temps, la porte de la chambre s'ouvrait doucement : c'était Mme Eysette qui entrait. Elle s'approchait du Petit Chose sur la pointe des pieds. Chut !...

« Tu travailles ? lui disait-elle tout bas.

– Oui, mère.

– Tu n'as pas froid ?

– Oh ! non ! »

Le Petit Chose mentait, il avait bien froid, au contraire.

• Sans guillemets

De temps en temps, la porte de la chambre s'ouvrait doucement, c'était Mme Eysette qui entrait. Elle s'approchait du Petit Chose sur la pointe des pieds. Chut !...

– Tu travailles ? lui disait-elle tout bas.

– Oui, mère.

– Tu n'as pas froid ?

– Oh ! non !

Le Petit Chose mentait, il avait bien froid, au contraire.

Alphonse Daudet, *Le Petit Chose*, 1868.

DIALOGUES EN LIGNE

Une foule curieuse se presse sur leur passage, et chacun fait des réflexions à haute voix... Les petits Grillons bruns, assis au soleil devant leurs portes, disent gravement : « Il aimait trop les fleurs ! – Il courait trop la nuit ! » ajoutent les Escargots, et les Scarabées à gros ventre se dandinent dans leurs habits d'or en grommelant : « Trop bohème ! trop bohème ! » Parmi toute cette foule, pas un mot de regret pour le pauvre mort ; seulement, dans les plaines d'alentour, les grands lis ont fermé et les cigales ne chantent pas.

Alphonse Daudet, *Le Petit Chose*, 1868.

La formation du pluriel

SINGULIER	PLURIEL	EXEMPLES NOMS	EXEMPLES ADJECTIFS
cas général	*s*	*un chien, des chiens* *une balle, des balles*	*un mur peint, des murs peints* *une table basse, des tables basses*
-s *-x* *-z*	même forme	*une souris, des souris* *un taux, des taux* *un nez, des nez*	*un tissu gris, des tissus gris* *un plat creux, des plats creux* pas d'adjectif qui se termine par *z*
-al	*-aux*	*un canal, des canaux*	*un rire jovial, des rires joviaux*
-ail	*-ails*	*un chandail, des chandails*	pas d'adjectif en *-ail*
-au *-eau* *-eu*	*x*	*un étau, des étaux,* *un château, des châteaux* *un neveu, des neveux*	*un mot nouveau, des mots nouveaux*
-ou	*s*	*un cou, des cous* *un écrou, des écrous*	*un matelas mou, des matelas mous*

EXCEPTIONS	REMARQUES
	Les noms et adjectifs empruntés aux langues étrangères suivent cette règle : *des confettis, des lobbys, des conquistadors...*
Pas d'exception.	Pour les noms empruntés à l'anglais qui se terminent au singulier par *x*, on préfère aujourd'hui le pluriel conforme à la règle du français *(un box, des box)* plutôt que le pluriel sur le modèle anglais en ajoutant *-es (un box, des boxes).*
• Quelques noms : *avals, carnavals, chorals, bals, festivals, récitals...* • Quelques adjectifs : *bancals, fatals, natals, navals...* • Emprunts : *gavials, rials...* • Mots familiers : *futals, morfals...* • Noms tirés de noms propres : *cantals, pascals* • Noms de produits pharmaceutiques : *gardénals, véronals*	Quelques noms et adjectifs ont les deux pluriels en *-als* et *-aux* [voir p. 115].
baux, coraux, émaux, soupiraux, travaux, vantaux, vitraux	Les composés de *bail* s'écrivent avec *s* au pluriel : des *crédits-bails.*
• *des landaus, des sarraus* (blouse), *des taus* (lettre grecque) • *bleus* (et aussi *des bleus*), *des émeus, feus* (« défunt »), *des lieus* (poisson), *des pneus*	La majorité des mots concernés par cette règle sont des noms en *-eau*. Il existe peu de noms et d'adjectifs en *-au*, pas d'adjectif en *-eu* autres que *bleu* et *feu* et une vingtaine de noms en *-eu.*
Sept noms : *des bijoux, des cailloux, des choux, des genoux, des hiboux, des joujoux, des poux*	L'usage accepte les deux pluriels : *des tripoux* ou *des tripous* et *des ripoux* ou *des ripous.*

La formation du féminin

Cas général : on ajoute un *e* à la forme du masculin.

un petit cousin, une petite cousine

MASCULIN	FÉMININ	EXEMPLES NOMS	EXEMPLES ADJECTIFS
-e	même forme	*un journaliste, une journaliste*	*un homme habile, une femme habile*
-f	*-ve*	*un veuf, une veuve*	*un esprit vif, une réponse vive*
-x	*-se*	*un époux, une épouse* *un gueux, une gueuse*	*un homme jaloux, une femme jalouse* *un sentier boueux, une allée boueuse*
-er	*-ère*	*un boulanger, une boulangère* *un caissier, une caissière*	*un pull léger, une tenue légère* *un air fier, une attitude fière*
-c	*-que*	*un laïc, une laïque*	*un lieu public, une place publique*
-eur	*-euse*	*un danseur, une danseuse*	*un luxe tapageur, une publicité tapageuse*
-teur	*-teuse* ou *-trice*	*un chanteur, une chanteuse* *un acteur, une actrice*	*un élève chahuteur, une classe chahuteuse* *un mouvement fédérateur, une tendance fédératrice*
-eau	*-elle*	*un agneau, une agnelle*	*un nouveau journal, une nouvelle revue*

EXCEPTIONS	REMARQUES
Quelques noms ont un féminin en *-esse* : *une ânesse, une comtesse...*	
Pas d'exception.	Quelques autres noms et adjectifs changent de consonne finale au féminin : *blanc, blanche ; franc, franche* *sec, sèche* *loup, louve* *tiers, tierce ; gars, garce* *frais, fraîche*
faux, fausse *doux, douce* *roux, rousse* *vieux, vieille*	
Pas d'exception.	
sec, sèche	• On écrit *qu* pour garder le son [k] devant le *e* du féminin. • *grec* a pour féminin *grecque*.
antérieur(e), extérieur(e), inférieur(e), intérieur(e), majeur(e), meilleur(e), mineur(e), postérieur(e), supérieur(e), ultérieur(e)	
Pas d'exception.	• Les noms et adjectifs en *-teur* qui sont dérivés d'un verbe (on peut remplacer *-eur* par *-ant*) font pour la plupart leur féminin en *-teuse (menteur, mentant, menteuse).* • Les autres font leur féminin en *-trice (acteur, actrice).*
Pas d'exception.	• Les noms d'animés en *-eau* sont rares. • *Beau* et *nouveau* sont les deux seuls adjectifs en *-eau*.

La formation du féminin : les consonnes doubles

MASCULIN	FÉMININ	EXEMPLES NOMS	EXEMPLES ADJECTIFS
-el	*-elle*	*un intellectuel, une intellectuelle*	*un fait réel, une valeur réelle*
-en	*-enne*	*un lycéen, une lycéenne* *un chien, une chienne*	*le climat méditerranéen, la flore méditerranéenne* *un ancien camarade, une ancienne camarade*
-on	*-onne*	*un lion, une lionne*	*un bon repas, une bonne affaire*
-et	*-ette*	*un blondinet, une blondinette*	*un frère cadet, une sœur cadette*

EXCEPTIONS	REMARQUES
Pas d'exception.	• Les deux adjectifs *pareil* et *vermeil* doublent également le *l* au féminin : *pareille, vermeille.* • Les autres noms et adjectifs qui se terminent par *l* au masculin suivent la règle générale sans doubler le *l* : *général, générale* *civil, civile* sauf *gentil, gentille* et *nul, nulle.*
Pas d'exception. *lapon, lapone* *letton, lettone* *mormon, mormone*	Les autres noms et adjectifs qui se terminent par *n* au masculin suivent la règle générale sans doubler le *n* : *courtisan, courtisane* *châtelain, châtelaine* *voisin, voisine* *commun, commune* sauf *paysan, paysanne.*
complet, complète *concret, concrète* *désuet, désuète* *discret, discrète* *inquiet, inquiète* *préfet, préfète* *replet, replète* *secret, secrète* et leurs dérivés ou composés	Les autres noms et adjectifs qui se terminent par *t* au masculin suivent la règle générale sans doubler le *t* : *candidat, candidate* *plat, plate* *inédit, inédite* *dévot, dévote* *brut, brute* sauf : *chat, chatte* *sot, sotte* *pâlot, pâlotte* *vieillot, vieillotte*

Les nombres

ARABE	ROMAIN	CARDINAL	ORDINAL
0		zéro	
1	I	un	premier (1er)
2	II	deux	deuxième ou second
3	III	trois	troisième
4	IV	quatre	quatrième
5	V	cinq	cinquième
6	VI	six	sixième
7	VII	sept	septième
8	VIII	huit	huitième
9	IX	neuf	neuvième
10	X	dix	dixième
11	XI	onze	onzième
12	XII	douze	douzième
13	XIII	treize	treizième
14	XIV	quatorze	quatorzième
15	XV	quinze	quinzième
16	XVI	seize	seizième
17	XVII	dix-sept	dix-septième
18	XVIII	dix-huit	dix-huitième
19	XIX	dix-neuf	dix-neuvième
20	XX	vingt	vingtième
21	XXI	vingt et un[1]	vingt et unième[1]
22	XXII	vingt-deux	vingt-deuxième
30	XXX	trente	trentième
40	LX	quarante	quarantième
50	L	cinquante	cinquantième
60	LX	soixante	soixantième
70	LXX	soixante-dix	soixante-dixième
71	LXXI	soixante et onze[1]	soixante et onzième[1]
72	LXXII	soixante-douze	soixante-douzième
80	LXXX	quatre-vingts	quatre-vingtième
81	LXXXI	quatre-vingt-un	quatre-vingt-unième
90	XC	quatre-vingt-dix	quatre-vingt-dixième
91	XCI	quatre-vingt-onze	quatre-vingt-onzième
100	C	cent	centième
500	D	cinq cents[1]	cinq centième[1]
1 000	M	mille	millième

1. Les *Rectifications de l'orthographe* proposent que l'on écrive avec un trait d'union toutes les expressions de nombre [voir p. 178].

NOMBRE	MULTIPLE	FRACTION	DURÉE	GROUPE	SÉRIE	PRÉFIXE
deux	double, doubler	moitié	biennal	duo		bi-, di-
trois	triple, tripler	tiers	triennal	trio		tri-
quatre	quadruple, quadrupler	quart	quadriennal	quatuor		quadri-, tétra-
cinq	quintuple, quintupler	(1)	quinquennal	quintette		quinqu(é)-, penta-
six	sextuple, sextupler	(1)		sextuor		hexa-
sept	septuple, septupler	(1)	septennal	septuor		hepta-
huit	octuple, octupler	(1)		octuor	huitaine	oct-
neuf		(1)				enné(a)-
dix	décuple, décupler	(1) et déci-	décennal		dizaine	déca-
douze		(1)			douzaine	dodéca-
quinze		(1)			quinzaine	
vingt		(1)	vicennal		vingtaine	
trente		(1)	tricennal		trentaine	
quarante		(1)			quarantaine	
cinquante		(1)			cinquantaine	
soixante		(1)			soixantaine	
cent	centuple, centupler	(1) et centi-	centennal		centaine	hecto-
mille		(1) et milli-				kilo-

(1) Les fractions sont exprimées à l'aide de l'ordinal : *cinquième*, *dixième*, *centième*...

Les abréviations

A. M. *ante meridiem* : avant midi
art. article
ann. annexe
apr. après
av. avant
bd boulevard
B.P. boîte postale
c.-à-d. c'est-à-dire
c/o *care of* (anglais) : chez (sur une adresse)
cf. *confer* : se reporter à
ch.-l. chef-lieu
chap. chapitre
Cie compagnie
C.P.I. copie pour information
d° *dito* : de même
dir. directeur
Dr Docteur
éd. édition
env. environ
etc. *et cetera* : et le reste
ex. exemple
fasc. fascicule
fém. féminin
fg faubourg
f° folio
hab. habitant
HT hors taxes
i. e. *id est* : c'est-à-dire
ibid. *ibidem* : au même endroit
id. *idem* : pareil
inf. *infra* : ci-dessous
J.-C. Jésus-Christ
loc. cit. *loco citato* : à l'endroit cité
M. Monsieur
masc. masculin
Me Maître
Mgr Monseigneur
Mlle Mademoiselle
MM. Messieurs
Mme Madame
ms. manuscrit
N. B. *nota bene* : à noter
n° numéro
op. cit. *opere citato* : dans l'ouvrage cité
PJ pièce jointe
plur. pluriel
P. M. *post meridiem* : après midi
p. page
p. c. c. pour copie conforme
p. s. *post-scriptum* : ajouté
pp. pages
r° recto
R.-V. rendez-vous
s. siècle
sect. section
sing. singulier
St, Ste Saint, Sainte
sqq. *sequantiaque* : et suivants
suiv. suivant
sup. *supra* : ci-dessus
suppl. supplément
t. tome
tél. téléphone
T. S. V. P. tournez s'il vous plaît
TTC toutes taxes comprises
v° verso
vs *versus* : par opposition à

Unités et symboles

LES UNITÉS DE MESURE

ampère	A
are	a
décibel	dB
degré	°
degré Celsius	°C
franc	F
grade	gr
gramme	g
heure	h
hertz	Hz
kilowatt-heure	kWh
litre	l

mètre	m
mètre carré	m²
mètre cube	m³
minute (angle)	'
minute (temps)	min
quintal	q
seconde (angle)	"
seconde (temps)	s
tonne	t
volt	V
watt	W

LES MULTIPLES ET SOUS-MULTIPLES

centi-	c
déca-	da

hect(o)-	h
kilo	kg

centilitre : cl ; centimètre : cm ; décagramme : dag ; hectare : ha...

LES POINTS CARDINAUX

nord	N
sud	S
est	E
ouest	O

nord-est	NE
nord-ouest	NO
sud-est	SE
sud-ouest	SO

LES SYMBOLES

&	et
§	paragraphe
@	arobase
€	euro
£	livre anglaise
$	dollar

=	égal
>	supérieur à
<	inférieur à
%	pour cent
®	marque déposée
©	copyright

Listes

LISTE DES PRINCIPAUX HOMOPHONES

a (*avoir*), *à* (préposition)

une affaire (nom féminin), *à faire*

un air (mine), *une aire* (surface), *une ère* (période)

une amande (fruit), *une amende* (pénalité)

une ancre (de bateau), *une encre* (pour écrire)

les auspices (présage), *un hospice* (établissement)

bai (couleur), *la baie* (crique)

la balade (promenade), *la ballade* (poème)

le ban (publication), *le banc* (siège)

ça (démonstratif), *çà* (adverbe et interjection), *sa* (possessif)

le cahot (saut), *le chaos* (désordre)

la cane (canard), *la canne* (bâton)

ce (démonstratif), *se* (possessif)

censé (supposé), *sensé* (raisonnable)

le cep (de vigne), *le cèpe* (champignon)

ces (démonstratif), *ses* (possessif)

la cession (de *céder*), *la session* (séance)

cet (démonstratif masculin), *cette* (démonstratif féminin)

la chaîne (anneaux), *le chêne* (arbre)

la chair (viande), *la chaire* (siège), *cher* (coûteux), *la chère* (nourriture)

le champ (terrain), *le chant* (mélodie)

le chœur (chanteurs), *le cœur* (organe)

clair (clarté), *le clerc* (de notaire)

coi (muet), *quoi* (pronom)

le comte (noble), *le compte* (calcul), *le conte* (récit)

la cour (lieu), *le cours* (leçon), *le court* (de tennis), *court* (bref)

le cygne (oiseau), *le signe* (marque)

la danse (nom féminin), *dense* (adjectif)

la date (jour), *la datte* (fruit)

décrépi (sans crépi), *décrépit* (usé)

le différend (nom masculin), *différent* (adjectif)

du (article contracté), *dû* (participe passé de *devoir*)

empreint (adjectif, *marqué*), *un emprunt* (nom, *prêt*)

un entrain (énergie), *en train* (locution prépositive)

exaucer (combler), *exhausser* (élever)

la faim (appétit), *la fin* (arrêt)

le flan (pâtisserie), *le flanc* (côté)

la foi (croyance), *le foie* (organe), *la fois* (occasion)

le fond (partie inférieure), *le fonds* (biens)

le gène (en génétique), *la gêne* (inconvénient)

glaciaire (adjectif), *la glacière* (sac isotherme)

le golf (sport), *le golfe* (crique)

goûter (déguster), *goutter* (dégouliner)

le gré (volonté), *le grès* (matériau)

la (pronom et déterminant), *là* (adverbe)

lacer (nouer), *lasser* (ennuyer)

mais (conjonction), *mes* (possessif), *le mets* (plat)

le maire (d'une commune), *la mer* (océan), *la mère* (maman)

le maître (personne), *le mètre* (mesure)
le mâle (être masculin), *la malle* (valise)
le martyr (personne), *le martyre* (souffrance)
la mite (insecte), *le mythe* (légende)
moi (pronom), *le mois* (du calendrier)
on (pronom), *ont* (de *avoir*)
ou (conjonction), *où* (adverbe)
le pain (nourriture), *le pin* (arbre)
le pair (homologue), *la paire* (couple)
le palais (château, voûte), *le palet* (objet plat)
panser (soigner), *penser* (réfléchir)
par (préposition), *la part* (portion)
le parti (groupe), *la partie* (portion, jeu)
la pâte (matière, nouille), *la patte* (jambe)
le pâté (charcuterie), *la pâtée* (pour animaux ; coup)
la pause (arrêt), *pose* (position)
le plan (projet, carte), *le plant* (plantation), *plan* (adjectif)
plus tôt (avant), *plutôt* (au lieu de)
le poing (de la main), *le point* (signe)
le porc (cochon), *le port* (pour bateaux)
près (préposition), *prêt* (adjectif)
quand (temps), *quant* (qui concerne)
raisonner (réfléchir), *résonner* (bruit)
la reine (personne), *la rêne* (lanière), *le renne* (animal)
le repaire (cachette), *le repère* (indice)
roder (habituer), *rôder* (errer)
sain (bien portant), *saint* (sacré), *le sein* (poitrine), *le seing* (la signature)
la satire (critique), *le satyre* (personne)
le sceau (cachet), *le seau* (récipient)
sceptique (incrédule), *septique* (contaminé)
serein (calme), *le serin* (oiseau)
soi (se), *soit* (être)
le sol (surface, note), *la sole* (poisson)
son (possessif), *sont* (être), *le son* (bruit)
sur (au-dessus de, aigre), *sûr* (certain)
la tache (saleté), *la tâche* (travail)
tant (autant), *le temps* (période)
la tante (personne), *la tente* (de camping)
teinter (colorer), *tinter* (retentir)
le tome (ouvrage), *la tomme* (fromage)
la tribu (clan), *le tribut* (contribution)
vanter (louer), *venter* (faire du vent)
le ver (animal), *le verre* (matériau, récipient), *le vers* (en poésie), *vers* (préposition), *vert* (couleur)
le vice (défaut), *la vis* (tige)
la voie (chemin), *la voix* (parole)

LES NOMS FÉMININS SANS *E*

Les noms de cette liste sont féminins. Ils se terminent par un son voyelle, mais s'écrivent sans *e* final, contrairement à la majorité des noms féminins [voir p. 74].

la brebis
la bru
la clé
la foi
la fourmi
la glu
la loi
la nuit
la paix
la paroi
la perdrix
la souris
la toux
la tribu
la vertu

LES NOMS MASCULINS AVEC *E* MUET

Les noms de cette liste sont masculins. Ils s'écrivent avec un *e* muet final, contrairement à la majorité des noms masculins.

FINALE EN -*ÉE*

un apogée
un athée
un athénée
un caducée
un lycée
un mausolée
un musée
un périnée
un prytanée
un pygmée
un scarabée
un trophée

FINALE EN -*IE*

un foie
un génie
un incendie
un messie
un sosie

LES FINALES EN -*ALE*, -*ÈLE* OU -*ÊLE* ET -*ELLE*

Contrairement à la plupart des noms masculins et adjectifs qui se terminent par le son [al] ou [ɛl], les noms et adjectifs de la liste suivante prennent un *e* en finale [voir p. 99].

[al] = -*al*

astrag**ale** *nm*
cannib**ale** *n*
déd**ale** *nm*
ét**ale** *adj*
pét**ale** *nm*
s**ale** *adj*
scand**ale** *nm*
squ**ale** *nm*
vand**ale** *n*

[ɛl] = -*èle* ou -*êle*

asphod**èle** *nm*
at**èle** *nm*
fid**èle** *n* et *adj*
fr**êle** *adj*
gr**êle** *adj*
isoc**èle** *adj*
mod**èle** *nm*
parall**èle** *nm* et *adj*
z**èle** *nm*

[ɛl] = -*elle*

lib**elle** *nm*
polichin**elle** *nm*
reb**elle** *n* et *adj*
vermic**elle** *nm*
violonc**elle** *nm*

LES NOMS FÉMININS EN -*ESSE*

abbé, abbesse
âne, ânesse
bougre, bougresse
chanoine, chanoinesse
clown, clownesse
comte, comtesse
devin, devineresse
diable, diablesse
dieu, déesse
drôle, drôlesse
druide, druidesse
duc, duchesse
hôte, hôtesse
maître, maîtresse
nègre, négresse
ogre, ogresse
pape, papesse
poète, poétesse
prêtre, prêtresse
prince, princesse
prophète, prophétesse
tigre, tigresse
traître, traîtresse
vicomte, vicomtesse

FÉMININS PARTICULIERS

AJOUT D'UNE FINALE	SUPPRESSION DE LA FINALE
héros, héroïne speaker, speakerine tsar, tsarine chef, cheftaine (scoutisme)	compagnon, compagne canard, cane dindon, dinde mulet, mule

TOUT AU SINGULIER OU AU PLURIEL ?

SINGULIER

à tout âge
à toute bride
à tout hasard
à tout prix
à tout propos
à tout venant
à toute allure
à toute épreuve
à toute force
à toute heure
avant toute chose
avoir tout intérêt
de tout cœur
de tout repos
de toute beauté
en tout état de cause
en toute franchise
en toute hâte
en toute liberté
pour tout renseignement
selon toute apparence
somme toute
tout compte fait

PLURIEL

à tous égards
à toutes fins utiles
à toutes jambes
de toutes pièces
en toutes lettres
tous feux éteints
toutes voiles dehors
toutes choses égales
assurance tous risques
tous deux, tous trois...
toutes affaires cessantes
toutes proportions gardées

Éléments de formation

Cette liste donne les principaux éléments tirés du grec ou du latin qui entrent dans la composition des mots du français. Retenir leur graphie permet d'écrire de nombreux mots sans hésitation.

ÉLÉMENT	SENS	EXEMPLES
all	autre	allopathie, allergie
amph	double	amphibie, amphétamine
anth	fleur	périanthe, chrysanthème
anthro	homme	misanthrope, anthropologie
apo	loin	apocalypse, apothéose
arch	ancien	archaïque, archéologie
arthr	articulation	arthrose, arthropode
aur	or	aurifère, auréole
bary	lourd	barycentre, baryum
call	beau	calligramme, calligraphie
céphal	tête	céphalée, encéphale
chlor	chlore vert	chloroforme chlorophylle
chromat, chrom	couleur	polychrome, chromosome
chron	temps	chronologie, anachronique
chrys	or	chrysanthème, chrysolithe
cryo	froid	cryogène, cryothérapie
crypt	caché	décrypter, cryptogramme
cyan	bleu	cyanure, cyanose
cyber	robotique, Internet	cybernétique, cybernaute
cycl	cercle	cycle, bicyclette, encyclopédie
cyn	chien	cynophilie, cynégétique
cyst	vessie	cystite, cystoplastie
cyt	cellule	cytologie, leucocyte, phagocyter
dactyl	doigt	dactylographie, ptérodactyle
dynam	force	dynamo, dynamique
endo	intérieur	endoscopie, endocarde
entér	intestin	entérologue, entérite, dysentrie
entom	insecte	entomologie, entomophage
esthés	sensation	anesthésie, kinesthésique
esthét	beau	esthétique, esthéticienne
ethno	peuple	ethnie, ethnologie
eu	bien	euthanasie, euphorie
fère	qui porte	mammifère, conifère, pétrolifère

ÉLÉMENT	SENS	EXEMPLES
graph	écrire	orthographe, graphologie
gyn	femme	misogyne, gynécologue
gyr	tourner	gyroscope, gyrophare
hect	cent	hectolitre, hectare
hélio	soleil	héliotrope, héliogravure
hém, hémat	sang	hémophile, hématome, hématologie
hémi	demi	hémicycle, hémisphère
hépat	foie	hépatite, hépatologie
hétér	différent	hétérogène, hétérosexuel
hex	six	hexamètre, hexagone
hipp	cheval	hippologie, hippodrome
holo	entier	holocauste, hologramme
hom, homin	homme	hominidé, homicide
homo	semblable	homographe, homogène, homologue
horo	heure	horodateur, horoscope
hydr	eau	hydrogène, hydravion, déshydrater
hyper	sur	hypermarché, hyperactif, hyperbole
hypn	sommeil	hypnotiser, hypnothérapie
hypo	sous	hypoténuse, hypoglycémie
ichty	poisson	ichtyologie, ichtyophage
igni	feu	ignifuge, ignifère
immun	exempt de	immunologie, immuniser
kilo	mille	kilomètre, kilowatt
kiné	mouvement	kinésithérapeute, kinésique
laryng	gorge	laryngite, laryngologie
latér	côté	latéral, quadrilatère
lip	graisse	lipide, liposuccion
lith	pierre	lithographie, mégalithe
lys, lyt	dissoudre	analyse, catalytique
mamm	sein	mammifère, mammographie
manc	divination	cartomancie, chiromancie
méta	au milieu de, avec	métaphysique, métamorphose
méth	méthyle	méthane, méthylène
milli	millième	millimètre, milliseconde
mném	mémoire	mnémotechnique, amnésie
morph	forme	polymorphe, morphologie
myc	champignon	mycologie, mycose
myo	muscle	myopathie, myocarde
myél	moelle	poliomyélite, myélose

ÉLÉMENT	SENS	EXEMPLES
myria	grand nombre	myriade, myriapode
myst	secret	mystique, mystère
myth	mythe	mythologie, mythomane
nano	très petit	nanocéphale, nanomètre
naute	navigateur	astronaute, internaute
néphr	rein	néphrite, néphrologie
neur	nerf	neurologie, neurone
nihil	rien	nihiliste, annihiler
nyct	nuit	nyctalope, nyctophobie
ocul	œil	oculaire, oculiste
odont	dent	orthodontiste, mastodonte
œn	vin	œnologie, œnophile
olé	huile	oléoduc, oléagineux
olfact	odeur	olfactif, olfactologie
olig	peu nombreux	oligarchie, oligoélément
onir	rêve	onirique, oniromancie
onym	nom	synonyme, patronyme, anonyme
ophtalm	œil	ophtalmologie, ophtalmoplastie
ornith	oiseau	ornithorynque, ornithologie
orth	droit	orthographe, orthopédie, orthophonie
oxy	acide oxygène	oxygène, oxymel oxyde, hydroxyde
pachy	épais	pachyderme, pachycéphalie
palé	ancien	paléolithique, paléontologie
pan, pant	tout	panthéon, panaméricain
path	ressentir souffrance	sympathie, télépathie psychopathe, pathologie
pent	cinq	pentagone, pentathlon
phag	manger	aérophagie, anthropophage, phagocyte
phall	phallus	phallocrate, phallique
phil	aimer	cinéphile, philosophie
phléb	veine	phlébologie, phlébite
phob	craindre	xénophobe, phobie
phon	son langue	phonographe, aphone, phonétique anglophone, francophone
phor	qui porte	photophore, anaphore, phosphore
phot	lumière photo	photophore, photosynthèse photogénique, photocopie
phras	discours	phraséologie, phrastique, périphrase

ÉLÉMENT	SENS	EXEMPLES
phrèn	esprit	schizophrène, phrénologie
phyll	feuille	chlorophylle, phylloxéra
phys physio	pousser développement naturel	apophyse, hypophyse physiologie, physionomie
phyt	plante	phytothérapie, phytozoaire
poly	plusieurs	polycopie, polyvalent, polygone
psych	esprit	psychique, psychologie,
pyr	feu	pyrogène, antipyrétique, pyromane
rhin	nez	rhinite, rhinocéros
rhiz	racine	rhizome, rhizotome
(r)rh	couler	diarrhée, aménorrhée
saure	reptile	dinosaure, saurien
scaph	bateau	bathyscaphe, scaphandre
soph	sagesse	philosophie, sophisme
styl	colonne	péristyle, stylobate
syn, syl, sym	avec	synonyme, syllogisme, sympathie
tachy	rapide	tachycardie, tachymètre
taph	tombeau	épitaphe, cénotaphe
tauto	égal	tautologie, tautophonie
techn	métier	technique, technologie, technocrate
thalass	mer	thalassothérapie, thalassémie
than, thanato	mort	euthanasie, thanatologie
thé	dieu	monothéiste, athée, théologie
thèque, théc	collection	logithèque, bibliothécaire
thérap	soigner	thérapie, kinésithérapeute
therm	chaleur	thermostat, thermomètre, isotherme
thés, thét	qui est posé	hypothèse, prothèse, synthétique
troph	se nourrir	atrophier, hypertrophier
typ	caractère d'imprimerie empreinte	typographie
typo	type	typologie
xyl	bois	xylophone, xylophage

Lexique

Ce lexique donne le sens des différents termes de grammaire signalés par un astérisque au sein de l'ouvrage.

A

ANIMÉ : Nom qui désigne un être humain, un animal ou un être imaginaire, par opposition au non-animé qui désigne un objet, une chose, une idée... **Ex. :** *Gaston, chat, mouette.*

ANTÉCÉDENT : Mot ou groupe de mots que remplace un pronom. **Ex. :** *Gaston n'écoute pas Fantasio qui lui parle* (*qui* a pour antécédent *Fantasio* et *lui* a pour antécédent *Gaston*).

APOSTROPHE : **1.** Signe graphique (') que l'on utilise pour marquer à l'écrit l'élision d'une lettre.
2. Fonction du nom ou du pronom que l'on emploie pour désigner la personne à laquelle on s'adresse. **Ex. :** ***Gaston**, ne sortez surtout pas du bureau. **Toi**, ne bouge pas.*

APPOSITION : Fonction du nom (ou du groupe nominal), du pronom qui apporte une précision sur la nature ou la qualité du nom auquel il se rapporte. **Ex. :** *Gaston, **le célèbre gaffeur**, se repose.* Contrairement aux autres types de complément, l'apposition désigne toujours le même être ou la même chose que le nom auquel elle se rapporte.

ASPIRÉ *(H)* : *H* qui se trouve à l'initiale d'un mot et qui rend impossible toute liaison et toute élision (par opposition au *h* muet). **Ex. :** *le héros* [ləeʀo], *les héros* [leeʀo].

ATTRIBUT : Fonction de l'adjectif ou du groupe nominal qui exprime une qualité, une manière d'être, une dénomination... du nom ou du pronom auquel il se rapporte. **Ex. :** *Gaston est le nouvel employé de bureau* (*le nouvel employé de bureau* est attribut du sujet *Gaston*) *; Fantasio n'a pas trouvé géniale la dernière invention de Gaston* (*géniale* est attribut du complément d'objet *invention*).

AUTONOMIE : Façon d'écrire un mot composé en laissant un blanc entre les composants, par opposition à la soudure et à l'emploi du trait d'union. **Ex. :** *pomme de terre* (autonomie), *arc-en-ciel* (trait d'union), *portefeuille* (soudure).

AUXILIAIRE : Verbe *être* ou *avoir* qui, vidés de leur sens et suivis du participe passé, servent de support à la conjugaison des temps composés. L'auxiliaire apporte les marques de temps, de mode, éventuellement de nombre et de personne ; le participe passé apporte, lui, les informations de sens. **Ex. :** *Demaesmeker n'a pas encore signé les contrats*. L'auxiliaire *être* sert à la formation du passif.

AVERBALE (PHRASE, PROPOSITION) : Phrase ou proposition dont le noyau n'est pas un verbe. Le plus souvent, le noyau est un nom. **Ex. :** *Tous mes respects, monsieur Demaesmeker*. Dans ce cas, on parle de phrase nominale. Mais on peut trouver d'autres catégories. **Ex. :** ***Rien** d'impossible pour Gaston !* La phrase averbale peut contenir un verbe, mais dans ce cas, il est le verbe d'une subordonnée. **Ex. :** *Heureux qui, comme Gaston, a fait un long somme.*

C

CARDINAL : Déterminant qui apporte une information précise sur la quantité d'êtres ou de choses désignés par le nom auquel il se rapporte *(un, deux, trois, quatre, vingt, cent...).*

CIRCONSTANCIEL : Qui apporte une information liée aux circonstances (lieu, temps, manière, but, cause...) de l'action exprimée par le verbe. Le complément circonstanciel est un adverbe (**Ex. :** *Demaesmeker signera le contrat* ***demain***), un groupe nominal (ou l'équivalent d'un groupe nominal), généralement introduit par une préposition (**Ex. :** *Demaesmeker est reparti* ***sans les contrats***) ou une proposition (**Ex. :** *Gaston pourra revenir* ***quand Demaesmeker aura signé les contrats***).

COLLECTIF (NOM) : Nom commun, singulier ou pluriel, qui désigne plusieurs éléments considérés dans leur ensemble. **Ex. :** *personnel* est un nom collectif singulier qui désigne l'ensemble des personnes travaillant dans une entreprise ; *aïeux* est un nom collectif pluriel qui désigne l'ensemble des ancêtres.

COMPOSANT : Mot ou élément qui sert à former un mot composé. **Ex. :** le nom composé *gaffophone* a deux composants (les deux éléments *gaffo-* et *-phone*).

COMPOSÉ : 1. Mot composé : association de mots ou d'éléments constituant une unité lexicale qui a sa propre définition. **Ex. :** *portemine* (deux mots), *taille-crayon* (deux mots), *électroaimant* (un élément + un mot), *bibliothèque* (deux éléments).
2. Temps composé : temps de la conjugaison qui se forme à l'aide de l'auxiliaire *être* ou *avoir* conjugué et du participe passé du verbe (passé composé, passé du conditionnel...). **Ex. :** *Gaston* ***a inventé*** *une nouvelle machine.*

COMPTABLE (NOM) : Nom qui désigne des êtres, des choses que l'on peut compter, que l'on peut considérer comme des éléments distincts (**Ex. :** *lettre, contrat, mouette*). S'emploie par opposition à **nom non comptable**, qui désigne une chose que l'on ne peut pas compter, qui se présente dans sa globalité (**Ex. :** *argent, ingéniosité, paresse*).

CONJONCTION DE COORDINATION : Mot qui sert à relier deux mots ou groupes de mots de même fonction syntaxique. **Ex. :** *Son chat* ***et*** *sa mouette sont installés dans son bureau.* La conjonction, par son sens, établit un lien logique entre les deux éléments : *et* (addition), *ou* (choix), *car* (explication)...

CONJONCTION DE SUBORDINATION : Mot qui introduit une proposition subordonnée. Tout comme la préposition, elle marque un lien de dépendance (entre la subordonnée et la principale). Mis à part *que,* les conjonctions de subordination expriment un lien sémantique entre la principale et la subordonnée : *quand* (temps), *si* (condition), *quoique* (concession)... La locution conjonctive *(pour que, bien que, au cas où...)* joue le même rôle qu'une conjonction de subordination. **Ex. :** *Si Demaesmeker vient, arrangez-vous* ***pour que*** *Gaston ne sorte pas de son bureau.* La conjonction de subordination n'a pas de fonction dans la subordonnée.

D

DÉCLARATIVE : Phrase dans laquelle le locuteur affirme quelque chose (**Ex.** : *Mademoiselle Jeanne est amoureuse de Gaston*), par opposition à **l'interrogative** où l'on pose une question (**Ex. :** *Mademoiselle Jeanne est-elle amoureuse ?*), **l'impérative** où l'on donne un ordre (**Ex. :** *Ne lui dis pas qu'elle est amoureuse de lui*) et **l'exclamative** où l'on marque une prise de position, un sentiment... par rapport à son énoncé (**Ex. :** *Comme Gaston est gentil !*).

DÉMONSTRATIF : Déterminant *(ce, cet, cette, ces)* ou pronom *(celui, celle, ceux, celles)* qui sert à « montrer » la personne ou la chose dont on parle.

DÉRIVÉ : Mot créé à partir d'un mot ou d'un radical à l'aide d'un suffixe et/ou d'un préfixe. **Ex. :** *incroyable* est dérivé de *croire.*

DÉSINENCE : Partie finale d'une forme verbale qui porte les marques de temps, de mode (et de nombre et de personne quand le verbe est conjugué à un mode personnel). La désinence s'ajoute au radical du verbe qui, lui, porte les informations de sens. **Ex. :** *Il invent****ait*** *toutes sortes de machines* (*-ait* est la désinence de l'imparfait de l'indicatif, 3e personne du singulier).

DÉTACHÉE (ÉPITHÈTE) : Voir **épithète**.

DÉTERMINANT : Mot qui accompagne le nom et dont la présence (en particulier dans le groupe sujet) est le plus souvent obligatoire. **Ex. :** *Sa voiture lui pose parfois quelques soucis.* On ne dira pas ~~*Voiture lui pose parfois soucis*~~. Les principaux déterminants sont : les articles *(le, un, du...),* les possessifs *(mon, ton...),* les démonstratifs *(ce...),* les indéfinis *(plusieurs, chaque, tout...),* les cardinaux *(deux, trois, vingt...).*

DONNEUR : Mot ou groupe de mots dont le genre, le nombre et parfois la personne commandent, par le phénomène de l'accord, la forme d'un autre mot qui lui est rattaché (cet autre mot étant lui-même appelé receveur). **Ex. :** *la petite amie de Gaston* (*amie* est le donneur ; *la* et *petite* sont les receveurs).

E

ÉLÉMENT : Unité lexicale qui porte en elle un sens précis, formée à partir d'un mot emprunté à une autre langue (latin ou grec le plus souvent). L'élément ne peut fonctionner de façon autonome. **Ex. :** *bio-, -thèque...* Les éléments se combinent entre eux ou à des mots pour former un mot composé. **Ex. :** *une biblio/thèque, une bio/graphie, électro/aimant.*

ELLIPSE : Fait de sous-entendre un ou plusieurs termes. **Ex. :** *Fantasio est moins tête en l'air que Gaston* pour *...que Gaston est tête en l'air.*

EMPRUNT : Mot d'une langue étrangère qui est intégré au lexique. **Ex. :** *scénario* (mot italien), *gag* (mot anglais).

ÉPITHÈTE : Adjectif (ou groupe adjectival) qui qualifie un nom. L'épithète, qui est un constituant du groupe nominal, suit ou précède directement ce nom et sa présence n'est pas obligatoire. L'**épithète détachée** est séparée du nom auquel elle se rapporte par la ponctuation, parfois également par sa place. **Ex. :** *Sûr de lui, Gaston appuya sur le bouton de sa nouvelle machine.*

EXCLAMATIF : Déterminant *(quel)* ou adverbe *(comme, combien...)* utilisé dans les phrases exclamatives. **Ex. :** ***Quel*** *impatient ce Fantasio !*

EXCLAMATIVE : Voir **déclarative**.

G

GROUPE : Ensemble de mots constitué d'un mot noyau et d'autres mots ou groupes de mots qui dépendent de ce mot noyau. Selon la nature du mot noyau, on parle de groupe nominal, adjectival, adverbial, pronominal, etc. **Ex. :** *Les **inventions** de Gaston* (groupe nominal) *sont toujours **utiles** à quelque chose* (groupe adjectival).

H

HOMOGRAPHE : Se dit de mots qui s'écrivent de la même façon, indépendamment de leur prononciation. **Ex. :** *boucher* (verbe) et *le boucher* (nom) ; *elles couvent* [kuv] et *le couvent* [kuvɑ̃].

HOMONYME : Se dit de mots dont la prononciation est identique, indépendamment de la façon dont ils s'écrivent. **Ex. :** *vers* et *verre* sont homonymes ; le nom *porte* est homonyme de la forme verbale *porte* (présent de *porter*).

HOMOPHONE : Se dit de mots dont la prononciation est identique, mais qui s'écrivent de façon différente. **Ex. :** *faim* et *fin*.

I

IMPÉRATIVE : Voir **déclarative.**

IMPERSONNEL : 1. Tournure impersonnelle : construction du verbe employé avec le sujet apparent *il* qui ne représente ni ne désigne rien. **Ex. :** *Il pleut. Il reste quelques problèmes à résoudre. Il est possible que Demaesmeker signe aujourd'hui les contrats.*
2. Mode impersonnel : mode du verbe pour lequel il n'y a pas de conjugaison en personne (par opposition aux **modes personnels**). Les modes impersonnels sont : l'infinitif, le participe et le gérondif.

INCISE (PROPOSITION) : Proposition qui sert à indiquer que le locuteur rapporte les paroles de quelqu'un. **Ex. :** *Pourquoi Gaston est-il encore en retard ? se demandait Fantasio.*

INDÉPENDANTE (PROPOSITION) : Proposition qui ne dépend d'aucune autre proposition et dont ne dépend aucune proposition (par opposition aux propositions subordonnée et principale). **Ex. :** *Fantasio se méfie toujours des inventions de Gaston.*

INTERROGATIF : Déterminant *(quel, lequel, combien de...),* pronom *(qui, que, quoi, lequel...),* adverbe *(pourquoi, comment...)* servant à poser les questions. **Ex. :** ***Qui*** *veut tester la nouvelle invention de Gaston ? Je ne sais pas* ***quand*** *Gaston répondra à mon courrier.*

INTERROGATIVE : Voir **déclarative**.

L

LOCUTION : Suite fixe de mots formant une unité de sens et pour laquelle le choix des constituants ne se fait pas librement. **Ex. :** *avoir recours à* (seule possibilité ; on ne pourra pas dire ~~*avoir un grand recours, avoir le recours de Gaston*~~). On parle de **locution verbale, conjonctive, adjective**... lorsque la locution a la valeur grammaticale d'un verbe, d'une conjonction, d'un adjectif... **Ex. :** *avoir l'air* (locution verbale, à comparer avec *paraître*), *au cas où* (locution conjonctive, à comparer avec *si*). On parle de **locution figée** quand on envisage la locution plutôt du point de vue sémantique, de son sens. Les locutions figées sont souvent composées de mots pris dans un sens figuré. **Ex. :** *Gaston est* ***la bête noire*** *de Fantasio.*

M

MUET : 1. *e* muet : *e* qui se prononce [ə] (**Ex. :** *venir* [vəniʀ]) ou qui ne se prononce pas (**Ex. :** *idée* [ide], *bouleverser* [bulvɛʀse]). Même s'il ne se fait pas entendre, un *e* muet peut changer la prononciation d'un mot. **Ex. :** *tout* [tu] et *toute* [tut].

2. *h* muet : *h* qui se trouve à l'initiale d'un mot, qui n'a aucune valeur phonétique, n'empêchant ni l'élision ni la liaison (par opposition au *h* aspiré). **Ex. :** *l'habitude* [labityd], *les habitudes* [lezabityd].

N

NEUTRE : Genre des pronoms *ce, le, cela* et *ceci* quand ils représentent une proposition ou un élément de phrase. Le neutre se marque toujours par le masculin singulier. **Ex. :** *Sa nouvelle machine ne marche pas très bien, mais **cela** n'est pas très **important**.*

NOMINAL (PRONOM) : Pronom qui n'a pas d'antécédent et qui désigne ou qui nomme directement quelqu'un ou quelque chose, par opposition au pronom représentant. **Ex. :** *M'enfin, pourquoi es-**tu** en colère ? Fantasio ne comprend **rien** à la logique de Gaston.*

NON-ANIMÉ : Nom qui désigne une chose, un objet, une idée... par opposition aux noms d'animés. **Ex. :** *courrier, invention, naïveté.*

O

OBJET (COMPLÉMENT D') : Mot ou groupe de mots se rapportant au verbe et désignant la chose ou l'être sur lequel porte l'action exprimée par le verbe. Le **complément d'objet direct (COD)** est relié directement au verbe, sans préposition (**Ex. :** *Demaesmeker a signé **le contrat***). Le **complément d'objet indirect (COI)** est introduit par une préposition (**Ex. :** *Pour Gaston, le sommeil ne peut nuire **à la santé***). Le **complément d'objet second (COS)** est introduit par une préposition, il est le complément d'un verbe qui est construit avec un COD (**Ex. :** *Il adaptera sa machine **au siège de Demaesmeker***).

ORDINAL : Mot qui sert à marquer le rang dans une suite *(premier, deuxième, troisième, vingtième...)*, par opposition à *cardinal* qui, lui, sert à indiquer une quantité précise *(un, deux, trois, vingt...)*. **Remarque :** les cardinaux peuvent être employés avec une valeur ordinale. **Ex. :** *Il y avait une grosse tache à la page **quatre** du contrat !* (à la quatrième page).

P

PASSIF, PASSIVE (VOIX) : Construction de phrase dans laquelle le sujet du verbe subit l'action. **Ex. :** *Le contrat a été signé par Demaesmeker* (par opposition à la voix active : *Demaesmeker a signé le contrat*). Le passif se forme avec l'auxiliaire *être* conjugué et le participe passé du verbe *(est signé, était signé, a été signé...)*. Le complément d'agent (introduit par la préposition *par*, parfois par *de*) représente celui qui fait l'action.

POSSESSEUR : Personne (plus rarement chose) qui possède, avec laquelle est établie la relation marquée par un possessif. Le possessif s'accorde en personne avec le possesseur. **Ex. :** ***Gaston*** *et ses collègues* (*Gaston* est le possesseur) ; *mes collègues et* ***moi*** (*moi* est le possesseur).

POSSESSIF : Déterminant, pronom qui marque l'appartenance (**Ex. :** *son auto, la sienne*) ou une simple relation d'une chose, d'un fait à une personne (**Ex. :** *votre signature, la vôtre*).

PRÉFIXE : Partie d'un mot placée devant le radical pour former un dérivé. **Ex. :** *dé-, pré-, re-...*

PRÉPOSITION : Mot qui introduit un nom (ou un groupe nominal), un pronom ou un infinitif. Tout comme la conjonction de subordination, la préposition sert à marquer un lien de dépendance (entre un groupe et le mot, le plus souvent nom ou verbe, dont ce groupe dépend). **Ex. :** *la dernière invention* ***de*** *Gaston.* La locution prépositive *(aux côtés de, face à...)* joue le même rôle qu'une préposition.

PRONOM : Le pronom est un mot qui peut se substituer à un nom mais contrairement au nom, il n'a pas de définition en soi (on ne peut donner de définition à *il, tout...*). Les principaux pronoms sont : les pronoms personnels *(je, me, moi...)*, les possessifs *(le mien, le tien...)*, les démonstratifs *(celui, celle...)*, les indéfinis *(plusieurs, chacun, tout...)*, les relatifs *(qui, que, quoi, lequel...)*.

PRONOMINAL (VERBE) : Verbe qui se conjugue avec un pronom personnel réfléchi de la même personne que son sujet. **Ex. :** *Fantasio* ***se méfie*** *toujours des inventions de Gaston.*

R

RADICAL : 1. Partie d'un mot qui porte le sens et à laquelle on adjoint les préfixes et les suffixes pour former un dérivé. **Ex. :** *in**croy**able, a**typ**ique.*
2. Partie d'une forme verbale qui porte les informations de sens et à laquelle on ajoute les désinences. **Remarque :** un verbe peut changer de radical au cours de sa conjugaison. **Ex. :** *il **peut**, il **pouv**ait, il **pour**ra.*

RECEVEUR : Mot qui reçoit, par le phénomène de l'accord, ses marques de genre, de nombre et parfois de personne d'un autre mot appelé « le donneur ». **Ex.** : *la petite amie de Gaston* (*la* et *petite* reçoivent leurs marques de genre et de nombre du donneur *amie*).

RÉEL : Voir **sujet**.

RÉFLÉCHI (PRONOM) : Pronom complément qui désigne le même être, la même chose que le sujet. **Ex.** : *Fantasio se fâche souvent.*

REGISTRE : Ensemble des caractères de la langue propres à un type de communication ou à un milieu culturel ou social. Le **registre soutenu** ou **littéraire** est utilisé dans les textes littéraires, les écrits solennels... Le **registre familier** est celui de la conversation informelle, entre personnes proches.

RELATIVE (PROPOSITION SUBORDONNÉE) : Proposition subordonnée introduite par un **pronom relatif** (par opposition à la conjonctive introduite par une conjonction de subordination). Le pronom relatif *(qui, que, quoi, dont, où, lequel)* a toujours une fonction (sujet, complément...) dans la relative. **Ex.** : *La machine qu'il a inventée ne marche pas* (*qu'il a inventée* : relative, complément de *machine* ; *qu'* : pronom relatif, complément d'objet direct de *a inventée*).

RELIEF (MISE EN) : Procédé par lequel on donne de l'importance à un mot (ou groupe de mots) en l'annonçant par exemple avec le présentatif *c'est... qui, que* (**Ex.** : ***C'est*** *cette nouvelle machine* ***qui*** *a provoqué l'explosion ;* ***c'est*** *la nouvelle machine* ***que*** *Gaston a inventée*) ou en le déplaçant et en le reprenant par un pronom *(Cette machine, Gaston l'a inventée tout seul).*

S

SOUDURE, SOUDÉ (MOT) : Façon d'écrire les mots composés sans espace ni trait d'union entre les composants, par opposition à l'autonomie et à l'emploi du trait d'union. **Ex.** : *portefeuille, gaffophone* (soudure), *pomme de terre* (autonomie), *arc-en-ciel* (trait d'union).

SUBORDONNÉE (PROPOSITION) : Proposition qui a un lien de dépendance (sujet, complément...) avec un terme de la principale (le plus souvent le verbe ou un nom). **Ex.** : *Fantasio espère* ***que Demaesmeker signera le contrat*** (proposition subordonnée complément d'objet direct de *espère*).

SUFFIXE : Partie d'un mot placée après le radical pour former un dérivé. **Ex.** : *invent**ion**, réalis**able**.*

SUJET : Mot ou groupe de mots qui se rapporte au verbe et qui répond à la question *Qui ? Qui est-ce qui ? Qu'est-ce qui ?* ou que l'on peut mettre en relief par la tournure *c'est... qui.* Le sujet détermine l'accord du verbe. Le **sujet apparent** est le pronom *il* dans les tournures impersonnelles, par opposition au **sujet réel** (appelé aussi sujet logique) qui peut être exprimé, mais qui ne commande pas l'accord. **Ex.** : *Il reste quelques miettes au fond de la gamelle de son chat.*

SYLLABE : Voyelle ou groupe constitué de consonnes et de voyelles se prononçant d'une seule émission de voix. **Ex.** : *extraordinaire* comprend cinq syllabes : *ex* [eks], *tra* [tʀa], *or* [ɔʀ], di [di] et *naire* [nɛʀ].

T

TEMPS COMPOSÉ : Voir **composé.**

TOURNURE IMPERSONNELLE : Voir **impersonnel**.

Index

Index

Les numéros renvoient aux pages où la notion est abordée. Les numéros en **gras** renvoient aux pages où la notion est le plus développée.

A

B

F

G

H

I

N

O

P

Q

R

S

T

Alphabet phonétique international

12 VOYELLES			
a	m**a**t	ɔ	s**o**rt
ɑ	m**â**t	ø	bl**eu**
e	caf**é**	œ	b**eu**rre
ɛ	m**è**re	ə	ch**e**min
i	pl**i**	u	**ou**rs
o	s**o**t	y	**u**ser

4 VOYELLES NASALES			
ɑ̃	br**an**che	œ̃	br**un**
ɛ̃	br**in**	ɔ̃	br**on**zer

3 SEMI-CONSONNES			
j	yaourt	ɥ	huit
w	oui		

17 CONSONNES			
b	**b**as	ʀ	**r**are
k	**c**ave	s	**s**ur
d	**d**ur	t	**t**as
f	**f**emme	v	**v**oler
g	**g**ant	z	ro**s**e
l	léger	ʃ	**ch**âteau
m	**m**ain	ʒ	**g**iboulée
n	**n**on	ɲ	oi**gn**on
p	**p**oule		

Le son anglais [ŋ] de la finale *-ing (parking, pressing...)* est souvent prononcé [ng] par les Français.

Les semi-consonnes sont également appelées « semi-voyelles ».

Imprimé et relié en France par Pollina, 85400 Luçon

Éditions Albin Michel
22, rue Huyghens 75014 Paris
www.albin-michel.fr

ISBN : 2-226-14391-2
N° d'édition : 23626 - N° d'impression : L96994
Dépôt légal : juillet 2005

Bibliothè[illegible]que du [illegible]
Township of [illegible]